Dictionnaire des modes de cuisson et de conservation des aliments pour la femme allaitante

MENARD Cédric
DIETETICIEN-NUTRITIONNISTE
Diplômes d'Etat français

Merci infiniment d'avoir acheté cet ouvrage

Edition : BoD - Books on Demand
12/14 rond-point des Champs Elysées, 75008 Paris
Imprimé par Books on Demand GmbH, Norderstedt, Allemagne
ISBN : 9782322224647
Dépôt légal : juin 2020

Bonjour et merci infiniment de votre confiance.

Je m'appelle MENARD Cédric, et je suis diététicien-nutritionniste diplômé d'Etat. J'ai effectué une partie de mes études de diététique au sein de l'hôpital psychiatrique de Picauville, ainsi qu'aux services de néphrologie et de gastro-entérologie au C.H.U de Rennes. Une fois diplômé, je me suis installé comme diététicien-nutritionniste en profession libérale en 2008. J'ai profité de mes premiers mois d'installation pour me spécialiser en micro-nutrition, et fus diplômé du Collège Européen Nutrition Traitement Obésité (CENTO) en 2009.

Attention : cet ouvrage est strictement adapté à la diététique des femmes allaitantes en bonne santé.

Mes autres ouvrages
traitant de la diététique des femmes allaitantes :

Quelle alimentation pour la femme allaitante ?

Recettes et menus pour la femme allaitante

Menus de printemps pour la femme allaitante

Menus d'été pour la femme allaitante

Menus d'automne pour la femme allaitante

Menus d'hiver pour la femme allaitante

Dictionnaire alimentaire de la femme allaitante

- Le B.a.-ba. de la diététique : la femme allaitante

Mon site Internet : **www.cedricmenarddieteticien.com**
Mon numéro de certification professionnelle **ADELI**, enregistré auprès de la DDASS : 509500435.

**Vous souhaitez bénéficier
de mes services diététiques en ligne ?**

- Afin d'approfondir votre prise en charge diététique
associée à un coaching personnalisé.

- Où bien pour me poser des questions
n'ayant malheureusement pas de réponse
au sein de cet ouvrage ?

Rendez vous alors sur mon site Internet

www.cedricmenarddieteticien.com

puis cliquez sur la bannière
présente sur la page d'accueil du site intitulée :

« Téléconsultations diététiques »

Légende de l'ouvrage :

- Le mode de cuisson ou de conservation de l'aliment concerné joue un rôle positif certains, dans ce cas il sera accompagné de **quatre étoiles pleines ★ ★ ★ ★**.

- Le mode de cuisson ou de conservation de l'aliment concerné est neutre voir légèrement positif, dans ce cas il sera accompagné de **trois étoiles pleines ★ ★ ★**.

- Le mode de cuisson ou de conservation de l'aliment concerné est plus ou moins déconseillé car joue un rôle plus ou moins délétère, dans ce cas il sera accompagné de **deux étoiles pleines ★ ★**.

- Le mode de cuisson ou de conservation de l'aliment concerné est vivement déconseillé, dans ce cas il sera accompagné d'une seule **étoile pleine ★**. Dans l'idéal, ce mode de cuisson ou de conservation ne sera pas mis en pratique.

- Le mode de cuisson ou de conservation de l'aliment concerné est très **vivement déconseillé** à la consommation, pour ne pas dire interdit, il sera alors désigné par ce type de cadre grisé.

A noter que la notation de l'aliment concernera uniquement l'aliment sans aucune transformation autre que celle de mentionnée. Par exemple, la sardine **surgelée** aura une notation qui concerne une sardine nature et fraîche qui sera **uniquement surgelée** (et non pas cuisinée, huilée, précuite, salée, etc. avant sa surgélation !)

A noter également qu'il n'est pas question, dans cet ouvrage, de traiter de la quantité mais **de la qualité nutritionnelle** du mode de cuisson ! Par exemple, la notation d'un aliment cuit dans l'huile correspondra à la **qualité nutritionnelle** de ce mode de cuisson dans l'huile, et ne dépendra pas de la quantité d'huile utilisée, ni de la quantité de ce plat de consommée !

Au sein de cet ouvrage...

On considérera les gelées de fruit et les marmelades comme faisant partie de la catégorie **confiture** (pour leur notation).

Les modes de cuissons suivants : **papillote, vapeur, grillé(e), pierrade, rôti(e) à la broche**, sont des modes de cuisson totalement dépourvus de matières grasses, ni avant, ni pendant, ni après la cuisson.

Fruit **à l'anglaise** : fruit poché dans de l'eau sucrée puis saupoudré de sucre avant consommation.

Aliment **cuit à la milanaise** : aliment trempé dans l'œuf battu puis dans la chapelure avant d'être cuit.

Aliment **cuit à l'étouffée** : aliment cuit à feu doux en vase clos (cocotte fermée, casserole fermée, etc...)

Aliment **cuit en braisé** : aliment cuit à feu doux en vase clos (cocotte fermée, casserole fermée, etc...) dans un fond très aromatique qui ne recouvre que la moitié de l'aliment en cours de braisage.

Aliment **cuit en meunière** : aliment trempé dans du lait puis dans de la farine avant d'être cuit.

Aliment **cuit en papillote** : aliment accompagné (ou non) d'aromates et cuit sans matière grasse, enveloppé dans du papier aluminium.

Aliment **cuit en poêlée** : aliment cuit à feu moyen à vif dans un wok (de préférence), en général à découvert.

Aliment **cuit en ragoût** : aliment cuit à feu doux en vase clos (cocotte fermée, casserole fermée, etc...) dans un roux (matières grasses et farine).

Cuisson au court bouillon : cuisson dans une grande quantité d'eau aromatisée d'un bouquet garni, carottes, oignon, sel, poivre... Les cuissons à l'eau salée uniquement rentrent dans cette catégorie.

Potage velouté : légume vert mixé accompagné de lait et d'huile végétale.

Potage crème : légume vert mixé accompagné de lait, de crème fraîche et de jaune d'œuf.

Sec : concerne la conservation de l'aliment en sec et non pas sa consommation crue en sec bien entendu.

Mesures hygiéno-diététiques générales

Les matières grasses sont indispensables. Elles devront être cependant de bonne qualité. 10g à 12g environ de beurre doux par jour sont conseillés pour leurs apports en vitamines A, E et D. Cependant, vous pouvez également consommer de la margarine végétale, St Hubert oméga 3 sans huile de palme est, à mon avis, la plus intéressante d'entre elles. Environ une à deux cuillères à soupe d'huile végétale par déjeuner et autant par dîner seront nécessaires. Privilégiez, si possible, l'huile d'olive « **extra-vierge** » pour la cuisson, et l'huile de noix pour l'assaisonnement. Evitez les graisses cuites et les fritures.

Les viandes, poissons, œufs et leurs assimilés sont des apports alimentaires fondamentaux en protéines de haute valeur biologique, en fer, en zinc et en vitamine B12... Ils doivent être consommés **au moins** à chaque déjeuner et dîner, mais je vous conseille d'en consommer également au petit-déjeuner et au goûter, voire à la collation. Ne pas les cuire dans la matière grasse mais grillez-les. **Ne pas consommer le gras des viandes**. Consommez régulièrement du poisson en favorisant si possible les poissons gras. Pas de charcuterie grasse transformée du traiteur ou industrielle si possible.

Les féculents doivent être impérativement consommés à chaque repas et même au goûter. Vous favoriserez **les féculents complets**. Ils représentent les fondations même de votre équilibre alimentaire.

Les légumes verts sont d'indispensables apports en fibres alimentaires qui aident efficacement à lutter contre la constipation (mais également à la prévenir), en eau, en sels minéraux et en vitamines. Ils doivent être consommés au mieux à chaque repas. Les potages seront très vivement encouragés à la consommation. Ils apportent (entre autres) de la vitamine B9 qui est très importante au cours de votre allaitement. Attention à la rhubarbe que je vous conseille d'éviter.

Les produits laitiers sont **très importants** pour leurs apports alimentaires élevés en calcium, en protéines animales de grande valeur biologique, en vitamine D, et en vitamines du groupe B. Un apport en produit laitier **à chaque repas** est absolument fondamental. Ils aident **très fortement** à vous prévenir de l'ostéoporose. Evitez si possible les laits de mammifère consommés en boisson. Favorisez les fromages affinés à pâte dure ainsi que ceux à pâte persillée.

Tous les fruits sont très importants pour leurs apports alimentaires en fibres qui aident, tout comme au sein des légumes verts, à traiter ou à prévenir la constipation. Ce sont également les meilleures sources alimentaires en vitamine C. Les fruits exotiques peuvent poser des problèmes potentiels d'allergies, ils seront **peu ou pas consommés**. Evitez également la noix de coco et ses dérivés car risques diarrhéiques. Des fruits à chaque repas sont très importants et les fruits oléagineux seront vivement et prioritairement consommés.

Le sucre et les produits sucrés sont **à limiter dans leur consommation. Les édulcorants sont parfaitement consommables à la place du sucre**, et ne poseront aucun problème. Les viennoiseries, biscuiteries, brioches, gâteaux... ne **sont pas des aliments intéressants**.

La consommation **d'eau minérale** sera suffisante (au mieux buvez de l'Hépar) et environ deux litres minimum par jour sont nécessaires. Pas d'eau du robinet. Attention à ne pas abuser du sel, du café ou du thé. **Attention aux boissons alcoolisées : n'en buvez pas du tout**. Fractionnez votre alimentation en faisant **systématiquement** un goûter (voire une collation en plus ne sera pas un luxe). N'hésitez pas épicer vos plats.

Votre **hygiène alimentaire** doit être irréprochable : lavage systématique des mains avant chaque repas, ne pas consommer d'aliment cru ou mal cuit, ne pas consommer la mayonnaise de la veille (au mieux ne pas en consommer du tout), bien laver les fruits et les légumes avant de les consommer, au mieux ne pas consommer de boisson alcoolisée, attention au café...

$\mathcal{A}$

Ablette : petit poisson d'eau douce à chair blanche.
Conservée par le sel : ★★★
Conservée sous vide : ★★★
Consommation crue
Cuisson à la milanaise avec beurre doux : ★
Cuisson à la milanaise avec beurre salé : ★
Cuisson à la milanaise avec huile végétale : ★
Cuisson à la milanaise avec margarine végétale non salée : ★
Cuisson à la milanaise avec margarine végétale salée : ★
Cuisson à la milanaise avec saindoux ou graisse d'oie ou de canard : ★
Cuisson à la milanaise sans matière grasse : ★
Cuisson en beignet : ★★★
Cuisson en friture : ★★★
Cuisson en meunière avec beurre doux : ★★★
Cuisson en meunière avec beurre salé : ★★★
Cuisson en meunière avec huile végétale : ★★★
Cuisson en meunière avec margarine végétale non salée : ★★★
Cuisson en meunière avec margarine végétale salée : ★★★
Cuisson en meunière avec saindoux ou graisse d'oie ou de canard : ★★★
Cuisson en meunière sans matière grasse : ★★★
Cuisson en sauté (idem poêlée).
Pierrade : ★★★
Poêlée avec beurre doux : ★★★
Poêlée avec beurre salé : ★★★
Poêlée avec huile végétale : ★★★
Poêlée avec margarine végétale non salée : ★★★
Poêlée avec margarine végétale salée : ★★★
Poêlée avec saindoux ou graisse d'oie ou de canard : ★★★
Poêlée sans matière grasse : ★★★
Salée et fumée : ★
Séchée : ★★★
Surgelée : ★★★

Abricot - Agneau (viande d')

Remarque : pas d'huile d'arachide ni de beurre noisette.

Abricot : fruit d'été de couleur orange et de calibre moyen au goût sucré.
A l'anglaise : ★★★
Au sirop : ★★★
Au sirop léger : ★★★
Confit : ★★★
Conserve au naturel : ★★★
Conservé dans l'alcool
Conservé sous vide : ★★★
Consommation cru : ★★★
En beignet : ★★★
En compote (avec sucre ajouté) : ★★★
En compote sans sucre ajouté : ★★★
En confiture : ★★★
En confiture allégée en sucre : ★★★
En confiture sans sucre : ★★★
Flambé (abricot poché) : ★★
Fraîchement récolté : ★★★
Poché sans sucre : ★★★
Sec : ★★★★
Surgelé : ★★★

Agneau (viande d') : petit de la brebis. Viande rouge.
Conservée par le sel : ★
Conservée sous vide : ★
Consommation crue
Cuisson à la milanaise avec beurre doux :
Cuisson à la milanaise avec beurre salé :
Cuisson à la milanaise avec huile végétale :
Cuisson à la milanaise avec margarine végétale non salée :
Cuisson à la milanaise avec margarine végétale salée :
Cuisson à la milanaise avec saindoux ou graisse d'oie ou de canard :
Cuisson à la milanaise sans matière grasse :
Cuisson à l'étouffée avec beurre doux : ★
Cuisson à l'étouffée avec beurre salé : ★
Cuisson à l'étouffée avec huile végétale : ★

Cuisson à l'étouffée avec margarine végétale non salée : ★
Cuisson à l'étouffée avec margarine végétale salée : ★
Cuisson à l'étouffée avec saindoux ou graisse d'oie ou de canard : ★
Cuisson à l'étouffée sans matière grasse : ★
Cuisson au court bouillon : ★
Cuisson en braisé avec beurre doux : ★
Cuisson en braisé avec beurre salé : ★
Cuisson en braisé avec huile végétale : ★
Cuisson en braisé avec margarine végétale non salée : ★
Cuisson en braisé avec margarine végétale salée : ★
Cuisson en braisé avec saindoux ou graisse d'oie ou de canard : ★
Cuisson en braisé sans matière grasse : ★
Cuisson en friture : ★
Cuisson en meunière avec beurre doux : ★
Cuisson en meunière avec beurre salé : ★
Cuisson en meunière avec huile végétale : ★
Cuisson en meunière avec margarine végétale non salée : ★
Cuisson en meunière avec margarine végétale salée : ★
Cuisson en meunière avec saindoux ou graisse d'oie ou de canard : ★
Cuisson en meunière sans matière grasse : ★
Cuisson en papillote : ★
Cuisson en ragoût avec beurre doux : ★
Cuisson en ragoût avec beurre salé : ★
Cuisson en ragoût avec huile végétale : ★
Cuisson en ragoût avec margarine végétale non salée : ★
Cuisson en ragoût avec margarine végétale salée : ★
Cuisson en ragoût avec saindoux ou graisse d'oie ou de canard : ★
Cuisson en sauté (idem poêlée).
Cuisson rôtie à la broche : ★
Cuisson rôtie au four avec beurre doux : ★
Cuisson rôtie au four avec beurre salé : ★
Cuisson rôtie au four avec huile végétale : ★
Cuisson rôtie au four avec margarine végétale non salée : ★
Cuisson rôtie au four avec margarine végétale salée : ★
Cuisson rôtie au four avec saindoux ou graisse d'oie ou de canard : ★

Agneau (viande d') - Aiguillat

Cuisson rôtie au four sans matière grasse ajoutée : ★
Cuisson vapeur : ★
Grillée : ★
Pierrade : ★
Poêlée avec beurre doux : ★
Poêlée avec beurre salé : ★
Poêlée avec huile végétale : ★
Poêlée avec margarine végétale non salée : ★
Poêlée avec margarine végétale salée : ★
Poêlée avec saindoux ou graisse d'oie ou de canard : ★
Poêlée sans matière grasse : ★
Salée et fumée
Séchée : ★
Surgelée : ★
Remarque : pas d'huile d'arachide ni de beurre noisette.

Aiguillat : requin comestible, aussi appelé « Chien marin ».
Conservé par le sel : ★ ★ ★
Conservé sous vide : ★ ★ ★
Consommation cru
Cuisson à la milanaise avec beurre doux : ★
Cuisson à la milanaise avec beurre salé : ★
Cuisson à la milanaise avec huile végétale : ★
Cuisson à la milanaise avec margarine végétale non salée : ★
Cuisson à la milanaise avec margarine végétale salée : ★
Cuisson à la milanaise avec saindoux ou graisse d'oie ou de canard : ★
Cuisson à la milanaise sans matière grasse : ★
Cuisson à l'étouffée avec beurre doux : ★ ★ ★
Cuisson à l'étouffée avec beurre salé : ★ ★ ★
Cuisson à l'étouffée avec huile végétale : ★ ★ ★
Cuisson à l'étouffée avec margarine végétale non salée : ★ ★ ★
Cuisson à l'étouffée avec margarine végétale salée : ★ ★ ★
Cuisson à l'étouffée avec saindoux ou graisse d'oie ou de canard : ★ ★ ★
Cuisson à l'étouffée sans matière grasse : ★ ★ ★
Cuisson au court bouillon : ★ ★ ★
Cuisson en braisé avec beurre doux : ★ ★ ★
Cuisson en braisé avec beurre salé : ★ ★ ★

Cuisson en braisé avec huile végétale : ★★★
Cuisson en braisé avec margarine végétale non salée : ★★★
Cuisson en braisé avec margarine végétale salée : ★★★
Cuisson en braisé avec saindoux ou graisse d'oie ou de canard :
★★★
Cuisson en braisé sans matière grasse : ★★★
Cuisson en friture : ★★★
Cuisson en meunière avec beurre doux : ★★★
Cuisson en meunière avec beurre salé : ★★★
Cuisson en meunière avec huile végétale : ★★★
Cuisson en meunière avec margarine végétale non salée : ★★★
Cuisson en meunière avec margarine végétale salée : ★★★
Cuisson en meunière avec saindoux ou graisse d'oie ou de
canard : ★★★
Cuisson en meunière sans matière grasse : ★★★
Cuisson en papillote : ★★★
Cuisson en ragoût avec beurre doux : ★★★
Cuisson en ragoût avec beurre salé : ★★★
Cuisson en ragoût avec huile végétale : ★★★
Cuisson en ragoût avec margarine végétale non salée : ★★★
Cuisson en ragoût avec margarine végétale salée : ★★★
Cuisson en ragoût avec saindoux ou graisse d'oie ou de canard :
★★★
Cuisson en sauté (idem poêlé).
Cuisson rôti à la broche : ★★★
Cuisson rôti au four avec beurre doux : ★★★
Cuisson rôti au four avec beurre salé : ★★★
Cuisson rôti au four avec huile végétale : ★★★
Cuisson rôti au four avec margarine végétale non salée : ★★★
Cuisson rôti au four avec margarine végétale salée : ★★★
Cuisson rôti au four avec saindoux ou graisse d'oie ou de
canard : ★★★
Cuisson rôti au four sans matière grasse ajoutée : ★★★
Cuisson vapeur : ★★★
Grillé : ★★★
Pierrade : ★★★
Poêlé avec beurre doux : ★★★
Poêlé avec beurre salé : ★★★
Poêlé avec huile végétale : ★★★
Poêlé avec margarine végétale non salée : ★★★

Poêlé avec margarine végétale salée : ★★★
Poêlé avec saindoux ou graisse d'oie ou de canard : ★★★
Poêlé sans matière grasse : ★★★
Salé et fumé : ★
Séché : ★★★
Surgelé : ★★★
Remarque : pas d'huile d'arachide ni de beurre noisette.

Aiguillette de bœuf : voir « Bœuf (viande de) ».

Aiguillette de canard : voir « Canard (viande de) ».

Aiguillette de cheval : voir « Cheval (viande de) ».

Aiguillette de poulet : voir « Poulet (viande de) ».

Ail : plante potagère à bulbe dont les gousses sont utilisées en cuisine. Légume vert.
Conservé dans le vinaigre : ★
Conserve en saumure (eau salée) : ★
Conservé sous vide : ★
Consommation cru : ★
Consommation cuit : ★
Déshydraté : ★
Fraîchement récolté : ★
Pulpe : ★
Surgelé : ★

Airelle : fruit rouge ou noir proche de la myrtille.
A l'anglaise : ★★★
Au sirop : ★★★
Au sirop léger : ★★★
Confite : ★★★
Conserve au naturel : ★★★
Conservée dans l'alcool
Conservée sous vide : ★★★
Consommation crue : ★★★
En beignet : ★★★
En compote (avec sucre ajouté) : ★★★

En compote sans sucre ajouté : ★★★
En confiture : ★★★
En confiture allégée en sucre : ★★★
En confiture sans sucre : ★★★
Fraîchement récoltée : ★★★
Pochée sans sucre : ★★★
Séchée : ★★★★
Surgelée : ★★★

Alose : poisson gras d'eau douce.
Conservée par le sel : ★★★★
Conservée sous vide : ★★★★
Consommation crue
Cuisson à la milanaise avec beurre doux : ★
Cuisson à la milanaise avec beurre salé : ★
Cuisson à la milanaise avec huile végétale : ★
Cuisson à la milanaise avec margarine végétale non salée : ★
Cuisson à la milanaise avec margarine végétale salée : ★
Cuisson à la milanaise avec saindoux ou graisse d'oie ou de canard : ★
Cuisson à la milanaise sans matière grasse : ★
Cuisson à l'étouffée avec beurre doux : ★★★★
Cuisson à l'étouffée avec beurre salé : ★★★★
Cuisson à l'étouffée avec huile végétale : ★★★★
Cuisson à l'étouffée avec margarine végétale non salée : ★★★★
Cuisson à l'étouffée avec margarine végétale salée : ★★★★
Cuisson à l'étouffée avec saindoux ou graisse d'oie ou de canard : ★★★★
Cuisson à l'étouffée sans matière grasse : ★★★★
Cuisson au court bouillon : ★★★★
Cuisson en braisé avec beurre doux : ★★★★
Cuisson en braisé avec beurre salé : ★★★★
Cuisson en braisé avec huile végétale : ★★★★
Cuisson en braisé avec margarine végétale non salée : ★★★★
Cuisson en braisé avec margarine végétale salée : ★★★★
Cuisson en braisé avec saindoux ou graisse d'oie ou de canard : ★★★★
Cuisson en braisé sans matière grasse : ★★★★
Cuisson en friture : ★★★★

Alose - Amande marin

Cuisson en meunière avec beurre doux : ★★★★
Cuisson en meunière avec beurre salé : ★★★★
Cuisson en meunière avec huile végétale : ★★★★
Cuisson en meunière avec margarine végétale non salée : ★★★★
Cuisson en meunière avec margarine végétale salée : ★★★★
Cuisson en meunière avec saindoux ou graisse d'oie ou de canard : ★★★★
Cuisson en meunière sans matière grasse : ★★★★
Cuisson en papillote : ★★★★
Cuisson en sauté (idem poêlée).
Cuisson rôtie à la broche : ★★★ ★
Cuisson rôtie au four avec beurre doux : ★★★★
Cuisson rôtie au four avec beurre salé : ★★★★
Cuisson rôtie au four avec huile végétale : ★★★★
Cuisson rôtie au four avec margarine végétale non salée : ★★★★
Cuisson rôtie au four avec margarine végétale salée : ★★★★
Cuisson rôtie au four avec saindoux ou graisse d'oie ou de canard : ★★★★
Cuisson rôtie au four sans matière grasse ajoutée : ★★★★
Cuisson vapeur : ★★★★
Grillée : ★★★ ★
Pierrade : ★★★★
Poêlée avec beurre doux : ★★★★
Poêlée avec beurre salé : ★★★★
Poêlée avec huile végétale : ★★★★
Poêlée avec margarine végétale non salée : ★★★★
Poêlée avec margarine végétale salée : ★★★★
Poêlée avec saindoux ou graisse d'oie ou de canard : ★★★★
Poêlée sans matière grasse : ★★★★
Salée et fumée : ★
Séchée : ★★★★
Surgelée : ★★★★

Remarque : pas d'huile d'arachide ni de beurre noisette.

Aloyau : voir « Bœuf (viande de) ».

Amande marin : voir « Palourde ».

Ananas : gros fruit tropical à chair sucrée et savoureuse. Fruit exotique.
A l'anglaise : ★★
Au sirop : ★★
Au sirop léger : ★★
Confit : ★★
Conserve au naturel : ★★
Conservé dans l'alcool
Conservé sous vide : ★★
Consommation cru : ★★
En beignet : ★★
En compote (avec sucre ajouté) : ★★
En compote sans sucre ajouté : ★★
En confiture : ★★
En confiture allégée en sucre : ★★
En confiture sans sucre : ★★
Flambé : ★★
Fraîchement récolté : ★★
Poché sans sucre : ★★
Séché : ★★
Surgelé : ★★

Anchois : petit poisson gras marin.
Conservé dans la saumure : ★★★
Conservé dans l'huile : ★★★
Conservé par le sel : ★★★
Conservé sous vide : ★★★
Consommation cru
Cuisson à la milanaise avec beurre doux : ★
Cuisson à la milanaise avec beurre salé : ★
Cuisson à la milanaise avec huile végétale : ★
Cuisson à la milanaise avec margarine végétale non salée : ★
Cuisson à la milanaise avec margarine végétale salée : ★
Cuisson à la milanaise avec saindoux ou graisse d'oie ou de canard : ★
Cuisson à la milanaise sans matière grasse : ★
Cuisson en beignet : ★★★
Cuisson en friture : ★★★
Cuisson en meunière avec beurre doux : ★★★
Cuisson en meunière avec beurre salé : ★★★

Anchois - Anguille

Cuisson en meunière avec huile végétale : ★★★
Cuisson en meunière avec margarine végétale non salée : ★★★
Cuisson en meunière avec margarine végétale salée : ★★★
Cuisson en meunière avec saindoux ou graisse d'oie ou de canard : ★★★
Cuisson en meunière sans matière grasse : ★★★
Cuisson en sauté (idem poêlé).
Pierrade : ★★★
Poêlé avec beurre doux : ★★★
Poêlé avec beurre salé : ★★★
Poêlé avec huile végétale : ★★★
Poêlé avec margarine végétale non salée : ★★★
Poêlé avec margarine végétale salée : ★★★
Poêlé avec saindoux ou graisse d'oie ou de canard : ★★★
Poêlé sans matière grasse : ★★★
Salé et fumé : ★
Séché : ★★★
Surgelé : ★★★
Remarque : pas d'huile d'arachide ni de beurre noisette.

Andouillette : voir « Porc (viande de) ».

Aneth : plante ombellifère aromatique.

Angélique : plante ombellifère aromatique.
Conservée sous vide : ★★★
Consommation crue : ★★★
Consommation cuite : ★★★
Déshydratée : ★★★
Fraîchement récoltée : ★★★
Surgelée : ★★★

Anguille : poisson gras d'eau douce.
Conservée par le sel : ★★★★
Conservée sous vide : ★★★★
Consommation crue
Cuisson à la milanaise avec beurre doux : ★
Cuisson à la milanaise avec beurre salé : ★
Cuisson à la milanaise avec huile végétale : ★

Cuisson à la milanaise avec margarine végétale non salée : ★
Cuisson à la milanaise avec margarine végétale salée : ★
Cuisson à la milanaise avec saindoux ou graisse d'oie ou de canard : ★
Cuisson à la milanaise sans matière grasse : ★
Cuisson à l'étouffée avec beurre doux : ★★★★
Cuisson à l'étouffée avec beurre salé : ★★★★
Cuisson à l'étouffée avec huile végétale : ★★★★
Cuisson à l'étouffée avec margarine végétale non salée : ★★★★
Cuisson à l'étouffée avec margarine végétale salée : ★★★★
Cuisson à l'étouffée avec saindoux ou graisse d'oie ou de canard : ★★★★
Cuisson à l'étouffée sans matière grasse : ★★★★
Cuisson au court bouillon : ★★★★
Cuisson en braisé avec beurre doux : ★★★★
Cuisson en braisé avec beurre salé : ★★★★
Cuisson en braisé avec huile végétale : ★★★★
Cuisson en braisé avec margarine végétale non salée : ★★★★
Cuisson en braisé avec margarine végétale salée : ★★★★
Cuisson en braisé avec saindoux ou graisse d'oie ou de canard : ★★★★
Cuisson en braisé sans matière grasse : ★★★★
Cuisson en friture : ★★★★
Cuisson en meunière avec beurre doux : ★★★★
Cuisson en meunière avec beurre salé : ★★★★
Cuisson en meunière avec huile végétale : ★★★★
Cuisson en meunière avec margarine végétale non salée : ★★★★
Cuisson en meunière avec margarine végétale salée : ★★★★
Cuisson en meunière avec saindoux ou graisse d'oie ou de canard : ★★★★
Cuisson en meunière sans matière grasse : ★★★★
Cuisson en papillote : ★★★★
Cuisson en ragoût avec beurre doux : ★★★★
Cuisson en ragoût avec beurre salé : ★★★★
Cuisson en ragoût avec huile végétale : ★★★★
Cuisson en ragoût avec margarine végétale non salée : ★★★★
Cuisson en ragoût avec margarine végétale salée : ★★★★

Cuisson en ragoût avec saindoux ou graisse d'oie ou de canard :
★★★★
Cuisson en sauté (idem poêlée).
Cuisson rôtie au four avec beurre doux : ★★★★
Cuisson rôtie au four avec beurre salé : ★★★★
Cuisson rôtie au four avec huile végétale : ★★★★
Cuisson rôtie au four avec margarine végétale non salée :
★★★★
Cuisson rôtie au four avec margarine végétale salée : ★★★★
Cuisson rôtie au four avec saindoux ou graisse d'oie ou de canard : ★★★★
Cuisson rôtie au four sans matière grasse ajoutée : ★★★★
Cuisson vapeur : ★★★★
Grillée : ★★★ ★
Pierrade : ★★★★
Poêlée avec beurre doux : ★★★★
Poêlée avec beurre salé : ★★★★
Poêlée avec huile végétale : ★★★★
Poêlée avec margarine végétale non salée : ★★★★
Poêlée avec margarine végétale salée : ★★★★
Poêlée avec saindoux ou graisse d'oie ou de canard : ★★★★
Poêlée sans matière grasse : ★★★★
Salée et fumée : ★
Séchée : ★★★★
Surgelée : ★★★★
Remarque : pas d'huile d'arachide ni de beurre noisette.

Anone : fruit tropical comestible. Fruit exotique.
A l'anglaise : ★★
Au sirop : ★★
Au sirop léger : ★★
Confite : ★★
Conserve au naturel : ★★
Conservée dans l'alcool
Conservée sous vide : ★★
Consommation crue : ★★
En beignet : ★★
En compote (avec sucre ajouté) : ★★
En compote sans sucre ajouté : ★★

En confiture : ✦✦
En confiture allégée en sucre : ✦✦
En confiture sans sucre : ✦✦
Fraîchement récoltée : ✦✦
Pochée sans sucre : ✦✦
Séchée : ✦✦
Surgelée : ✦✦

Araignée de bœuf : voir « Bœuf (viande de) ».

Araignée de cheval : voir « Cheval (viande de) ».

Aronia : petite baie rouge ou noire. Fruit rouge.
A l'anglaise : ✦✦✦
Au sirop : ✦✦✦
Au sirop léger : ✦✦✦
Confite : ✦✦✦
Conserve au naturel : ✦✦✦
Conservée dans l'alcool
Conservée sous vide : ✦✦✦
Consommation crue : ✦✦✦
En beignet : ✦✦✦
En compote (avec sucre ajouté) : ✦✦✦
En compote sans sucre ajouté : ✦✦✦
En confiture : ✦✦✦
En confiture allégée en sucre : ✦✦✦
En confiture sans sucre : ✦✦✦
Fraîchement récoltée : ✦✦✦
Pochée sans sucre : ✦✦✦
Séchée : ✦✦✦✦
Surgelée : ✦✦✦

Asperge : plante potagère cultivée pour ses jeunes pousses. Légume vert.
Conserve en saumure (eau salée) : ✦
Conservée sous vide : ✦
Consommation crue
Cuisson à la milanaise sans matière grasse : ✦
Cuisson à l'étouffée avec beurre doux : ✦
Cuisson à l'étouffée avec beurre salé : ✦

Asperge

Cuisson à l'étouffée avec huile végétale : ★
Cuisson à l'étouffée avec margarine végétale non salée : ★
Cuisson à l'étouffée avec margarine végétale salée : ★
Cuisson à l'étouffée avec saindoux ou graisse d'oie ou de canard : ★
Cuisson à l'étouffée sans matière grasse : ★
Cuisson au court bouillon : ★
Cuisson en beignet : ★
Cuisson en braisé avec beurre doux : ★
Cuisson en braisé avec beurre salé : ★
Cuisson en braisé avec huile végétale : ★
Cuisson en braisé avec margarine végétale non salée : ★
Cuisson en braisé avec margarine végétale salée : ★
Cuisson en braisé avec saindoux ou graisse d'oie ou de canard : ★
Cuisson en braisé sans matière grasse : ★
Cuisson en friture : ★
Cuisson en papillote : ★
Cuisson en ragoût avec beurre doux : ★
Cuisson en ragoût avec beurre salé : ★
Cuisson en ragoût avec huile végétale : ★
Cuisson en ragoût avec margarine végétale non salée : ★
Cuisson en ragoût avec margarine végétale salée : ★
Cuisson en ragoût avec saindoux ou graisse d'oie ou de canard : ★
Cuisson en sauté (idem poêlée).
Cuisson vapeur : ★
Poêlée avec beurre doux : ★
Poêlée avec beurre salé : ★
Poêlée avec huile végétale : ★
Poêlée avec margarine végétale non salée : ★
Poêlée avec margarine végétale salée : ★
Poêlée avec saindoux ou graisse d'oie ou de canard : ★
Poêlée sans matière grasse : ★
Potage crème : ★
Potage nature sans matière grasse ajoutée : ★
Potage velouté : ★
Surgelée : ★
Remarque : pas d'huile d'arachide ni de beurre noisette.

Aubergine : plante potagère annuelle cultivée surtout dans les régions méditerranéennes. Légume vert.

Confite : ★★★
Conserve en saumure (eau salée) : ★★★
Conservée sous vide : ★★★
Consommation crue
Cuisson à la milanaise avec beurre doux : ★
Cuisson à la milanaise avec beurre salé : ★
Cuisson à la milanaise avec huile végétale : ★
Cuisson à la milanaise avec margarine végétale non salée : ★
Cuisson à la milanaise avec margarine végétale salée : ★
Cuisson à la milanaise avec saindoux ou graisse d'oie ou de canard : ★
Cuisson à la milanaise sans matière grasse : ★
Cuisson à l'étouffée avec beurre doux : ★★★
Cuisson à l'étouffée avec beurre salé : ★★★
Cuisson à l'étouffée avec huile végétale : ★★★
Cuisson à l'étouffée avec margarine végétale non salée : ★★★
Cuisson à l'étouffée avec margarine végétale salée : ★★★
Cuisson à l'étouffée avec saindoux ou graisse d'oie ou de canard : ★★★
Cuisson à l'étouffée sans matière grasse : ★★★
Cuisson au court bouillon : ★★★
Cuisson en beignet : ★★★
Cuisson en braisé avec beurre doux : ★★★
Cuisson en braisé avec beurre salé : ★★★
Cuisson en braisé avec huile végétale : ★★★
Cuisson en braisé avec margarine végétale non salée : ★★★
Cuisson en braisé avec margarine végétale salée : ★★★
Cuisson en braisé avec saindoux ou graisse d'oie ou de canard : ★★★
Cuisson en braisé sans matière grasse : ★★★
Cuisson en friture : ★★★
Cuisson en meunière avec beurre doux : ★★★
Cuisson en meunière avec beurre salé : ★★★
Cuisson en meunière avec huile végétale : ★★★
Cuisson en meunière avec margarine végétale non salée : ★★★
Cuisson en meunière avec margarine végétale salée : ★★★
Cuisson en meunière avec saindoux ou graisse d'oie ou de canard : ★★★

Aubergine - Autruche (viande de)

Cuisson en meunière sans matière grasse : ★★★
Cuisson en papillote : ★★★
Cuisson en sauté (idem poêlée).
Cuisson vapeur : ★★★
Grillée : ★★★
Pierrade : ★★★
Poêlée avec beurre doux : ★★★
Poêlée avec beurre salé : ★★★
Poêlée avec huile végétale : ★★★
Poêlée avec margarine végétale non salée : ★★★
Poêlée avec margarine végétale salée : ★★★
Poêlée avec saindoux ou graisse d'oie ou de canard : ★★★
Poêlée sans matière grasse : ★★★
Potage crème : ★★★
Potage nature sans matière grasse ajoutée : ★★★
Potage velouté : ★★★
Surgelée : ★★★
Remarque : pas d'huile d'arachide ni de beurre noisette.

Autruche (viande d') : oiseau de grande taille d'Afrique et du Proche-Orient.
Conservée par le sel : ★★★
Conservée sous vide : ★★★
Consommation crue
Cuisson à la milanaise avec beurre doux : ★
Cuisson à la milanaise avec beurre salé : ★
Cuisson à la milanaise avec huile végétale : ★
Cuisson à la milanaise avec margarine végétale non salée : ★
Cuisson à la milanaise avec margarine végétale salée : ★
Cuisson à la milanaise avec saindoux ou graisse d'oie ou de canard : ★
Cuisson à la milanaise sans matière grasse : ★
Cuisson à l'étouffée avec beurre doux : ★★★
Cuisson à l'étouffée avec beurre salé : ★★★
Cuisson à l'étouffée avec huile végétale : ★★★
Cuisson à l'étouffée avec margarine végétale non salée : ★★★
Cuisson à l'étouffée avec margarine végétale salée : ★★★
Cuisson à l'étouffée avec saindoux ou graisse d'oie ou de canard : ★★★

Cuisson à l'étouffée sans matière grasse : ★★★
Cuisson au court bouillon : ★★★
Cuisson en braisé avec beurre doux : ★★★
Cuisson en braisé avec beurre salé : ★★★
Cuisson en braisé avec huile végétale : ★★★
Cuisson en braisé avec margarine végétale non salée : ★★★
Cuisson en braisé avec margarine végétale salée : ★★★
Cuisson en braisé avec saindoux ou graisse d'oie ou de canard : ★★★
Cuisson en braisé sans matière grasse : ★★★
Cuisson en friture : ★★★
Cuisson en meunière avec beurre doux : ★★★
Cuisson en meunière avec beurre salé : ★★★
Cuisson en meunière avec huile végétale : ★★★
Cuisson en meunière avec margarine végétale non salée : ★★★
Cuisson en meunière avec margarine végétale salée : ★★★
Cuisson en meunière avec saindoux ou graisse d'oie ou de canard : ★★★
Cuisson en meunière sans matière grasse : ★★★
Cuisson en papillote : ★★★
Cuisson en ragoût avec beurre doux : ★★★
Cuisson en ragoût avec beurre salé : ★★★
Cuisson en ragoût avec huile végétale : ★★★
Cuisson en ragoût avec margarine végétale non salée : ★★★
Cuisson en ragoût avec margarine végétale salée : ★★★
Cuisson en ragoût avec saindoux ou graisse d'oie ou de canard : ★★★
Cuisson en sauté (idem poêlée).
Cuisson rôtie à la broche : ★★★
Cuisson rôtie au four avec beurre doux : ★★★
Cuisson rôtie au four avec beurre salé : ★★★
Cuisson rôtie au four avec huile végétale : ★★★
Cuisson rôtie au four avec margarine végétale non salée : ★★★
Cuisson rôtie au four avec margarine végétale salée : ★★★
Cuisson rôtie au four avec saindoux ou graisse d'oie ou de canard : ★★★
Cuisson rôtie au four sans matière grasse ajoutée : ★★★
Cuisson vapeur : ★★★
Grillée : ★★★
Pierrade : ★★★

Poêlée avec beurre doux : ★★★
Poêlée avec beurre salé : ★★★
Poêlée avec huile végétale : ★★★
Poêlée avec margarine végétale non salée : ★★★
Poêlée avec margarine végétale salée : ★★★
Poêlée avec saindoux ou graisse d'oie ou de canard : ★★★
Poêlée sans matière grasse : ★★★
Salée et fumée : ★
Séchée : ★★★
Surgelée : ★★★
Remarque : pas d'huile d'arachide ni de beurre noisette.

Azerole : petit fruit rouge ressemblant à une cerise très riche en vitamine C.
Consommation crue
En confiture : ★★★
En confiture allégée en sucre : ★★★
En confiture sans sucre : ★★★

ℬ

Baby-beef : voir « Bœuf (viande de) ».

Bacon : voir « Porc (viande de) » section *Salée et fumée*.

Bambou (pousses de) : jeunes pousses de bambou comestibles. Légume vert.
Conserve en saumure (eau salée) : ★★★
Conservées sous vide : ★★★
Consommation crues
Cuisson à l'étouffée avec beurre doux : ★★★
Cuisson à l'étouffée avec beurre salé : ★★★
Cuisson à l'étouffée avec huile végétale : ★★★
Cuisson à l'étouffée avec margarine végétale non salée : ★★★
Cuisson à l'étouffée avec margarine végétale salée : ★★★

Cuisson à l'étouffée avec saindoux ou graisse d'oie ou de canard : ★★★
Cuisson à l'étouffée sans matière grasse : ★★★
Cuisson au court bouillon : ★★★
Cuisson en braisé avec beurre doux : ★★★
Cuisson en braisé avec beurre salé : ★★★
Cuisson en braisé avec huile végétale : ★★★
Cuisson en braisé avec margarine végétale non salée : ★★★
Cuisson en braisé avec margarine végétale salée : ★★★
Cuisson en braisé avec saindoux ou graisse d'oie ou de canard : ★★★
Cuisson en braisé sans matière grasse : ★★★
Cuisson en papillote : ★★★
Cuisson en ragoût avec beurre doux : ★★★
Cuisson en ragoût avec beurre salé : ★★★
Cuisson en ragoût avec huile végétale : ★★★
Cuisson en ragoût avec margarine végétale non salée : ★★★
Cuisson en ragoût avec margarine végétale salée : ★★★
Cuisson en ragoût avec saindoux ou graisse d'oie ou de canard : ★★★
Cuisson en sauté (idem poêlées).
Cuisson vapeur : ★★★
Poêlées avec beurre doux : ★★★
Poêlées avec beurre salé : ★★★
Poêlées avec huile végétale : ★★★
Poêlées avec margarine végétale non salée : ★★★
Poêlées avec margarine végétale salée : ★★★
Poêlées avec saindoux ou graisse d'oie ou de canard : ★★★
Poêlées sans matière grasse : ★★★
Potage crème : ★★★
Potage nature sans matière grasse ajoutée : ★★★
Potage velouté : ★★★
Surgelées : ★★★
Remarque : pas d'huile d'arachide ni de beurre noisette.

Banane plantain : fruit tropical issu du bananier riche en amidon qui se consomme cuit. Fruit exotique cuisiné comme un légume vert.
Conserve en saumure (eau salée) : ★★★

Banane plantain

Conservée sous vide : ★★★
Consommation crue
Cuisson à la milanaise avec beurre doux : ★
Cuisson à la milanaise avec beurre salé : ★
Cuisson à la milanaise avec huile végétale : ★
Cuisson à la milanaise avec margarine végétale non salée : ★
Cuisson à la milanaise avec margarine végétale salée : ★
Cuisson à la milanaise avec saindoux ou graisse d'oie ou de canard : ★
Cuisson à la milanaise sans matière grasse : ★
Cuisson à l'étouffée avec beurre doux : ★★★
Cuisson à l'étouffée avec beurre salé : ★★★
Cuisson à l'étouffée avec huile végétale : ★★★
Cuisson à l'étouffée avec margarine végétale non salée : ★★★
Cuisson à l'étouffée avec margarine végétale salée : ★★★
Cuisson à l'étouffée avec saindoux ou graisse d'oie ou de canard : ★★★
Cuisson à l'étouffée sans matière grasse : ★★★
Cuisson au court bouillon : ★★★
Cuisson en beignet : ★★★
Cuisson en braisé avec beurre doux : ★★★
Cuisson en braisé avec beurre salé : ★★★
Cuisson en braisé avec huile végétale : ★★★
Cuisson en braisé avec margarine végétale non salée : ★★★
Cuisson en braisé avec margarine végétale salée : ★★★
Cuisson en braisé avec saindoux ou graisse d'oie ou de canard : ★★★
Cuisson en braisé sans matière grasse : ★★★
Cuisson en friture : ★★★
Cuisson en meunière avec beurre doux : ★★★
Cuisson en meunière avec beurre salé : ★★★
Cuisson en meunière avec huile végétale : ★★★
Cuisson en meunière avec margarine végétale non salée : ★★★
Cuisson en meunière avec margarine végétale salée : ★★★
Cuisson en meunière avec saindoux ou graisse d'oie ou de canard : ★★★
Cuisson en meunière sans matière grasse : ★★★
Cuisson en papillote : ★★★
Cuisson en ragoût avec beurre doux : ★★★
Cuisson en ragoût avec beurre salé : ★★★

Cuisson en ragoût avec huile végétale : ★★★
Cuisson en ragoût avec margarine végétale non salée : ★★★
Cuisson en ragoût avec margarine végétale salée : ★★★
Cuisson en ragoût avec saindoux ou graisse d'oie ou de canard : ★★★
Cuisson en sauté (idem poêlée).
Cuisson vapeur : ★★★
Poêlée avec beurre doux : ★★★
Poêlée avec beurre salé : ★★★
Poêlée avec huile végétale : ★★★
Poêlée avec margarine végétale non salée : ★★★
Poêlée avec margarine végétale salée : ★★★
Poêlée avec saindoux ou graisse d'oie ou de canard : ★★★
Poêlée sans matière grasse : ★★★
Potage crème : ★★★
Potage nature sans matière grasse ajoutée : ★★★
Potage velouté : ★★★
Surgelée : ★★★
Remarque : pas d'huile d'arachide ni de beurre noisette.

Banane tigrée : fruit tropical issu du bananier riche en amidon avant sa pleine maturité. Fruit exotique.
A l'anglaise : ★★★
Au sirop : ★★★
Au sirop léger : ★★★
Confite : ★★★
Conserve au naturel : ★★★
Conservée dans l'alcool
Conservée sous vide : ★★★
Consommation crue : ★★★
En beignet : ★★★
En compote (avec sucre ajouté) : ★★★
En compote sans sucre ajouté : ★★★
En confiture : ★★★
En confiture allégée en sucre : ★★★
En confiture sans sucre : ★★★
Flambée : ★★
Fraîchement récoltée : ★★★
Pochée sans sucre : ★★★

Banane tigrée - Bar

Séchée : ★★★★
Surgelée : ★★★

Bar : poisson marin à chair blanche.
Conservé par le sel : ★★★
Conservé sous vide : ★★★
Consommation cru
Cuisson à la milanaise avec beurre doux : ★
Cuisson à la milanaise avec beurre salé : ★
Cuisson à la milanaise avec huile végétale : ★
Cuisson à la milanaise avec margarine végétale non salée : ★
Cuisson à la milanaise avec margarine végétale salée : ★
Cuisson à la milanaise avec saindoux ou graisse d'oie ou de canard : ★
Cuisson à la milanaise sans matière grasse : ★
Cuisson à l'étouffée avec beurre doux : ★★★
Cuisson à l'étouffée avec beurre salé : ★★★
Cuisson à l'étouffée avec huile végétale : ★★★
Cuisson à l'étouffée avec margarine végétale non salée : ★★★
Cuisson à l'étouffée avec margarine végétale salée : ★★★
Cuisson à l'étouffée avec saindoux ou graisse d'oie ou de canard : ★★★
Cuisson à l'étouffée sans matière grasse : ★★★
Cuisson au court bouillon : ★★★
Cuisson en braisé avec beurre doux : ★★★
Cuisson en braisé avec beurre salé : ★★★
Cuisson en braisé avec huile végétale : ★★★
Cuisson en braisé avec margarine végétale non salée : ★★★
Cuisson en braisé avec margarine végétale salée : ★★★
Cuisson en braisé avec saindoux ou graisse d'oie ou de canard : ★★★
Cuisson en braisé sans matière grasse : ★★★
Cuisson en friture : ★★★
Cuisson en meunière avec beurre doux : ★★★
Cuisson en meunière avec beurre salé : ★★★
Cuisson en meunière avec huile végétale : ★★★
Cuisson en meunière avec margarine végétale non salée : ★★★
Cuisson en meunière avec margarine végétale salée : ★★★
Cuisson en meunière avec saindoux ou graisse d'oie ou de canard : ★★★

Cuisson en meunière sans matière grasse : ★★★
Cuisson en papillote : ★★★
Cuisson en sauté (idem poêlé).
Cuisson rôti à la broche : ★★★
Cuisson rôti au four avec beurre doux : ★★★
Cuisson rôti au four avec beurre salé : ★★★
Cuisson rôti au four avec huile végétale : ★★★
Cuisson rôti au four avec margarine végétale non salée : ★★★
Cuisson rôti au four avec margarine végétale salée : ★★★
Cuisson rôti au four avec saindoux ou graisse d'oie ou de canard : ★★★
Cuisson rôti au four sans matière grasse ajoutée : ★★★
Cuisson vapeur : ★★★
Grillé : ★★★
Pierrade : ★★★
Poêlé avec beurre doux : ★★★
Poêlé avec beurre salé : ★★★
Poêlé avec huile végétale : ★★★
Poêlé avec margarine végétale non salée : ★★★
Poêlé avec margarine végétale salée : ★★★
Poêlé avec saindoux ou graisse d'oie ou de canard : ★★★
Poêlé sans matière grasse : ★★★
Salé et fumé : ★
Séché : ★★★
Surgelé : ★★★
Remarque : pas d'huile d'arachide ni de beurre noisette.

Barbeau : poisson d'eau douce à chair blanche.
Conservé par le sel : ★★★
Conservé sous vide : ★★★
Consommation cru
Cuisson à la milanaise avec beurre doux : ★
Cuisson à la milanaise avec beurre salé : ★
Cuisson à la milanaise avec huile végétale : ★
Cuisson à la milanaise avec margarine végétale non salée : ★
Cuisson à la milanaise avec margarine végétale salée : ★
Cuisson à la milanaise avec saindoux ou graisse d'oie ou de canard : ★
Cuisson à la milanaise sans matière grasse : ★

Barbeau

Cuisson à l'étouffée avec beurre doux : ★★★
Cuisson à l'étouffée avec beurre salé : ★★★
Cuisson à l'étouffée avec huile végétale : ★★★
Cuisson à l'étouffée avec margarine végétale non salée : ★★★
Cuisson à l'étouffée avec margarine végétale salée : ★★★
Cuisson à l'étouffée avec saindoux ou graisse d'oie ou de canard : ★★★
Cuisson à l'étouffée sans matière grasse : ★★★
Cuisson au court bouillon : ★★★
Cuisson en braisé avec beurre doux : ★★★
Cuisson en braisé avec beurre salé : ★★★
Cuisson en braisé avec huile végétale : ★★★
Cuisson en braisé avec margarine végétale non salée : ★★★
Cuisson en braisé avec margarine végétale salée : ★★★
Cuisson en braisé avec saindoux ou graisse d'oie ou de canard : ★★★
Cuisson en braisé sans matière grasse : ★★★
Cuisson en friture : ★★★
Cuisson en meunière avec beurre doux : ★★★
Cuisson en meunière avec beurre salé : ★★★
Cuisson en meunière avec huile végétale : ★★★
Cuisson en meunière avec margarine végétale non salée : ★★★
Cuisson en meunière avec margarine végétale salée : ★★★
Cuisson en meunière avec saindoux ou graisse d'oie ou de canard : ★★★
Cuisson en meunière sans matière grasse : ★★★
Cuisson en papillote : ★★★
Cuisson en sauté (idem poêlé).
Cuisson rôti au four avec beurre doux : ★★★
Cuisson rôti au four avec beurre salé : ★★★
Cuisson rôti au four avec huile végétale : ★★★
Cuisson rôti au four avec margarine végétale non salée : ★★★
Cuisson rôti au four avec margarine végétale salée : ★★★
Cuisson rôti au four avec saindoux ou graisse d'oie ou de canard : ★★★
Cuisson rôti au four sans matière grasse ajoutée : ★★★
Cuisson vapeur : ★★★
Grillé : ★★★
Pierrade : ★★★
Poêlé avec beurre doux : ★★★

Poêlé avec beurre salé : ★★★
Poêlé avec huile végétale : ★★★
Poêlé avec margarine végétale non salée : ★★★
Poêlé avec margarine végétale salée : ★★★
Poêlé avec saindoux ou graisse d'oie ou de canard : ★★★
Poêlé sans matière grasse : ★★★
Salé et fumé : ★
Séché : ★★★
Surgelé : ★★★
Remarque : pas d'huile d'arachide ni de beurre noisette.

Barbue : poisson marin à chair blanche.
Conservé par le sel : ★★★
Conservé sous vide : ★★★
Consommation cru
Cuisson à la milanaise avec beurre doux : ★
Cuisson à la milanaise avec beurre salé : ★
Cuisson à la milanaise avec huile végétale : ★
Cuisson à la milanaise avec margarine végétale non salée : ★
Cuisson à la milanaise avec margarine végétale salée : ★
Cuisson à la milanaise avec saindoux ou graisse d'oie ou de canard : ★
Cuisson à la milanaise sans matière grasse : ★
Cuisson à l'étouffée avec beurre doux : ★★★
Cuisson à l'étouffée avec beurre salé : ★★★
Cuisson à l'étouffée avec huile végétale : ★★★
Cuisson à l'étouffée avec margarine végétale non salée : ★★★
Cuisson à l'étouffée avec margarine végétale salée : ★★★
Cuisson à l'étouffée avec saindoux ou graisse d'oie ou de canard : ★★★
Cuisson à l'étouffée sans matière grasse : ★★★
Cuisson au court bouillon : ★★★
Cuisson en braisé avec beurre doux : ★★★
Cuisson en braisé avec beurre salé : ★★★
Cuisson en braisé avec huile végétale : ★★★
Cuisson en braisé avec margarine végétale non salée : ★★★
Cuisson en braisé avec margarine végétale salée : ★★★
Cuisson en braisé avec saindoux ou graisse d'oie ou de canard : ★★★

Barbue

Cuisson en braisé sans matière grasse : ★★★
Cuisson en friture : ★★★
Cuisson en meunière avec beurre doux : ★★★
Cuisson en meunière avec beurre salé : ★★★
Cuisson en meunière avec huile végétale : ★★★
Cuisson en meunière avec margarine végétale non salée : ★★★
Cuisson en meunière avec margarine végétale salée : ★★★
Cuisson en meunière avec saindoux ou graisse d'oie ou de canard : ★★★
Cuisson en meunière sans matière grasse : ★★★
Cuisson en papillote : ★★★
Cuisson en ragoût avec beurre doux : ★★★
Cuisson en ragoût avec beurre salé : ★★★
Cuisson en ragoût avec huile végétale : ★★★
Cuisson en ragoût avec margarine végétale non salée : ★★★
Cuisson en ragoût avec margarine végétale salée : ★★★
Cuisson en ragoût avec saindoux ou graisse d'oie ou de canard : ★★★
Cuisson en sauté (idem poêlé).
Cuisson rôti à la broche : ★★★
Cuisson rôti au four avec beurre doux : ★★★
Cuisson rôti au four avec beurre salé : ★★★
Cuisson rôti au four avec huile végétale : ★★★
Cuisson rôti au four avec margarine végétale non salée : ★★★
Cuisson rôti au four avec margarine végétale salée : ★★★
Cuisson rôti au four avec saindoux ou graisse d'oie ou de canard : ★★★
Cuisson rôti au four sans matière grasse ajoutée : ★★★
Cuisson vapeur : ★★★
Grillé : ★★★
Pierrade : ★★★
Poêlé avec beurre doux : ★★★
Poêlé avec beurre salé : ★★★
Poêlé avec huile végétale : ★★★
Poêlé avec margarine végétale non salée : ★★★
Poêlé avec margarine végétale salée : ★★★
Poêlé avec saindoux ou graisse d'oie ou de canard : ★★★
Poêlé sans matière grasse : ★★★
Salé et fumé : ★
Séché : ★★★

Surgelé : ✦✦✦
Remarque : pas d'huile d'arachide ni de beurre noisette.

Barracuda : poisson marin à chair blanche.
Conservé par le sel : ✦✦✦
Conservé sous vide : ✦✦✦
Consommation cru
Cuisson à la milanaise avec beurre doux : ✦
Cuisson à la milanaise avec beurre salé : ✦
Cuisson à la milanaise avec huile végétale : ✦
Cuisson à la milanaise avec margarine végétale non salée : ✦
Cuisson à la milanaise avec margarine végétale salée : ✦
Cuisson à la milanaise avec saindoux ou graisse d'oie ou de canard : ✦
Cuisson à la milanaise sans matière grasse : ✦
Cuisson à l'étouffée avec beurre doux : ✦✦✦
Cuisson à l'étouffée avec beurre salé : ✦✦✦
Cuisson à l'étouffée avec huile végétale : ✦✦✦
Cuisson à l'étouffée avec margarine végétale non salée : ✦✦✦
Cuisson à l'étouffée avec margarine végétale salée : ✦✦✦
Cuisson à l'étouffée avec saindoux ou graisse d'oie ou de canard : ✦✦✦
Cuisson à l'étouffée sans matière grasse : ✦✦✦
Cuisson au court bouillon : ✦✦✦
Cuisson en braisé avec beurre doux : ✦✦✦
Cuisson en braisé avec beurre salé : ✦✦✦
Cuisson en braisé avec huile végétale : ✦✦✦
Cuisson en braisé avec margarine végétale non salée : ✦✦✦
Cuisson en braisé avec margarine végétale salée : ✦✦✦
Cuisson en braisé avec saindoux ou graisse d'oie ou de canard : ✦✦✦
Cuisson en braisé sans matière grasse : ✦✦✦
Cuisson en friture : ✦✦✦
Cuisson en meunière avec beurre doux : ✦✦✦
Cuisson en meunière avec beurre salé : ✦✦✦
Cuisson en meunière avec huile végétale : ✦✦✦
Cuisson en meunière avec margarine végétale non salée : ✦✦✦
Cuisson en meunière avec margarine végétale salée : ✦✦✦

Cuisson en meunière avec saindoux ou graisse d'oie ou de canard : ★★★
Cuisson en meunière sans matière grasse : ★★★
Cuisson en papillote : ★★★
Cuisson en sauté (idem poêlé).
Cuisson rôti à la broche : ★★★
Cuisson rôti au four avec beurre doux : ★★★
Cuisson rôti au four avec beurre salé : ★★★
Cuisson rôti au four avec huile végétale : ★★★
Cuisson rôti au four avec margarine végétale non salée : ★★★
Cuisson rôti au four avec margarine végétale salée : ★★★
Cuisson rôti au four avec saindoux ou graisse d'oie ou de canard : ★★★
Cuisson rôti au four sans matière grasse ajoutée : ★★★
Cuisson vapeur : ★★★
Grillé : ★★★
Pierrade : ★★★
Poêlé avec beurre doux : ★★★
Poêlé avec beurre salé : ★★★
Poêlé avec huile végétale : ★★★
Poêlé avec margarine végétale non salée : ★★★
Poêlé avec margarine végétale salée : ★★★
Poêlé avec saindoux ou graisse d'oie ou de canard : ★★★
Poêlé sans matière grasse : ★★★
Salé et fumé : ★
Séché : ★★★
Surgelé : ★★★
Remarque : pas d'huile d'arachide ni de beurre noisette.

Basilic : plante aromatique et condimentaire.
Conservé sous vide : ★★
Consommation cru : ★★
Consommation cuit : ★★
Déshydraté : ★★
Fraîchement récolté : ★★
Surgelé : ★★

Bavette : voir « Bœuf (viande de) ».

Bette : plante potagère dont on consomme notamment les côtes, mais également les feuilles. Légume vert.
Conserve en saumure (eau salée) : ★★★★
Conservée sous vide : ★★★★
Consommation crue
Cuisson à l'étouffée avec beurre doux : ★★★★
Cuisson à l'étouffée avec beurre salé : ★★★★
Cuisson à l'étouffée avec huile végétale : ★★★★
Cuisson à l'étouffée avec margarine végétale non salée : ★★★★
Cuisson à l'étouffée avec margarine végétale salée : ★★★★
Cuisson à l'étouffée avec saindoux ou graisse d'oie ou de canard : ★★★★
Cuisson à l'étouffée sans matière grasse : ★★★
Cuisson au court bouillon : ★★★★
Cuisson en beignet : ★★★★
Cuisson en braisé avec beurre doux : ★★★★
Cuisson en braisé avec beurre salé : ★★★★
Cuisson en braisé avec huile végétale : ★★★★
Cuisson en braisé avec margarine végétale non salée : ★★★★
Cuisson en braisé avec margarine végétale salée : ★★★★
Cuisson en braisé avec saindoux ou graisse d'oie ou de canard : ★★★★
Cuisson en braisé sans matière grasse : ★★★★
Cuisson en friture : ★★★★
Cuisson en papillote : ★★★★
Cuisson en sauté (idem poêlée).
Cuisson vapeur : ★★★★
Poêlée avec beurre doux : ★★★★
Poêlée avec beurre salé : ★★★★
Poêlée avec huile végétale : ★★★★
Poêlée avec margarine végétale non salée : ★★★★
Poêlée avec margarine végétale salée : ★★★★
Poêlée avec saindoux ou graisse d'oie ou de canard : ★★★★
Poêlée sans matière grasse : ★★★★
Potage crème : ★★★★
Potage nature sans matière grasse ajoutée : ★★★★
Potage velouté : ★★★★
Surgelée : ★★★★

Betterave

Remarque : pas d'huile d'arachide ni de beurre noisette.

Betterave : plante potagère dont on consomme la racine charnue. Légume vert.

Conserve en saumure (eau salée) : ★★★
Conservée sous vide : ★★★
Consommation crue : ★★★
Cuisson à la milanaise avec beurre doux : ★
Cuisson à la milanaise avec beurre salé : ★
Cuisson à la milanaise avec huile végétale : ★
Cuisson à la milanaise avec margarine végétale non salée : ★
Cuisson à la milanaise avec margarine végétale salée : ★
Cuisson à la milanaise avec saindoux ou graisse d'oie ou de canard : ★
Cuisson à la milanaise sans matière grasse : ★
Cuisson à l'étouffée avec beurre doux : ★★★
Cuisson à l'étouffée avec beurre salé : ★★★
Cuisson à l'étouffée avec huile végétale : ★★★
Cuisson à l'étouffée avec margarine végétale non salée : ★★★
Cuisson à l'étouffée avec margarine végétale salée : ★★★
Cuisson à l'étouffée avec saindoux ou graisse d'oie ou de canard : ★★★
Cuisson à l'étouffée sans matière grasse : ★★★
Cuisson au court bouillon : ★★★
Cuisson en beignet : ★★★
Cuisson en braisé avec beurre doux : ★★★
Cuisson en braisé avec beurre salé : ★★★
Cuisson en braisé avec huile végétale : ★★★
Cuisson en braisé avec margarine végétale non salée : ★★★
Cuisson en braisé avec margarine végétale salée : ★★★
Cuisson en braisé avec saindoux ou graisse d'oie ou de canard : ★★★
Cuisson en braisé sans matière grasse : ★★★
Cuisson en friture : ★★★
Cuisson en meunière avec beurre doux : ★★★
Cuisson en meunière avec beurre salé : ★★★
Cuisson en meunière avec huile végétale : ★★★
Cuisson en meunière avec margarine végétale non salée : ★★★
Cuisson en meunière avec margarine végétale salée : ★★★

Cuisson en meunière avec saindoux ou graisse d'oie ou de canard : ★★★
Cuisson en meunière sans matière grasse : ★★★
Cuisson en papillote : ★★★
Cuisson en ragoût avec beurre doux : ★★★
Cuisson en ragoût avec beurre salé : ★★★
Cuisson en ragoût avec huile végétale : ★★★
Cuisson en ragoût avec margarine végétale non salée : ★★★
Cuisson en ragoût avec margarine végétale salée : ★★★
Cuisson en ragoût avec saindoux ou graisse d'oie ou de canard : ★★★
Cuisson en sauté (idem poêlée).
Cuisson vapeur : ★★★
Poêlée avec beurre doux : ★★★
Poêlée avec beurre salé : ★★★
Poêlée avec huile végétale : ★★★
Poêlée avec margarine végétale non salée : ★★★
Poêlée avec margarine végétale salée : ★★★
Poêlée avec saindoux ou graisse d'oie ou de canard : ★★★
Poêlée sans matière grasse : ★★★
Potage crème : ★★★
Potage nature sans matière grasse ajoutée : ★★★
Potage velouté : ★★★
Surgelée : ★★★
Remarque : pas d'huile d'arachide ni de beurre noisette.

Biche (viande de) : femelle du cerf. Viande rouge. Gibier.
Conservée par le sel : ★★★
Conservée sous vide : ★★★
Consommation crue
Cuisson à la milanaise avec beurre doux : ★
Cuisson à la milanaise avec beurre salé : ★
Cuisson à la milanaise avec huile végétale : ★
Cuisson à la milanaise avec margarine végétale non salée : ★
Cuisson à la milanaise avec margarine végétale salée : ★
Cuisson à la milanaise avec saindoux ou graisse d'oie ou de canard : ★
Cuisson à la milanaise sans matière grasse : ★
Cuisson à l'étouffée avec beurre doux : ★★★

41

Biche (viande de)

Cuisson à l'étouffée avec beurre salé : ★★★
Cuisson à l'étouffée avec huile végétale : ★★★
Cuisson à l'étouffée avec margarine végétale non salée : ★★★
Cuisson à l'étouffée avec margarine végétale salée : ★★★
Cuisson à l'étouffée avec saindoux ou graisse d'oie ou de canard : ★★★
Cuisson à l'étouffée sans matière grasse : ★★★
Cuisson au court bouillon : ★★★
Cuisson en braisé avec beurre doux : ★★★
Cuisson en braisé avec beurre salé : ★★★
Cuisson en braisé avec huile végétale : ★★★
Cuisson en braisé avec margarine végétale non salée : ★★★
Cuisson en braisé avec margarine végétale salée : ★★★
Cuisson en braisé avec saindoux ou graisse d'oie ou de canard : ★★★
Cuisson en braisé sans matière grasse : ★★★
Cuisson en friture : ★★★
Cuisson en meunière avec beurre doux : ★★★
Cuisson en meunière avec beurre salé : ★★★
Cuisson en meunière avec huile végétale : ★★★
Cuisson en meunière avec margarine végétale non salée : ★★★
Cuisson en meunière avec margarine végétale salée : ★★★
Cuisson en meunière avec saindoux ou graisse d'oie ou de canard : ★★★
Cuisson en meunière sans matière grasse : ★★★
Cuisson en papillote : ★★★
Cuisson en ragoût avec beurre doux : ★★★
Cuisson en ragoût avec beurre salé : ★★★
Cuisson en ragoût avec huile végétale : ★★★
Cuisson en ragoût avec margarine végétale non salée : ★★★
Cuisson en ragoût avec margarine végétale salée : ★★★
Cuisson en ragoût avec saindoux ou graisse d'oie ou de canard : ★★★
Cuisson en sauté (idem poêlée).
Cuisson rôtie à la broche : ★★★
Cuisson rôtie au four avec beurre doux : ★★★
Cuisson rôtie au four avec beurre salé : ★★★
Cuisson rôtie au four avec huile végétale : ★★★
Cuisson rôtie au four avec margarine végétale non salée : ★★★
Cuisson rôtie au four avec margarine végétale salée : ★★★

Cuisson rôtie au four avec saindoux ou graisse d'oie ou de canard : ★★★
Cuisson rôtie au four sans matière grasse ajoutée : ★★★
Cuisson vapeur : ★★★
Faisandée
Grillée : ★★★
Pierrade : ★★★
Poêlée avec beurre doux : ★★★
Poêlée avec beurre salé : ★★★
Poêlée avec huile végétale : ★★★
Poêlée avec margarine végétale non salée : ★★★
Poêlée avec margarine végétale salée : ★★★
Poêlée avec saindoux ou graisse d'oie ou de canard : ★★★
Poêlée sans matière grasse : ★★★
Salée et fumée : ★
Séchée : ★★★
Surgelée : ★★★
Remarque : pas d'huile d'arachide ni de beurre noisette.

Bifteck : voir « Bœuf (viande de) ».

Bigorneau : mollusque comestible.
Conservé par le sel : ★★★★
Conservé sous vide : ★★★★
Consommation cru
Cuisson à l'étouffée avec beurre doux : ★★★★
Cuisson à l'étouffée avec beurre salé : ★★★★
Cuisson à l'étouffée avec huile végétale : ★★★★
Cuisson à l'étouffée avec margarine végétale non salée : ★★★★
Cuisson à l'étouffée avec margarine végétale salée : ★★★★
Cuisson à l'étouffée avec saindoux ou graisse d'oie ou de canard : ★★★★
Cuisson à l'étouffée sans matière grasse : ★★★★
Cuisson au court bouillon : ★★★★
Cuisson en braisé avec beurre doux : ★★★★
Cuisson en braisé avec beurre salé : ★★★★
Cuisson en braisé avec huile végétale : ★★★★
Cuisson en braisé avec margarine végétale non salée : ★★★★

Cuisson en braisé avec margarine végétale salée : ★★★★
Cuisson en braisé avec saindoux ou graisse d'oie ou de canard :
★★★★
Cuisson en braisé sans matière grasse : ★★★★
Cuisson en friture : ★★★★
Cuisson en papillote : ★★★★
Cuisson en ragoût avec beurre doux : ★★★★
Cuisson en ragoût avec beurre salé : ★★★★
Cuisson en ragoût avec huile végétale : ★★★★
Cuisson en ragoût avec margarine végétale non salée : ★★★★
Cuisson en ragoût avec margarine végétale salée : ★★★★
Cuisson en ragoût avec saindoux ou graisse d'oie ou de canard :
★★★★
Cuisson en sauté (idem poêlé).
Cuisson vapeur : ★★★★
Grillé : ★★★ ★
Poêlé avec beurre doux : ★★★★
Poêlé avec beurre salé : ★★★★
Poêlé avec huile végétale : ★★★★
Poêlé avec margarine végétale non salée : ★★★★
Poêlé avec margarine végétale salée : ★★★★
Poêlé avec saindoux ou graisse d'oie ou de canard : ★★★★
Poêlé sans matière grasse : ★★★★
Surgelé : ★★★★
Remarque : pas d'huile d'arachide ni de beurre noisette.

Bison : voir « Bœuf (viande de) ».

Black-Bass : poisson gras d'eau douce.
Conservé par le sel : ★★★★
Conservé sous vide : ★★★★
Consommation cru
Cuisson à la milanaise avec beurre doux : ★
Cuisson à la milanaise avec beurre salé : ★
Cuisson à la milanaise avec huile végétale : ★
Cuisson à la milanaise avec margarine végétale non salée : ★
Cuisson à la milanaise avec margarine végétale salée : ★
Cuisson à la milanaise avec saindoux ou graisse d'oie ou de canard : ★

Cuisson à la milanaise sans matière grasse : ★

Cuisson à l'étouffée avec beurre doux : ★★★★

Cuisson à l'étouffée avec beurre salé : ★★★★

Cuisson à l'étouffée avec huile végétale : ★★★★

Cuisson à l'étouffée avec margarine végétale non salée : ★★★★

Cuisson à l'étouffée avec margarine végétale salée : ★★★★

Cuisson à l'étouffée avec saindoux ou graisse d'oie ou de canard : ★★★★

Cuisson à l'étouffée sans matière grasse : ★★★★

Cuisson au court bouillon : ★★★★

Cuisson en braisé avec beurre doux : ★★★★

Cuisson en braisé avec beurre salé : ★★★★

Cuisson en braisé avec huile végétale : ★★★★

Cuisson en braisé avec margarine végétale non salée : ★★★★

Cuisson en braisé avec margarine végétale salée : ★★★★

Cuisson en braisé avec saindoux ou graisse d'oie ou de canard : ★★★★

Cuisson en braisé sans matière grasse : ★★★★

Cuisson en friture : ★★★★

Cuisson en meunière avec beurre doux : ★★★★

Cuisson en meunière avec beurre salé : ★★★★

Cuisson en meunière avec huile végétale : ★★★★

Cuisson en meunière avec margarine végétale non salée : ★★★★

Cuisson en meunière avec margarine végétale salée : ★★★★

Cuisson en meunière avec saindoux ou graisse d'oie ou de canard : ★★★★

Cuisson en meunière sans matière grasse : ★★★★

Cuisson en papillote : ★★★★

Cuisson en sauté (idem poêlé).

Cuisson rôti à la broche : ★★★ ★

Cuisson rôti au four avec beurre doux : ★★★★

Cuisson rôti au four avec beurre salé : ★★★★

Cuisson rôti au four avec huile végétale : ★★★★

Cuisson rôti au four avec margarine végétale non salée : ★★★★

Cuisson rôti au four avec margarine végétale salée : ★★★★

Cuisson rôti au four avec saindoux ou graisse d'oie ou de canard : ★★★★

Black-Bass - Bœuf (viande de)

Cuisson rôti au four sans matière grasse ajoutée : ★★★★
Cuisson vapeur : ★★★★
Grillé : ★★★★
Pierrade : ★★★★
Poêlé avec beurre doux : ★★★★
Poêlé avec beurre salé : ★★★★
Poêlé avec huile végétale : ★★★★
Poêlé avec margarine végétale non salée : ★★★★
Poêlé avec margarine végétale salée : ★★★★
Poêlé avec saindoux ou graisse d'oie ou de canard : ★★★★
Poêlé sans matière grasse : ★★★★
Salé et fumé : ★
Séché : ★★★★
Surgelé : ★★★★
Remarque : pas d'huile d'arachide ni de beurre noisette.

Blette : voir « Bette ».

Bœuf (viande de) : animal de l'espèce bovine. Viande rouge.
Conservée par le sel : ★★★
Conservée sous vide : ★★★
Consommation crue
Cuisson à la milanaise avec beurre doux : ★
Cuisson à la milanaise avec beurre salé : ★
Cuisson à la milanaise avec huile végétale : ★
Cuisson à la milanaise avec margarine végétale non salée : ★
Cuisson à la milanaise avec margarine végétale salée : ★
Cuisson à la milanaise avec saindoux ou graisse d'oie ou de canard : ★
Cuisson à la milanaise sans matière grasse : ★
Cuisson à l'étouffée avec beurre doux : ★★★
Cuisson à l'étouffée avec beurre salé : ★★★
Cuisson à l'étouffée avec huile végétale : ★★★
Cuisson à l'étouffée avec margarine végétale non salée : ★★★
Cuisson à l'étouffée avec margarine végétale salée : ★★★
Cuisson à l'étouffée avec saindoux ou graisse d'oie ou de canard : ★★★
Cuisson à l'étouffée sans matière grasse : ★★★
Cuisson au court bouillon : ★★★

Cuisson en braisé avec beurre doux : ★★★
Cuisson en braisé avec beurre salé : ★★★
Cuisson en braisé avec huile végétale : ★★★
Cuisson en braisé avec margarine végétale non salée : ★★★
Cuisson en braisé avec margarine végétale salée : ★★★
Cuisson en braisé avec saindoux ou graisse d'oie ou de canard : ★★★
Cuisson en braisé sans matière grasse : ★★★
Cuisson en friture : ★★★
Cuisson en meunière avec beurre doux : ★★★
Cuisson en meunière avec beurre salé : ★★★
Cuisson en meunière avec huile végétale : ★★★
Cuisson en meunière avec margarine végétale non salée : ★★★
Cuisson en meunière avec margarine végétale salée : ★★★
Cuisson en meunière avec saindoux ou graisse d'oie ou de canard : ★★★
Cuisson en meunière sans matière grasse : ★★★
Cuisson en papillote : ★★★
Cuisson en ragoût avec beurre doux : ★★★
Cuisson en ragoût avec beurre salé : ★★★
Cuisson en ragoût avec huile végétale : ★★★
Cuisson en ragoût avec margarine végétale non salée : ★★★
Cuisson en ragoût avec margarine végétale salée : ★★★
Cuisson en ragoût avec saindoux ou graisse d'oie ou de canard : ★★★
Cuisson en sauté (idem poêlée).
Cuisson rôtie à la broche : ★★★
Cuisson rôtie au four avec beurre doux : ★★★
Cuisson rôtie au four avec beurre salé : ★★★
Cuisson rôtie au four avec huile végétale : ★★★
Cuisson rôtie au four avec margarine végétale non salée : ★★★
Cuisson rôtie au four avec margarine végétale salée : ★★★
Cuisson rôtie au four avec saindoux ou graisse d'oie ou de canard : ★★★
Cuisson rôtie au four sans matière grasse ajoutée : ★★★
Cuisson vapeur : ★★★
Grillée : ★★★
Pierrade : ★★★
Poêlée avec beurre doux : ★★★
Poêlée avec beurre salé : ★★★

Bœuf (viande de) - Bogue

Poêlée avec huile végétale : ★★★
Poêlée avec margarine végétale non salée : ★★★
Poêlée avec margarine végétale salée : ★★★
Poêlée avec saindoux ou graisse d'oie ou de canard : ★★★
Poêlée sans matière grasse : ★★★
Salée et fumée : ★
Séchée : ★★★
Surgelée : ★★★
Remarque : pas d'huile d'arachide ni de beurre noisette.

Bogue : poisson marin à chair blanche.
Conservée par le sel : ★★★
Conservée sous vide : ★★★
Consommation crue
Cuisson à la milanaise avec beurre doux : ★
Cuisson à la milanaise avec beurre salé : ★
Cuisson à la milanaise avec huile végétale : ★
Cuisson à la milanaise avec margarine végétale non salée : ★
Cuisson à la milanaise avec margarine végétale salée : ★
Cuisson à la milanaise avec saindoux ou graisse d'oie ou de canard : ★
Cuisson à la milanaise sans matière grasse : ★
Cuisson à l'étouffée avec beurre doux : ★★★
Cuisson à l'étouffée avec beurre salé : ★★★
Cuisson à l'étouffée avec huile végétale : ★★★
Cuisson à l'étouffée avec margarine végétale non salée : ★★★
Cuisson à l'étouffée avec margarine végétale salée : ★★★
Cuisson à l'étouffée avec saindoux ou graisse d'oie ou de canard : ★★★
Cuisson à l'étouffée sans matière grasse : ★★★
Cuisson au court bouillon : ★★★
Cuisson en braisé avec beurre doux : ★★★
Cuisson en braisé avec beurre salé : ★★★
Cuisson en braisé avec huile végétale : ★★★
Cuisson en braisé avec margarine végétale non salée : ★★★
Cuisson en braisé avec margarine végétale salée : ★★★
Cuisson en braisé avec saindoux ou graisse d'oie ou de canard : ★★★
Cuisson en braisé sans matière grasse : ★★★

Cuisson en friture : ★★★
Cuisson en meunière avec beurre doux : ★★★
Cuisson en meunière avec beurre salé : ★★★
Cuisson en meunière avec huile végétale : ★★★
Cuisson en meunière avec margarine végétale non salée : ★★★
Cuisson en meunière avec margarine végétale salée : ★★★
Cuisson en meunière avec saindoux ou graisse d'oie ou de canard : ★★★
Cuisson en meunière sans matière grasse : ★★★
Cuisson en papillote : ★★★
Cuisson en sauté (idem poêlée).
Cuisson rôtie à la broche : ★★★
Cuisson rôtie au four avec beurre doux : ★★★
Cuisson rôtie au four avec beurre salé : ★★★
Cuisson rôtie au four avec huile végétale : ★★★
Cuisson rôtie au four avec margarine végétale non salée : ★★★
Cuisson rôtie au four avec margarine végétale salée : ★★★
Cuisson rôtie au four avec saindoux ou graisse d'oie ou de canard : ★★★
Cuisson rôtie au four sans matière grasse ajoutée : ★★★
Cuisson vapeur : ★★★
Grillée : ★★★
Pierrade : ★★★
Poêlée avec beurre doux : ★★★
Poêlée avec beurre salé : ★★★
Poêlée avec huile végétale : ★★★
Poêlée avec margarine végétale non salée : ★★★
Poêlée avec margarine végétale salée : ★★★
Poêlée avec saindoux ou graisse d'oie ou de canard : ★★★
Poêlée sans matière grasse : ★★★
Salée et fumée : ★
Séchée : ★★★
Surgelée : ★★★
Remarque : pas d'huile d'arachide ni de beurre noisette.

Bolet : voir « Champignon ».

Bonite : poisson gras marin.
Conservée par le sel : ★★★★

Bonite

Conservée sous vide : ★★★★
Consommation crue
Cuisson à la milanaise avec beurre doux : ★
Cuisson à la milanaise avec beurre salé : ★
Cuisson à la milanaise avec huile végétale : ★
Cuisson à la milanaise avec margarine végétale non salée : ★
Cuisson à la milanaise avec margarine végétale salée : ★
Cuisson à la milanaise avec saindoux ou graisse d'oie ou de canard : ★
Cuisson à la milanaise sans matière grasse : ★
Cuisson à l'étouffée avec beurre doux : ★★★★
Cuisson à l'étouffée avec beurre salé : ★★★★
Cuisson à l'étouffée avec huile végétale : ★★★★
Cuisson à l'étouffée avec margarine végétale non salée : ★★★★
Cuisson à l'étouffée avec margarine végétale salée : ★★★★
Cuisson à l'étouffée avec saindoux ou graisse d'oie ou de canard : ★★★★
Cuisson à l'étouffée sans matière grasse : ★★★★
Cuisson au court bouillon : ★★★★
Cuisson en braisé avec beurre doux : ★★★★
Cuisson en braisé avec beurre salé : ★★★★
Cuisson en braisé avec huile végétale : ★★★★
Cuisson en braisé avec margarine végétale non salée : ★★★★
Cuisson en braisé avec margarine végétale salée : ★★★★
Cuisson en braisé avec saindoux ou graisse d'oie ou de canard : ★★★★
Cuisson en braisé sans matière grasse : ★★★★
Cuisson en friture : ★★★★
Cuisson en meunière avec beurre doux : ★★★★
Cuisson en meunière avec beurre salé : ★★★★
Cuisson en meunière avec huile végétale : ★★★★
Cuisson en meunière avec margarine végétale non salée : ★★★★
Cuisson en meunière avec margarine végétale salée : ★★★★
Cuisson en meunière avec saindoux ou graisse d'oie ou de canard : ★★★★
Cuisson en meunière sans matière grasse : ★★★★
Cuisson en papillote : ★★★★
Cuisson en sauté (idem poêlée).

Cuisson rôtie à la broche : ★ ★ ★ ★
Cuisson rôtie au four avec beurre doux : ★ ★ ★ ★
Cuisson rôtie au four avec beurre salé : ★ ★ ★ ★
Cuisson rôtie au four avec huile végétale : ★ ★ ★ ★
Cuisson rôtie au four avec margarine végétale non salée : ★ ★ ★ ★
Cuisson rôtie au four avec margarine végétale salée : ★ ★ ★ ★
Cuisson rôtie au four avec saindoux ou graisse d'oie ou de canard : ★ ★ ★ ★
Cuisson rôtie au four sans matière grasse ajoutée : ★ ★ ★ ★
Cuisson vapeur : ★ ★ ★ ★
Grillée : ★ ★ ★ ★
Pierrade : ★ ★ ★ ★
Poêlée avec beurre doux : ★ ★ ★ ★
Poêlée avec beurre salé : ★ ★ ★ ★
Poêlée avec huile végétale : ★ ★ ★ ★
Poêlée avec margarine végétale non salée : ★ ★ ★ ★
Poêlée avec margarine végétale salée : ★ ★ ★ ★
Poêlée avec saindoux ou graisse d'oie ou de canard : ★ ★ ★ ★
Poêlée sans matière grasse : ★ ★ ★ ★
Salée et fumée : ★
Séchée : ★ ★ ★ ★
Surgelée : ★ ★ ★ ★
Remarque : pas d'huile d'arachide ni de beurre noisette.

Bouffi : voir « Hareng » section : *Salé et fumé.*

Bouquet : voir « Crevette ».

Bourguignon (bœuf) : voir « Bœuf (viande de) » section : *Cuisson en ragoût.*

Brème : poisson d'eau douce à chair blanche.
Conservée par le sel : ★ ★ ★
Conservée sous vide : ★ ★ ★
Consommation crue
Cuisson à la milanaise avec beurre doux : ★
Cuisson à la milanaise avec beurre salé : ★
Cuisson à la milanaise avec huile végétale : ★

Brème

Cuisson à la milanaise avec margarine végétale non salée : ★
Cuisson à la milanaise avec margarine végétale salée : ★
Cuisson à la milanaise avec saindoux ou graisse d'oie ou de canard : ★
Cuisson à la milanaise sans matière grasse : ★
Cuisson à l'étouffée avec beurre doux : ★★★
Cuisson à l'étouffée avec beurre salé : ★★★
Cuisson à l'étouffée avec huile végétale : ★★★
Cuisson à l'étouffée avec margarine végétale non salée : ★★★
Cuisson à l'étouffée avec margarine végétale salée : ★★★
Cuisson à l'étouffée avec saindoux ou graisse d'oie ou de canard : ★★★
Cuisson à l'étouffée sans matière grasse : ★★★
Cuisson au court bouillon : ★★★
Cuisson en braisé avec beurre doux : ★★★
Cuisson en braisé avec beurre salé : ★★★
Cuisson en braisé avec huile végétale : ★★★
Cuisson en braisé avec margarine végétale non salée : ★★★
Cuisson en braisé avec margarine végétale salée : ★★★
Cuisson en braisé avec saindoux ou graisse d'oie ou de canard : ★★★
Cuisson en braisé sans matière grasse : ★★★
Cuisson en friture : ★★★
Cuisson en meunière avec beurre doux : ★★★
Cuisson en meunière avec beurre salé : ★★★
Cuisson en meunière avec huile végétale : ★★★
Cuisson en meunière avec margarine végétale non salée : ★★★
Cuisson en meunière avec margarine végétale salée : ★★★
Cuisson en meunière avec saindoux ou graisse d'oie ou de canard : ★★★
Cuisson en meunière sans matière grasse : ★★★
Cuisson en papillote : ★★★
Cuisson en sauté (idem poêlée).
Cuisson rôtie au four avec beurre doux : ★★★
Cuisson rôtie au four avec beurre salé : ★★★
Cuisson rôtie au four avec huile végétale : ★★★
Cuisson rôtie au four avec margarine végétale non salée : ★★★
Cuisson rôtie au four avec margarine végétale salée : ★★★
Cuisson rôtie au four avec saindoux ou graisse d'oie ou de canard : ★★★

Cuisson rôtie au four sans matière grasse ajoutée : ★★★
Cuisson vapeur : ★★★
Grillée : ★★★
Pierrade : ★★★
Poêlée avec beurre doux : ★★★
Poêlée avec beurre salé : ★★★
Poêlée avec huile végétale : ★★★
Poêlée avec margarine végétale non salée : ★★★
Poêlée avec margarine végétale salée : ★★★
Poêlée avec saindoux ou graisse d'oie ou de canard : ★★★
Poêlée sans matière grasse : ★★★
Salée et fumée : ★
Séchée : ★★★
Surgelée : ★★★
Remarque : pas d'huile d'arachide ni de beurre noisette.

Brochet : poisson d'eau douce à chair blanche.
Conservé par le sel : ★★★
Conservé sous vide : ★★★
Consommation cru
Cuisson à la milanaise avec beurre doux : ★
Cuisson à la milanaise avec beurre salé : ★
Cuisson à la milanaise avec huile végétale : ★
Cuisson à la milanaise avec margarine végétale non salée : ★
Cuisson à la milanaise avec margarine végétale salée : ★
Cuisson à la milanaise avec saindoux ou graisse d'oie ou de canard : ★
Cuisson à la milanaise sans matière grasse : ★
Cuisson à l'étouffée avec beurre doux : ★★★
Cuisson à l'étouffée avec beurre salé : ★★★
Cuisson à l'étouffée avec huile végétale : ★★★
Cuisson à l'étouffée avec margarine végétale non salée : ★★★
Cuisson à l'étouffée avec margarine végétale salée : ★★★
Cuisson à l'étouffée avec saindoux ou graisse d'oie ou de canard : ★★★
Cuisson à l'étouffée sans matière grasse : ★★★
Cuisson au court bouillon : ★★★
Cuisson en braisé avec beurre doux : ★★★
Cuisson en braisé avec beurre salé : ★★★

Brochet

Cuisson en braisé avec huile végétale : ★★★
Cuisson en braisé avec margarine végétale non salée : ★★★
Cuisson en braisé avec margarine végétale salée : ★★★
Cuisson en braisé avec saindoux ou graisse d'oie ou de canard :
★★★
Cuisson en braisé sans matière grasse : ★★★
Cuisson en friture : ★★★
Cuisson en meunière avec beurre doux : ★★★
Cuisson en meunière avec beurre salé : ★★★
Cuisson en meunière avec huile végétale : ★★★
Cuisson en meunière avec margarine végétale non salée : ★★★
Cuisson en meunière avec margarine végétale salée : ★★★
Cuisson en meunière avec saindoux ou graisse d'oie ou de canard : ★★★
Cuisson en meunière sans matière grasse : ★★★
Cuisson en papillote : ★★★
Cuisson en sauté (idem poêlé).
Cuisson rôti à la broche : ★★★
Cuisson rôti au four avec beurre doux : ★★★
Cuisson rôti au four avec beurre salé : ★★★
Cuisson rôti au four avec huile végétale : ★★★
Cuisson rôti au four avec margarine végétale non salée : ★★★
Cuisson rôti au four avec margarine végétale salée : ★★★
Cuisson rôti au four avec saindoux ou graisse d'oie ou de canard : ★★★
Cuisson rôti au four sans matière grasse ajoutée : ★★★
Cuisson vapeur : ★★★
Grillé : ★★★
Pierrade : ★★★
Poêlé avec beurre doux : ★★★
Poêlé avec beurre salé : ★★★
Poêlé avec huile végétale : ★★★
Poêlé avec margarine végétale non salée : ★★★
Poêlé avec margarine végétale salée : ★★★
Poêlé avec saindoux ou graisse d'oie ou de canard : ★★★
Poêlé sans matière grasse : ★★★
Salé et fumé : ★
Séché : ★★★
Surgelé : ★★★

Remarque : pas d'huile d'arachide ni de beurre noisette.

Brugnon : fruit du brugnonier.
A l'anglaise : ★★★
Au sirop : ★★★
Au sirop léger : ★★★
Confit : ★★★
Conserve au naturel : ★★★
Conservé dans l'alcool
Conservé sous vide : ★★★
Consommation cru : ★★★
En beignet : ★★★
En compote (avec sucre ajouté) : ★★★
En compote sans sucre ajouté : ★★★
En confiture : ★★★
En confiture allégée en sucre : ★★★
En confiture sans sucre : ★★★
Flambé (brugnon poché) : ★★
Fraîchement récolté : ★★★
Poché sans sucre : ★★★
Séché : ★★★★
Surgelé : ★★★

Buffle : voir « Bœuf (viande de) ».

Bulot : voir « Bigorneau ».

C

Cabillaud : poisson marin à chair blanche.
Conservé par le sel : ★★★
Conservé sous vide : ★★★
Consommation cru
Cuisson à la milanaise avec beurre doux : ★
Cuisson à la milanaise avec beurre salé : ★

Cabillaud

Cuisson à la milanaise avec huile végétale : ✶

Cuisson à la milanaise avec margarine végétale non salée : ✶

Cuisson à la milanaise avec margarine végétale salée : ✶

Cuisson à la milanaise avec saindoux ou graisse d'oie ou de canard : ✶

Cuisson à la milanaise sans matière grasse : ✶

Cuisson à l'étouffée avec beurre doux : ✶✶✶

Cuisson à l'étouffée avec beurre salé : ✶✶✶

Cuisson à l'étouffée avec huile végétale : ✶✶✶

Cuisson à l'étouffée avec margarine végétale non salée : ✶✶✶

Cuisson à l'étouffée avec margarine végétale salée : ✶✶✶

Cuisson à l'étouffée avec saindoux ou graisse d'oie ou de canard : ✶✶✶

Cuisson à l'étouffée sans matière grasse : ✶✶✶

Cuisson au court bouillon : ✶✶✶

Cuisson en braisé avec beurre doux : ✶✶✶

Cuisson en braisé avec beurre salé : ✶✶✶

Cuisson en braisé avec huile végétale : ✶✶✶

Cuisson en braisé avec margarine végétale non salée : ✶✶✶

Cuisson en braisé avec margarine végétale salée : ✶✶✶

Cuisson en braisé avec saindoux ou graisse d'oie ou de canard : ✶✶✶

Cuisson en braisé sans matière grasse : ✶✶✶

Cuisson en friture : ✶✶✶

Cuisson en meunière avec beurre doux : ✶✶✶

Cuisson en meunière avec beurre salé : ✶✶✶

Cuisson en meunière avec huile végétale : ✶✶✶

Cuisson en meunière avec margarine végétale non salée : ✶✶✶

Cuisson en meunière avec margarine végétale salée : ✶✶✶

Cuisson en meunière avec saindoux ou graisse d'oie ou de canard : ✶✶✶

Cuisson en meunière sans matière grasse : ✶✶✶

Cuisson en papillote : ✶✶✶

Cuisson en sauté (idem poêlé).

Cuisson rôti à la broche : ✶✶✶

Cuisson rôti au four avec beurre doux : ✶✶✶

Cuisson rôti au four avec beurre salé : ✶✶✶

Cuisson rôti au four avec huile végétale : ✶✶✶

Cuisson rôti au four avec margarine végétale non salée : ✶✶✶

Cuisson rôti au four avec margarine végétale salée : ✶✶✶

Cuisson rôti au four avec saindoux ou graisse d'oie ou de canard : ★★★
Cuisson rôti au four sans matière grasse ajoutée : ★★★
Cuisson vapeur : ★★★
Grillé : ★★★
Pierrade : ★★★
Poêlé avec beurre doux : ★★★
Poêlé avec beurre salé : ★★★
Poêlé avec huile végétale : ★★★
Poêlé avec margarine végétale non salée : ★★★
Poêlé avec margarine végétale salée : ★★★
Poêlé avec saindoux ou graisse d'oie ou de canard : ★★★
Poêlé sans matière grasse : ★★★
Salé et fumé : ★
Séché : ★★★
Surgelé : ★★★
Remarque : pas d'huile d'arachide ni de beurre noisette.

Cabot : voir « Chevaine ».

Caille : petit oiseau migrateur voisin de la perdrix. Gibier.
Conservée par le sel : ★★★
Conservée sous vide : ★★★
Consommation crue
Cuisson à la milanaise avec beurre doux : ★
Cuisson à la milanaise avec beurre salé : ★
Cuisson à la milanaise avec huile végétale : ★
Cuisson à la milanaise avec margarine végétale non salée : ★
Cuisson à la milanaise avec margarine végétale salée : ★
Cuisson à la milanaise avec saindoux ou graisse d'oie ou de canard : ★
Cuisson à la milanaise sans matière grasse : ★
Cuisson à l'étouffée avec beurre doux : ★★★
Cuisson à l'étouffée avec beurre salé : ★★★
Cuisson à l'étouffée avec huile végétale : ★★★
Cuisson à l'étouffée avec margarine végétale non salée : ★★★
Cuisson à l'étouffée avec margarine végétale salée : ★★★
Cuisson à l'étouffée avec saindoux ou graisse d'oie ou de canard : ★★★

Caille

Cuisson à l'étouffée sans matière grasse : ★★★
Cuisson au court bouillon : ★★★
Cuisson en braisé avec beurre doux : ★★★
Cuisson en braisé avec beurre salé : ★★★
Cuisson en braisé avec huile végétale : ★★★
Cuisson en braisé avec margarine végétale non salée : ★★★
Cuisson en braisé avec margarine végétale salée : ★★★
Cuisson en braisé avec saindoux ou graisse d'oie ou de canard :
★★★
Cuisson en braisé sans matière grasse : ★★★
Cuisson en friture : ★★★
Cuisson en meunière avec beurre doux : ★★★
Cuisson en meunière avec beurre salé : ★★★
Cuisson en meunière avec huile végétale : ★★★
Cuisson en meunière avec margarine végétale non salée : ★★★
Cuisson en meunière avec margarine végétale salée : ★★★
Cuisson en meunière avec saindoux ou graisse d'oie ou de canard : ★★★
Cuisson en meunière sans matière grasse : ★★★
Cuisson en papillote : ★★★
Cuisson en ragoût avec beurre doux : ★★★
Cuisson en ragoût avec beurre salé : ★★★
Cuisson en ragoût avec huile végétale : ★★★
Cuisson en ragoût avec margarine végétale non salée : ★★★
Cuisson en ragoût avec margarine végétale salée : ★★★
Cuisson en ragoût avec saindoux ou graisse d'oie ou de canard :
★★★
Cuisson en sauté (idem poêlée).
Cuisson rôtie à la broche : ★★★
Cuisson rôtie au four avec beurre doux : ★★★
Cuisson rôtie au four avec beurre salé : ★★★
Cuisson rôtie au four avec huile végétale : ★★★
Cuisson rôtie au four avec margarine végétale non salée : ★★★
Cuisson rôtie au four avec margarine végétale salée : ★★★
Cuisson rôtie au four avec saindoux ou graisse d'oie ou de canard : ★★★
Cuisson rôtie au four sans matière grasse ajoutée : ★★★
Cuisson vapeur : ★★★
Faisandée
Grillée : ★★★

Pierrade : ★★★
Poêlée avec beurre doux : ★★★
Poêlée avec beurre salé : ★★★
Poêlée avec huile végétale : ★★★
Poêlée avec margarine végétale non salée : ★★★
Poêlée avec margarine végétale salée : ★★★
Poêlée avec saindoux ou graisse d'oie ou de canard : ★★★
Poêlée sans matière grasse : ★★★
Salée et fumée : ★
Séchée : ★★★
Surgelée : ★★★
Remarque : pas d'huile d'arachide ni de beurre noisette.

Calamar : mollusque marin, dont l'encornet est très apprécié pour sa chair.
Conservé par le sel : ★★★
Conservé sous vide : ★★★
Consommation cru
Cuisson à la milanaise avec beurre doux : ★
Cuisson à la milanaise avec beurre salé : ★
Cuisson à la milanaise avec huile végétale : ★
Cuisson à la milanaise avec margarine végétale non salée : ★
Cuisson à la milanaise avec margarine végétale salée : ★
Cuisson à la milanaise avec saindoux ou graisse d'oie ou de canard : ★
Cuisson à la milanaise sans matière grasse : ★
Cuisson à l'étouffée avec beurre doux : ★★★
Cuisson à l'étouffée avec beurre salé : ★★★
Cuisson à l'étouffée avec huile végétale : ★★★
Cuisson à l'étouffée avec margarine végétale non salée : ★★★
Cuisson à l'étouffée avec margarine végétale salée : ★★★
Cuisson à l'étouffée avec saindoux ou graisse d'oie ou de canard : ★★★
Cuisson à l'étouffée sans matière grasse : ★★★
Cuisson au court bouillon : ★★★
Cuisson en beignet : ★★★
Cuisson en braisé avec beurre doux : ★★★
Cuisson en braisé avec beurre salé : ★★★
Cuisson en braisé avec huile végétale : ★★★

Calamar

Cuisson en braisé avec margarine végétale non salée : ★★★
Cuisson en braisé avec margarine végétale salée : ★★★
Cuisson en braisé avec saindoux ou graisse d'oie ou de canard :
★★★
Cuisson en braisé sans matière grasse : ★★★
Cuisson en friture : ★★★
Cuisson en meunière avec beurre doux : ★★★
Cuisson en meunière avec beurre salé : ★★★
Cuisson en meunière avec huile végétale : ★★★
Cuisson en meunière avec margarine végétale non salée : ★★★
Cuisson en meunière avec margarine végétale salée : ★★★
Cuisson en meunière avec saindoux ou graisse d'oie ou de canard : ★★★
Cuisson en meunière sans matière grasse : ★★★
Cuisson en papillote : ★★★
Cuisson en ragoût avec beurre doux : ★★★
Cuisson en ragoût avec beurre salé : ★★★
Cuisson en ragoût avec huile végétale : ★★★
Cuisson en ragoût avec margarine végétale non salée : ★★★
Cuisson en ragoût avec margarine végétale salée : ★★★
Cuisson en ragoût avec saindoux ou graisse d'oie ou de canard :
★★★
Cuisson en sauté (idem poêlé).
Cuisson rôti au four avec beurre doux : ★★★
Cuisson rôti au four avec beurre salé : ★★★
Cuisson rôti au four avec huile végétale : ★★★
Cuisson rôti au four avec margarine végétale non salée : ★★★
Cuisson rôti au four avec margarine végétale salée : ★★★
Cuisson rôti au four avec saindoux ou graisse d'oie ou de canard : ★★★
Cuisson rôti au four sans matière grasse ajoutée : ★★★
Cuisson vapeur : ★★★
Grillé : ★★★
Pierrade : ★★★
Poêlé avec beurre doux : ★★★
Poêlé avec beurre salé : ★★★
Poêlé avec huile végétale : ★★★
Poêlé avec margarine végétale non salée : ★★★
Poêlé avec margarine végétale salée : ★★★
Poêlé avec saindoux ou graisse d'oie ou de canard : ★★★

Poêlé sans matière grasse : ★★★
Salé et fumé : ★
Séché : ★★★
Surgelé : ★★★
Remarque : pas d'huile d'arachide ni de beurre noisette.

Canard (viande de) : oiseau palmipède comestible. Volaille.
Conservée par le sel : ★★★
Conservée sous vide : ★★★
Consommation crue
Cuisson à la milanaise avec beurre doux : ★
Cuisson à la milanaise avec beurre salé : ★
Cuisson à la milanaise avec huile végétale : ★
Cuisson à la milanaise avec margarine végétale non salée : ★
Cuisson à la milanaise avec margarine végétale salée : ★
Cuisson à la milanaise avec saindoux ou graisse d'oie ou de canard : ★
Cuisson à la milanaise sans matière grasse : ★
Cuisson à l'étouffée avec beurre doux : ★★★
Cuisson à l'étouffée avec beurre salé : ★★★
Cuisson à l'étouffée avec huile végétale : ★★★
Cuisson à l'étouffée avec margarine végétale non salée : ★★★
Cuisson à l'étouffée avec margarine végétale salée : ★★★
Cuisson à l'étouffée avec saindoux ou graisse d'oie ou de canard : ★★★
Cuisson à l'étouffée sans matière grasse : ★★★
Cuisson au court bouillon : ★★★
Cuisson en braisé avec beurre doux : ★★★
Cuisson en braisé avec beurre salé : ★★★
Cuisson en braisé avec huile végétale : ★★★
Cuisson en braisé avec margarine végétale non salée : ★★★
Cuisson en braisé avec margarine végétale salée : ★★★
Cuisson en braisé avec saindoux ou graisse d'oie ou de canard : ★★★
Cuisson en braisé sans matière grasse : ★★★
Cuisson en friture : ★★★
Cuisson en meunière avec beurre doux : ★★★
Cuisson en meunière avec beurre salé : ★★★
Cuisson en meunière avec huile végétale : ★★★

Canard (viande de)

Cuisson en meunière avec margarine végétale non salée : ★★★
Cuisson en meunière avec margarine végétale salée : ★★★
Cuisson en meunière avec saindoux ou graisse d'oie ou de canard : ★★★
Cuisson en meunière sans matière grasse : ★★★
Cuisson en papillote : ★★★
Cuisson en ragoût avec beurre doux : ★★★
Cuisson en ragoût avec beurre salé : ★★★
Cuisson en ragoût avec huile végétale : ★★★
Cuisson en ragoût avec margarine végétale non salée : ★★★
Cuisson en ragoût avec margarine végétale salée : ★★★
Cuisson en ragoût avec saindoux ou graisse d'oie ou de canard : ★★★
Cuisson en sauté (idem poêlée).
Cuisson rôtie à la broche : ★★★
Cuisson rôtie au four avec beurre doux : ★★★
Cuisson rôtie au four avec beurre salé : ★★★
Cuisson rôtie au four avec huile végétale : ★★★
Cuisson rôtie au four avec margarine végétale non salée : ★★★
Cuisson rôtie au four avec margarine végétale salée : ★★★
Cuisson rôtie au four avec saindoux ou graisse d'oie ou de canard : ★★★
Cuisson rôtie au four sans matière grasse ajoutée : ★★★
Cuisson vapeur : ★★★
Grillée : ★★★
Pierrade : ★★★
Poêlée avec beurre doux : ★★★
Poêlée avec beurre salé : ★★★
Poêlée avec huile végétale : ★★★
Poêlée avec margarine végétale non salée : ★★★
Poêlée avec margarine végétale salée : ★★★
Poêlée avec saindoux ou graisse d'oie ou de canard : ★★★
Poêlée sans matière grasse : ★★★
Salée et fumée : ★
Séchée : ★★★
Surgelée : ★★★

Remarque : pas d'huile d'arachide ni de beurre noisette.

Canard sauvage (viande de) : oiseau palmipède comestible sauvage. Volaille. Gibier.

Conservée par le sel : ✦✦✦
Conservée sous vide : ✦✦✦
Consommation crue
Cuisson à la milanaise avec beurre doux : ✦
Cuisson à la milanaise avec beurre salé : ✦
Cuisson à la milanaise avec huile végétale : ✦
Cuisson à la milanaise avec margarine végétale non salée : ✦
Cuisson à la milanaise avec margarine végétale salée : ✦
Cuisson à la milanaise avec saindoux ou graisse d'oie ou de canard : ✦
Cuisson à la milanaise sans matière grasse : ✦
Cuisson à l'étouffée avec beurre doux : ✦✦✦
Cuisson à l'étouffée avec beurre salé : ✦✦✦
Cuisson à l'étouffée avec huile végétale : ✦✦✦
Cuisson à l'étouffée avec margarine végétale non salée : ✦✦✦
Cuisson à l'étouffée avec margarine végétale salée : ✦✦✦
Cuisson à l'étouffée avec saindoux ou graisse d'oie ou de canard : ✦✦✦
Cuisson à l'étouffée sans matière grasse : ✦✦✦
Cuisson au court bouillon : ✦✦✦
Cuisson en braisé avec beurre doux : ✦✦✦
Cuisson en braisé avec beurre salé : ✦✦✦
Cuisson en braisé avec huile végétale : ✦✦✦
Cuisson en braisé avec margarine végétale non salée : ✦✦✦
Cuisson en braisé avec margarine végétale salée : ✦✦✦
Cuisson en braisé avec saindoux ou graisse d'oie ou de canard : ✦✦✦
Cuisson en braisé sans matière grasse : ✦✦✦
Cuisson en friture : ✦✦✦
Cuisson en meunière avec beurre doux : ✦✦✦
Cuisson en meunière avec beurre salé : ✦✦✦
Cuisson en meunière avec huile végétale : ✦✦✦
Cuisson en meunière avec margarine végétale non salée : ✦✦✦
Cuisson en meunière avec margarine végétale salée : ✦✦✦
Cuisson en meunière avec saindoux ou graisse d'oie ou de canard : ✦✦✦
Cuisson en meunière sans matière grasse : ✦✦✦
Cuisson en papillote : ✦✦✦

Cuisson en ragoût avec beurre doux : ★★★
Cuisson en ragoût avec beurre salé : ★★★
Cuisson en ragoût avec huile végétale : ★★★
Cuisson en ragoût avec margarine végétale non salée : ★★★
Cuisson en ragoût avec margarine végétale salée : ★★★
Cuisson en ragoût avec saindoux ou graisse d'oie ou de canard :
★★★
Cuisson en sauté (idem poêlée).
Cuisson rôtie à la broche : ★★★
Cuisson rôtie au four avec beurre doux : ★★★
Cuisson rôtie au four avec beurre salé : ★★★
Cuisson rôtie au four avec huile végétale : ★★★
Cuisson rôtie au four avec margarine végétale non salée : ★★★
Cuisson rôtie au four avec margarine végétale salée : ★★★
Cuisson rôtie au four avec saindoux ou graisse d'oie ou de canard : ★★★
Cuisson rôtie au four sans matière grasse ajoutée : ★★★
Cuisson vapeur : ★★★
Faisandée
Grillée : ★★★
Pierrade : ★★★
Poêlée avec beurre doux : ★★★
Poêlée avec beurre salé : ★★★
Poêlée avec huile végétale : ★★★
Poêlée avec margarine végétale non salée : ★★★
Poêlée avec margarine végétale salée : ★★★
Poêlée avec saindoux ou graisse d'oie ou de canard : ★★★
Poêlée sans matière grasse : ★★★
Salée et fumée : ★
Séchée : ★★★
Surgelée : ★★★
Remarque : pas d'huile d'arachide ni de beurre noisette.

Cane, canette : voir « Canard (viande de) ».

Canneberge : baie rouge ressemblant à l'airelle. Fruit rouge.
A l'anglaise : ★★★
Au sirop : ★★★
Au sirop léger : ★★★

Confite : ★★★
Conserve au naturel : ★★★
Conservée dans l'alcool
Conservée sous vide : ★★★
Consommation crue : ★★★
En beignet : ★★★
En compote (avec sucre ajouté) : ★★★
En compote sans sucre ajouté : ★★★
En confiture : ★★★
En confiture allégée en sucre : ★★★
En confiture sans sucre : ★★★
Fraîchement récoltée : ★★★
Pochée sans sucre : ★★★
Séchée : ★★★★
Surgelée : ★★★

Capelan : poisson marin à chair blanche.
Conservé par le sel : ★★★
Conservé sous vide : ★★★
Consommation cru
Cuisson à la milanaise avec beurre doux : ★
Cuisson à la milanaise avec beurre salé : ★
Cuisson à la milanaise avec huile végétale : ★
Cuisson à la milanaise avec margarine végétale non salée : ★
Cuisson à la milanaise avec margarine végétale salée : ★
Cuisson à la milanaise avec saindoux ou graisse d'oie ou de canard : ★
Cuisson à la milanaise sans matière grasse : ★
Cuisson à l'étouffée avec beurre doux : ★★★
Cuisson à l'étouffée avec beurre salé : ★★★
Cuisson à l'étouffée avec huile végétale : ★★★
Cuisson à l'étouffée avec margarine végétale non salée : ★★★
Cuisson à l'étouffée avec margarine végétale salée : ★★★
Cuisson à l'étouffée avec saindoux ou graisse d'oie ou de canard : ★★★
Cuisson à l'étouffée sans matière grasse : ★★★
Cuisson au court bouillon : ★★★
Cuisson en braisé avec beurre doux : ★★★
Cuisson en braisé avec beurre salé : ★★★
Cuisson en braisé avec huile végétale : ★★★

Capelan

Cuisson en braisé avec margarine végétale non salée : ★★★
Cuisson en braisé avec margarine végétale salée : ★★★
Cuisson en braisé avec saindoux ou graisse d'oie ou de canard : ★★★
Cuisson en braisé sans matière grasse : ★★★
Cuisson en friture : ★★★
Cuisson en meunière avec beurre doux : ★★★
Cuisson en meunière avec beurre salé : ★★★
Cuisson en meunière avec huile végétale : ★★★
Cuisson en meunière avec margarine végétale non salée : ★★★
Cuisson en meunière avec margarine végétale salée : ★★★
Cuisson en meunière avec saindoux ou graisse d'oie ou de canard : ★★★
Cuisson en meunière sans matière grasse : ★★★
Cuisson en papillote : ★★★
Cuisson en sauté (idem poêlé).
Cuisson rôti à la broche : ★★★
Cuisson rôti au four avec beurre doux : ★★★
Cuisson rôti au four avec beurre salé : ★★★
Cuisson rôti au four avec huile végétale : ★★★
Cuisson rôti au four avec margarine végétale non salée : ★★★
Cuisson rôti au four avec margarine végétale salée : ★★★
Cuisson rôti au four avec saindoux ou graisse d'oie ou de canard : ★★★
Cuisson rôti au four sans matière grasse ajoutée : ★★★
Cuisson vapeur : ★★★
Grillé : ★★★
Pierrade : ★★★
Poêlé avec beurre doux : ★★★
Poêlé avec beurre salé : ★★★
Poêlé avec huile végétale : ★★★
Poêlé avec margarine végétale non salée : ★★★
Poêlé avec margarine végétale salée : ★★★
Poêlé avec saindoux ou graisse d'oie ou de canard : ★★★
Poêlé sans matière grasse : ★★★
Salé et fumé : ★
Séché : ★★★
Surgelé : ★★★

Remarque : pas d'huile d'arachide ni de beurre noisette.

Capitaine : poisson marin à chair blanche.
Conservé par le sel : ★★★
Conservé sous vide : ★★★
Consommation cru
Cuisson à la milanaise avec beurre doux : ★
Cuisson à la milanaise avec beurre salé : ★
Cuisson à la milanaise avec huile végétale : ★
Cuisson à la milanaise avec margarine végétale non salée : ★
Cuisson à la milanaise avec margarine végétale salée : ★
Cuisson à la milanaise avec saindoux ou graisse d'oie ou de canard : ★
Cuisson à la milanaise sans matière grasse : ★
Cuisson à l'étouffée avec beurre doux : ★★★
Cuisson à l'étouffée avec beurre salé : ★★★
Cuisson à l'étouffée avec huile végétale : ★★★
Cuisson à l'étouffée avec margarine végétale non salée : ★★★
Cuisson à l'étouffée avec margarine végétale salée : ★★★
Cuisson à l'étouffée avec saindoux ou graisse d'oie ou de canard : ★★★
Cuisson à l'étouffée sans matière grasse : ★★★
Cuisson au court bouillon : ★★★
Cuisson en braisé avec beurre doux : ★★★
Cuisson en braisé avec beurre salé : ★★★
Cuisson en braisé avec huile végétale : ★★★
Cuisson en braisé avec margarine végétale non salée : ★★★
Cuisson en braisé avec margarine végétale salée : ★★★
Cuisson en braisé avec saindoux ou graisse d'oie ou de canard : ★★★
Cuisson en braisé sans matière grasse : ★★★
Cuisson en friture : ★★★
Cuisson en meunière avec beurre doux : ★★★
Cuisson en meunière avec beurre salé : ★★★
Cuisson en meunière avec huile végétale : ★★★
Cuisson en meunière avec margarine végétale non salée : ★★★
Cuisson en meunière avec margarine végétale salée : ★★★
Cuisson en meunière avec saindoux ou graisse d'oie ou de canard : ★★★
Cuisson en meunière sans matière grasse : ★★★
Cuisson en papillote : ★★★
Cuisson en sauté (idem poêlé).

Cuisson rôti à la broche : ★★★
Cuisson rôti au four avec beurre doux : ★★★
Cuisson rôti au four avec beurre salé : ★★★
Cuisson rôti au four avec huile végétale : ★★★
Cuisson rôti au four avec margarine végétale non salée : ★★★
Cuisson rôti au four avec margarine végétale salée : ★★★
Cuisson rôti au four avec saindoux ou graisse d'oie ou de canard : ★★★
Cuisson rôti au four sans matière grasse ajoutée : ★★★
Cuisson vapeur : ★★★
Grillé : ★★★
Pierrade : ★★★
Poêlé avec beurre doux : ★★★
Poêlé avec beurre salé : ★★★
Poêlé avec huile végétale : ★★★
Poêlé avec margarine végétale non salée : ★★★
Poêlé avec margarine végétale salée : ★★★
Poêlé avec saindoux ou graisse d'oie ou de canard : ★★★
Poêlé sans matière grasse : ★★★
Salé et fumé : ★
Séché : ★★★
Surgelé : ★★★
Remarque : pas d'huile d'arachide ni de beurre noisette.

Carambole : fruit à chair juteuse et acidulée. Fruit exotique.
A l'anglaise : ★★
Au sirop : ★★
Au sirop léger : ★★
Confite : ★★
Conserve au naturel : ★★
Conservée dans l'alcool
Conservée sous vide : ★★
Consommation crue : ★★
En beignet : ★★
En compote (avec sucre ajouté) : ★★
En compote sans sucre ajouté : ★★
En confiture : ★★
En confiture allégée en sucre : ★★
En confiture sans sucre : ★★

Fraîchement récoltée : ★★
Pochée sans sucre : ★★
Séchée : ★★
Surgelée : ★★

Carbonnade : voir « Bœuf (viande de) » section *Cuisson à l'étouffée.*

Cardine : voir « Turbot ».

Cardon : plante potagère dont on consomme la base charnue des feuilles. Légume vert.
Conserve en saumure (eau salée) : ★★★
Conservé sous vide : ★★★
Consommation cru
Cuisson à l'étouffée avec beurre doux : ★★★
Cuisson à l'étouffée avec beurre salé : ★★★
Cuisson à l'étouffée avec huile végétale : ★★★
Cuisson à l'étouffée avec margarine végétale non salée : ★★★
Cuisson à l'étouffée avec margarine végétale salée : ★★★
Cuisson à l'étouffée avec saindoux ou graisse d'oie ou de canard : ★★★
Cuisson à l'étouffée sans matière grasse : ★★★
Cuisson au court bouillon : ★★★
Cuisson en beignet : ★★★
Cuisson en braisé avec beurre doux : ★★★
Cuisson en braisé avec beurre salé : ★★★
Cuisson en braisé avec huile végétale : ★★★
Cuisson en braisé avec margarine végétale non salée : ★★★
Cuisson en braisé avec margarine végétale salée : ★★★
Cuisson en braisé avec saindoux ou graisse d'oie ou de canard : ★★★
Cuisson en braisé sans matière grasse : ★★★
Cuisson en friture : ★★★
Cuisson en papillote : ★★★
Cuisson en ragoût avec beurre doux : ★★★
Cuisson en ragoût avec beurre salé : ★★★
Cuisson en ragoût avec huile végétale : ★★★
Cuisson en ragoût avec margarine végétale non salée : ★★★
Cuisson en ragoût avec margarine végétale salée : ★★★

Cardon - Carotte

Cuisson en ragoût avec saindoux ou graisse d'oie ou de canard : ★★★
Cuisson en sauté (idem poêlé).
Cuisson vapeur : ★★★
Poêlé avec beurre doux : ★★★
Poêlé avec beurre salé : ★★★
Poêlé avec huile végétale : ★★★
Poêlé avec margarine végétale non salée : ★★★
Poêlé avec margarine végétale salée : ★★★
Poêlé avec saindoux ou graisse d'oie ou de canard : ★★★
Poêlé sans matière grasse : ★★★
Potage crème : ★★★
Potage nature sans matière grasse ajoutée : ★★★
Potage velouté : ★★★
Surgelé : ★★★

Remarque : pas d'huile d'arachide ni de beurre noisette.

Carotte : plante potagère cultivée pour sa racine comestible. Légume vert.
Conserve en saumure (eau salée) : ★★★
Conservée sous vide : ★★★
Consommation crue : ★★★
Cuisson à l'étouffée avec beurre doux : ★★★
Cuisson à l'étouffée avec beurre salé : ★★★
Cuisson à l'étouffée avec huile végétale : ★★★
Cuisson à l'étouffée avec margarine végétale non salée : ★★★
Cuisson à l'étouffée avec margarine végétale salée : ★★★
Cuisson à l'étouffée avec saindoux ou graisse d'oie ou de canard : ★★★
Cuisson à l'étouffée sans matière grasse : ★★★
Cuisson au court bouillon : ★★★
Cuisson en beignet : ★★★
Cuisson en braisé avec beurre doux : ★★★
Cuisson en braisé avec beurre salé : ★★★
Cuisson en braisé avec huile végétale : ★★★
Cuisson en braisé avec margarine végétale non salée : ★★★
Cuisson en braisé avec margarine végétale salée : ★★★
Cuisson en braisé avec saindoux ou graisse d'oie ou de canard : ★★★

Cuisson en braisé sans matière grasse : ★★★
Cuisson en friture : ★★★
Cuisson en papillote : ★★★
Cuisson en ragoût avec beurre doux : ★★★
Cuisson en ragoût avec beurre salé : ★★★
Cuisson en ragoût avec huile végétale : ★★★
Cuisson en ragoût avec margarine végétale non salée : ★★★
Cuisson en ragoût avec margarine végétale salée : ★★★
Cuisson en ragoût avec saindoux ou graisse d'oie ou de canard :
★★★
Cuisson en sauté (idem poêlée).
Cuisson vapeur : ★★★
Poêlée avec beurre doux : ★★★
Poêlée avec beurre salé : ★★★
Poêlée avec huile végétale : ★★★
Poêlée avec margarine végétale non salée : ★★★
Poêlée avec margarine végétale salée : ★★★
Poêlée avec saindoux ou graisse d'oie ou de canard : ★★★
Poêlée sans matière grasse : ★★★
Potage crème : ★★★
Potage nature sans matière grasse ajoutée : ★★★
Potage velouté : ★★★
Surgelée : ★★★
Remarque : pas d'huile d'arachide ni de beurre noisette.

Carpe : poisson d'eau douce à chair blanche.
Conservée par le sel : ★★★
Conservée sous vide : ★★★
Consommation crue
Cuisson à la milanaise avec beurre doux : ★
Cuisson à la milanaise avec beurre salé : ★
Cuisson à la milanaise avec huile végétale : ★
Cuisson à la milanaise avec margarine végétale non salée : ★
Cuisson à la milanaise avec margarine végétale salée : ★
Cuisson à la milanaise avec saindoux ou graisse d'oie ou de canard : ★
Cuisson à la milanaise sans matière grasse : ★
Cuisson à l'étouffée avec beurre doux : ★★★
Cuisson à l'étouffée avec beurre salé : ★★★

Carpe

Cuisson à l'étouffée avec huile végétale : ★★★
Cuisson à l'étouffée avec margarine végétale non salée : ★★★
Cuisson à l'étouffée avec margarine végétale salée : ★★★
Cuisson à l'étouffée avec saindoux ou graisse d'oie ou de canard : ★★★
Cuisson à l'étouffée sans matière grasse : ★★★
Cuisson au court bouillon : ★★★
Cuisson en braisé avec beurre doux : ★★★
Cuisson en braisé avec beurre salé : ★★★
Cuisson en braisé avec huile végétale : ★★★
Cuisson en braisé avec margarine végétale non salée : ★★★
Cuisson en braisé avec margarine végétale salée : ★★★
Cuisson en braisé avec saindoux ou graisse d'oie ou de canard : ★★★
Cuisson en braisé sans matière grasse : ★★★
Cuisson en friture : ★★★
Cuisson en meunière avec beurre doux : ★★★
Cuisson en meunière avec beurre salé : ★★★
Cuisson en meunière avec huile végétale : ★★★
Cuisson en meunière avec margarine végétale non salée : ★★★
Cuisson en meunière avec margarine végétale salée : ★★★
Cuisson en meunière avec saindoux ou graisse d'oie ou de canard : ★★★
Cuisson en meunière sans matière grasse : ★★★
Cuisson en papillote : ★★★
Cuisson en sauté (idem poêlée).
Cuisson rôtie à la broche : ★★★
Cuisson rôtie au four avec beurre doux : ★★★
Cuisson rôtie au four avec beurre salé : ★★★
Cuisson rôtie au four avec huile végétale : ★★★
Cuisson rôtie au four avec margarine végétale non salée : ★★★
Cuisson rôtie au four avec margarine végétale salée : ★★★
Cuisson rôtie au four avec saindoux ou graisse d'oie ou de canard : ★★★
Cuisson rôtie au four sans matière grasse ajoutée : ★★★
Cuisson vapeur : ★★★
Grillée : ★★★
Pierrade : ★★★
Poêlée avec beurre doux : ★★★
Poêlée avec beurre salé : ★★★

Poêlée avec huile végétale : ★★★
Poêlée avec margarine végétale non salée : ★★★
Poêlée avec margarine végétale salée : ★★★
Poêlée avec saindoux ou graisse d'oie ou de canard : ★★★
Poêlée sans matière grasse : ★★★
Salée et fumée : ★
Séchée : ★★★
Surgelée : ★★★
Remarque : pas d'huile d'arachide ni de beurre noisette.

Carré de porc : voir « Porc (viande de) ».

Carré de veau : voir « Veau (viande de) ».

Carrelet : poisson marin plat à chair blanche.
Conservé par le sel : ★★★
Conservé sous vide : ★★★
Consommation cru
Cuisson à la milanaise avec beurre doux : ★
Cuisson à la milanaise avec beurre salé : ★
Cuisson à la milanaise avec huile végétale : ★
Cuisson à la milanaise avec margarine végétale non salée : ★
Cuisson à la milanaise avec margarine végétale salée : ★
Cuisson à la milanaise avec saindoux ou graisse d'oie ou de canard : ★
Cuisson à la milanaise sans matière grasse : ★
Cuisson à l'étouffée avec beurre doux : ★★★
Cuisson à l'étouffée avec beurre salé : ★★★
Cuisson à l'étouffée avec huile végétale : ★★★
Cuisson à l'étouffée avec margarine végétale non salée : ★★★
Cuisson à l'étouffée avec margarine végétale salée : ★★★
Cuisson à l'étouffée avec saindoux ou graisse d'oie ou de canard : ★★★
Cuisson à l'étouffée sans matière grasse : ★★★
Cuisson au court bouillon : ★★★
Cuisson en braisé avec beurre doux : ★★★
Cuisson en braisé avec beurre salé : ★★★
Cuisson en braisé avec huile végétale : ★★★
Cuisson en braisé avec margarine végétale non salée : ★★★

Carrelet

Cuisson en braisé avec margarine végétale salée : ★★★
Cuisson en braisé avec saindoux ou graisse d'oie ou de canard : ★★★
Cuisson en braisé sans matière grasse : ★★★
Cuisson en friture : ★★★
Cuisson en meunière avec beurre doux : ★★★
Cuisson en meunière avec beurre salé : ★★★
Cuisson en meunière avec huile végétale : ★★★
Cuisson en meunière avec margarine végétale non salée : ★★★
Cuisson en meunière avec margarine végétale salée : ★★★
Cuisson en meunière avec saindoux ou graisse d'oie ou de canard : ★★★
Cuisson en meunière sans matière grasse : ★★★
Cuisson en papillote : ★★★
Cuisson en sauté (idem poêlé).
Cuisson rôti au four avec beurre doux : ★★★
Cuisson rôti au four avec beurre salé : ★★★
Cuisson rôti au four avec huile végétale : ★★★
Cuisson rôti au four avec margarine végétale non salée : ★★★
Cuisson rôti au four avec margarine végétale salée : ★★★
Cuisson rôti au four avec saindoux ou graisse d'oie ou de canard : ★★★
Cuisson rôti au four sans matière grasse ajoutée : ★★★
Cuisson vapeur : ★★★
Grillé : ★★★
Pierrade : ★★★
Poêlé avec beurre doux : ★★★
Poêlé avec beurre salé : ★★★
Poêlé avec huile végétale : ★★★
Poêlé avec margarine végétale non salée : ★★★
Poêlé avec margarine végétale salée : ★★★
Poêlé avec saindoux ou graisse d'oie ou de canard : ★★★
Poêlé sans matière grasse : ★★★
Salé et fumé : ★
Séché : ★★★
Surgelé : ★★★

Remarque : pas d'huile d'arachide ni de beurre noisette.

Cassis : fruit, petite baie noire.
A l'anglaise : ★★★
Au sirop : ★★★
Au sirop léger : ★★★
Confit : ★★★
Conserve au naturel : ★★★
Conservé dans l'alcool
Conservé sous vide : ★★★
Consommation cru : ★★★
En beignet : ★★★
En compote (avec sucre ajouté) : ★★★
En compote sans sucre ajouté : ★★★
En confiture : ★★★
En confiture allégée en sucre : ★★★
En confiture sans sucre : ★★★
Fraîchement récolté : ★★★
Poché sans sucre : ★★★
Séché : ★★★★
Surgelé : ★★★

Céleri à couper : voir « Céleri branche ».

Céleri branche : plante potagère dont on consomme les côtes des pétioles. Légume vert.
Conserve en saumure (eau salée) : ★★★
Conservé sous vide : ★★★
Consommation cru : ★★★
Cuisson à l'étouffée avec beurre doux : ★★★
Cuisson à l'étouffée avec beurre salé : ★★★
Cuisson à l'étouffée avec huile végétale : ★★★
Cuisson à l'étouffée avec margarine végétale non salée : ★★★
Cuisson à l'étouffée avec margarine végétale salée : ★★★
Cuisson à l'étouffée avec saindoux ou graisse d'oie ou de canard : ★★★
Cuisson à l'étouffée sans matière grasse : ★★★
Cuisson au court bouillon : ★★★
Cuisson en beignet : ★★★
Cuisson en braisé avec beurre doux : ★★★
Cuisson en braisé avec beurre salé : ★★★
Cuisson en braisé avec huile végétale : ★★★

Céleri branche - Céleri-rave

Cuisson en braisé avec margarine végétale non salée : ★★★
Cuisson en braisé avec margarine végétale salée : ★★★
Cuisson en braisé avec saindoux ou graisse d'oie ou de canard :
★★★
Cuisson en braisé sans matière grasse : ★★★
Cuisson en friture : ★★★
Cuisson en papillote : ★★★
Cuisson en sauté (idem poêlé).
Cuisson vapeur : ★★★
Déshydraté : ★★★
Poêlé avec beurre doux : ★★★
Poêlé avec beurre salé : ★★★
Poêlé avec huile végétale : ★★★
Poêlé avec margarine végétale non salée : ★★★
Poêlé avec margarine végétale salée : ★★★
Poêlé avec saindoux ou graisse d'oie ou de canard : ★★★
Poêlé sans matière grasse : ★★★
Potage crème : ★★★
Potage nature sans matière grasse ajoutée : ★★★
Potage velouté : ★★★
Surgelé : ★★★
Remarque : pas d'huile d'arachide ni de beurre noisette.

Céleri-rave : plante potagère, variété de céleri dont on consomme la base charnue. Légume vert.
Conserve en saumure (eau salée) : ★★★
Conservé sous vide : ★★★
Consommation cru : ★★★
Cuisson à la milanaise avec beurre doux : ★
Cuisson à la milanaise avec beurre salé : ★
Cuisson à la milanaise avec huile végétale : ★
Cuisson à la milanaise avec margarine végétale non salée : ★
Cuisson à la milanaise avec margarine végétale salée : ★
Cuisson à la milanaise avec saindoux ou graisse d'oie ou de canard : ★
Cuisson à la milanaise sans matière grasse : ★
Cuisson à l'étouffée avec beurre doux : ★★★
Cuisson à l'étouffée avec beurre salé : ★★★
Cuisson à l'étouffée avec huile végétale : ★★★

Cuisson à l'étouffée avec margarine végétale non salée : ★★★
Cuisson à l'étouffée avec margarine végétale salée : ★★★
Cuisson à l'étouffée avec saindoux ou graisse d'oie ou de canard : ★★★
Cuisson à l'étouffée sans matière grasse : ★★★
Cuisson au court bouillon : ★★★
Cuisson en beignet : ★★★
Cuisson en braisé avec beurre doux : ★★★
Cuisson en braisé avec beurre salé : ★★★
Cuisson en braisé avec huile végétale : ★★★
Cuisson en braisé avec margarine végétale non salée : ★★★
Cuisson en braisé avec margarine végétale salée : ★★★
Cuisson en braisé avec saindoux ou graisse d'oie ou de canard :
★★★
Cuisson en braisé sans matière grasse : ★★★
Cuisson en friture : ★★★
Cuisson en meunière avec beurre doux : ★★★
Cuisson en meunière avec beurre salé : ★★★
Cuisson en meunière avec huile végétale : ★★★
Cuisson en meunière avec margarine végétale non salée : ★★★
Cuisson en meunière avec margarine végétale salée : ★★★
Cuisson en meunière avec saindoux ou graisse d'oie ou de canard : ★★★
Cuisson en meunière sans matière grasse : ★★★
Cuisson en papillote : ★★★
Cuisson en ragoût avec beurre doux : ★★★
Cuisson en ragoût avec beurre salé : ★★★
Cuisson en ragoût avec huile végétale : ★★★
Cuisson en ragoût avec margarine végétale non salée : ★★★
Cuisson en ragoût avec margarine végétale salée : ★★★
Cuisson en ragoût avec saindoux ou graisse d'oie ou de canard :
★★★
Cuisson en sauté (idem poêlé).
Cuisson vapeur : ★★★
Déshydraté : ★★★
Poêlé avec beurre doux : ★★★
Poêlé avec beurre salé : ★★★
Poêlé avec huile végétale : ★★★
Poêlé avec margarine végétale non salée : ★★★
Poêlé avec margarine végétale salée : ★★★

Céleri-rave - Cerf (viande de)

Poêlé avec saindoux ou graisse d'oie ou de canard : ★★★
Poêlé sans matière grasse : ★★★
Potage crème : ★★★
Potage nature sans matière grasse ajoutée : ★★★
Potage velouté : ★★★
Surgelé : ★★★
Remarque : pas d'huile d'arachide ni de beurre noisette.

Cèpe : voir « Champignon ».

Cerf (viande de) : viande rouge, gibier.
Conservée par le sel : ★★★
Conservée sous vide : ★★★
Consommation crue
Cuisson à la milanaise avec beurre doux : ★
Cuisson à la milanaise avec beurre salé : ★
Cuisson à la milanaise avec huile végétale : ★
Cuisson à la milanaise avec margarine végétale non salée : ★
Cuisson à la milanaise avec margarine végétale salée : ★
Cuisson à la milanaise avec saindoux ou graisse d'oie ou de canard : ★
Cuisson à la milanaise sans matière grasse : ★
Cuisson à l'étouffée avec beurre doux : ★★★
Cuisson à l'étouffée avec beurre salé : ★★★
Cuisson à l'étouffée avec huile végétale : ★★★
Cuisson à l'étouffée avec margarine végétale non salée : ★★★
Cuisson à l'étouffée avec margarine végétale salée : ★★★
Cuisson à l'étouffée avec saindoux ou graisse d'oie ou de canard : ★★★
Cuisson à l'étouffée sans matière grasse : ★★★
Cuisson au court bouillon : ★★★
Cuisson en braisé avec beurre doux : ★★★
Cuisson en braisé avec beurre salé : ★★★
Cuisson en braisé avec huile végétale : ★★★
Cuisson en braisé avec margarine végétale non salée : ★★★
Cuisson en braisé avec margarine végétale salée : ★★★
Cuisson en braisé avec saindoux ou graisse d'oie ou de canard : ★★★
Cuisson en braisé sans matière grasse : ★★★

Cuisson en friture : ★★★
Cuisson en meunière avec beurre doux : ★★★
Cuisson en meunière avec beurre salé : ★★★
Cuisson en meunière avec huile végétale : ★★★
Cuisson en meunière avec margarine végétale non salée : ★★★
Cuisson en meunière avec margarine végétale salée : ★★★
Cuisson en meunière avec saindoux ou graisse d'oie ou de canard : ★★★
Cuisson en meunière sans matière grasse : ★★★
Cuisson en papillote : ★★★
Cuisson en ragoût avec beurre doux : ★★★
Cuisson en ragoût avec beurre salé : ★★★
Cuisson en ragoût avec huile végétale : ★★★
Cuisson en ragoût avec margarine végétale non salée : ★★★
Cuisson en ragoût avec margarine végétale salée : ★★★
Cuisson en ragoût avec saindoux ou graisse d'oie ou de canard : ★★★
Cuisson en sauté (idem poêlée).
Cuisson rôtie à la broche : ★★★
Cuisson rôtie au four avec beurre doux : ★★★
Cuisson rôtie au four avec beurre salé : ★★★
Cuisson rôtie au four avec huile végétale : ★★★
Cuisson rôtie au four avec margarine végétale non salée : ★★★
Cuisson rôtie au four avec margarine végétale salée : ★★★
Cuisson rôtie au four avec saindoux ou graisse d'oie ou de canard : ★★★
Cuisson rôtie au four sans matière grasse ajoutée : ★★★
Cuisson vapeur : ★★★
Faisandée
Grillée : ★★★
Pierrade : ★★★
Poêlée avec beurre doux : ★★★
Poêlée avec beurre salé : ★★★
Poêlée avec huile végétale : ★★★
Poêlée avec margarine végétale non salée : ★★★
Poêlée avec margarine végétale salée : ★★★
Poêlée avec saindoux ou graisse d'oie ou de canard : ★★★
Poêlée sans matière grasse : ★★★
Salée et fumée : ★
Séchée : ★★★

Cerf (viande de) - Cerfeuil tubéreux

Surgelée : ★★★
Remarque : pas d'huile d'arachide ni de beurre noisette.

Cerfeuil : feuille d'une plante aromatique servant de condiment. Légume vert.
Conservé sous vide : ★★★★
Consommation cru : ★★★★
Consommation cuit : ★★★★
Déshydraté : ★★★★
Fraîchement récolté : ★★★★
Surgelé : ★★★ ★

Cerfeuil tubéreux : variété de cerfeuil dont on consomme la racine. Légume vert.
Conserve en saumure (eau salée) : ★★★
Conservé sous vide : ★★★
Consommation cru : ★★★
Cuisson à l'étouffée avec beurre doux : ★★★
Cuisson à l'étouffée avec beurre salé : ★★★
Cuisson à l'étouffée avec huile végétale : ★★★
Cuisson à l'étouffée avec margarine végétale non salée : ★★★
Cuisson à l'étouffée avec margarine végétale salée : ★★★
Cuisson à l'étouffée avec saindoux ou graisse d'oie ou de canard : ★★★
Cuisson à l'étouffée sans matière grasse : ★★★
Cuisson au court bouillon : ★★★
Cuisson en beignet : ★★★
Cuisson en braisé avec beurre doux : ★★★
Cuisson en braisé avec beurre salé : ★★★
Cuisson en braisé avec huile végétale : ★★★
Cuisson en braisé avec margarine végétale non salée : ★★★
Cuisson en braisé avec margarine végétale salée : ★★★
Cuisson en braisé avec saindoux ou graisse d'oie ou de canard : ★★★
Cuisson en braisé sans matière grasse : ★★★
Cuisson en friture : ★★★
Cuisson en papillote : ★★★
Cuisson en ragoût avec beurre doux : ★★★
Cuisson en ragoût avec beurre salé : ★★★

Cuisson en ragoût avec huile végétale : ★★★
Cuisson en ragoût avec margarine végétale non salée : ★★★
Cuisson en ragoût avec margarine végétale salée : ★★★
Cuisson en ragoût avec saindoux ou graisse d'oie ou de canard :
★★★
Cuisson en sauté (idem poêlé).
Cuisson vapeur : ★★★
Poêlé avec beurre doux : ★★★
Poêlé avec beurre salé : ★★★
Poêlé avec huile végétale : ★★★
Poêlé avec margarine végétale non salée : ★★★
Poêlé avec margarine végétale salée : ★★★
Poêlé avec saindoux ou graisse d'oie ou de canard : ★★★
Poêlé sans matière grasse : ★★★
Potage crème : ★★★
Potage nature sans matière grasse ajoutée : ★★★
Potage velouté : ★★★
Surgelé : ★★★
Remarque : pas d'huile d'arachide ni de beurre noisette.

Cerise : fruit du cerisier.
A l'anglaise : ★★★
Au sirop : ★★★
Au sirop léger : ★★★
Confite : ★★★
Conserve au naturel : ★★★
Conservée dans l'alcool
Conservée sous vide : ★★★
Consommation crue : ★★★
En beignet : ★★★
En compote (avec sucre ajouté) : ★★★
En compote sans sucre ajouté : ★★★
En confiture : ★★★
En confiture allégée en sucre : ★★★
En confiture sans sucre : ★★★
Flambée (cerise pochée) : ★★
Fraîchement récoltée : ★★★
Pochée sans sucre : ★★★
Séchée : ★★★★

Cerise - Cervelle

Surgelée : ★★★

Cervelle : cerveau de certains animaux destiné à la consommation.
Conservée par le sel : ★★★
Conservée sous vide : ★★★
Consommation crue
Cuisson à la milanaise avec beurre doux : ★
Cuisson à la milanaise avec beurre salé : ★
Cuisson à la milanaise avec huile végétale : ★
Cuisson à la milanaise avec margarine végétale non salée : ★
Cuisson à la milanaise avec margarine végétale salée : ★
Cuisson à la milanaise avec saindoux ou graisse d'oie ou de canard : ★
Cuisson à la milanaise sans matière grasse : ★
Cuisson à l'étouffée avec beurre doux : ★★★
Cuisson à l'étouffée avec beurre salé : ★★★
Cuisson à l'étouffée avec huile végétale : ★★★
Cuisson à l'étouffée avec margarine végétale non salée : ★★★
Cuisson à l'étouffée avec margarine végétale salée : ★★★
Cuisson à l'étouffée avec saindoux ou graisse d'oie ou de canard : ★★★
Cuisson à l'étouffée sans matière grasse : ★★★
Cuisson au court bouillon : ★★★
Cuisson en beignet : ★★★
Cuisson en braisé avec beurre doux : ★★★
Cuisson en braisé avec beurre salé : ★★★
Cuisson en braisé avec huile végétale : ★★★
Cuisson en braisé avec margarine végétale non salée : ★★★
Cuisson en braisé avec margarine végétale salée : ★★★
Cuisson en braisé avec saindoux ou graisse d'oie ou de canard : ★★★
Cuisson en braisé sans matière grasse : ★★★
Cuisson en friture : ★★★
Cuisson en meunière avec beurre doux : ★★★
Cuisson en meunière avec beurre salé : ★★★
Cuisson en meunière avec huile végétale : ★★★
Cuisson en meunière avec margarine végétale non salée : ★★★
Cuisson en meunière avec margarine végétale salée : ★★★

Cuisson en meunière avec saindoux ou graisse d'oie ou de canard : ★★★
Cuisson en meunière sans matière grasse : ★★★
Cuisson en papillote : ★★★
Cuisson en sauté (idem poêlée).
Cuisson vapeur : ★★★
Pierrade : ★★★
Poêlée avec beurre doux : ★★★
Poêlée avec beurre salé : ★★★
Poêlée avec huile végétale : ★★★
Poêlée avec margarine végétale non salée : ★★★
Poêlée avec margarine végétale salée : ★★★
Poêlée avec saindoux ou graisse d'oie ou de canard : ★★★
Poêlée sans matière grasse : ★★★
Surgelée : ★★★
Remarque : pas d'huile d'arachide ni de beurre noisette.

Céteau : voir « Sole ».

Chabot : poisson d'eau douce à chair blanche.
Conservé par le sel : ★★★
Conservé sous vide : ★★★
Consommation cru
Cuisson à la milanaise avec beurre doux : ★
Cuisson à la milanaise avec beurre salé : ★
Cuisson à la milanaise avec huile végétale : ★
Cuisson à la milanaise avec margarine végétale non salée : ★
Cuisson à la milanaise avec margarine végétale salée : ★
Cuisson à la milanaise avec saindoux ou graisse d'oie ou de canard : ★
Cuisson à la milanaise sans matière grasse : ★
Cuisson en beignet : ★★★
Cuisson en friture : ★★★
Cuisson en meunière avec beurre doux : ★★★
Cuisson en meunière avec beurre salé : ★★★
Cuisson en meunière avec huile végétale : ★★★
Cuisson en meunière avec margarine végétale non salée : ★★★
Cuisson en meunière avec margarine végétale salée : ★★★

Cuisson en meunière avec saindoux ou graisse d'oie ou de canard : ★★★
Cuisson en meunière sans matière grasse : ★★★
Cuisson en sauté (idem poêlé).
Pierrade : ★★★
Poêlé avec beurre doux : ★★★
Poêlé avec beurre salé : ★★★
Poêlé avec huile végétale : ★★★
Poêlé avec margarine végétale non salée : ★★★
Poêlé avec margarine végétale salée : ★★★
Poêlé avec saindoux ou graisse d'oie ou de canard : ★★★
Poêlé sans matière grasse : ★★★
Salé et fumé : ★
Séché : ★★★
Surgelé : ★★★
Remarque : pas d'huile d'arachide ni de beurre noisette.

Champignon : cryptogame sans chlorophylle. Seulement quelques centaines d'entre eux sur plus de 50000 sont comestibles. Légume vert.
Conservé dans du vinaigre : ★★★
Conserve en saumure (eau salée) : ★★★
Conservé sous vide : ★★★
Consommation cru (uniquement le champignon de Paris) : ★★★
Cuisson à l'étouffée avec beurre doux : ★★★
Cuisson à l'étouffée avec beurre salé : ★★★
Cuisson à l'étouffée avec huile végétale : ★★★
Cuisson à l'étouffée avec margarine végétale non salée : ★★★
Cuisson à l'étouffée avec margarine végétale salée : ★★★
Cuisson à l'étouffée avec saindoux ou graisse d'oie ou de canard : ★★★
Cuisson à l'étouffée sans matière grasse : ★★★
Cuisson au court bouillon : ★★★
Cuisson en beignet : ★★★
Cuisson en braisé avec beurre doux : ★★★
Cuisson en braisé avec beurre salé : ★★★
Cuisson en braisé avec huile végétale : ★★★
Cuisson en braisé avec margarine végétale non salée : ★★★

Cuisson en braisé avec margarine végétale salée : ★★★
Cuisson en braisé avec saindoux ou graisse d'oie ou de canard :
★★★
Cuisson en braisé sans matière grasse : ★★★
Cuisson en papillote : ★★★
Cuisson en ragoût avec beurre doux : ★★★
Cuisson en ragoût avec beurre salé : ★★★
Cuisson en ragoût avec huile végétale : ★★★
Cuisson en ragoût avec margarine végétale non salée : ★★★
Cuisson en ragoût avec margarine végétale salée : ★★★
Cuisson en ragoût avec saindoux ou graisse d'oie ou de canard :
★★★
Cuisson en sauté (idem poêlé).
Cuisson vapeur : ★★★
Grillé : ★★★
Pierrade : ★★★
Poêlé avec beurre doux : ★★★
Poêlé avec beurre salé : ★★★
Poêlé avec huile végétale : ★★★
Poêlé avec margarine végétale non salée : ★★★
Poêlé avec margarine végétale salée : ★★★
Poêlé avec saindoux ou graisse d'oie ou de canard : ★★★
Poêlé sans matière grasse : ★★★
Potage crème : ★★★
Potage nature sans matière grasse ajoutée : ★★★
Potage velouté : ★★★
Séché : ★★★
Surgelé : ★★★
Remarque : pas d'huile d'arachide ni de beurre noisette.

Champignon de Paris : voir « Champignon ».

Chanterelle : voir « Champignon ».

Chapon : voir « Poulet ».

Châtaigne : fruit du châtaigner, riche en amidon. Féculent.
A l'anglaise :
Confite : ★★★

Châtaigne - Chevaine

Conservée sous vide : ★★★
Grillée : ★★★
En confiture : ★★★
En confiture allégée en sucre : ★★★
En confiture sans sucre : ★★★
Fraîchement récoltée : ★★★
Pochée sans sucre : ★★★
Potage crème : ★★★
Potage nature sans matière grasse ajoutée : ★★★
Potage velouté : ★★★
Surgelée : ★★★

Chateaubriand : voir « Bœuf (viande de) ».

Chatrou : voir « Poulpe ».

Chevaine : poisson d'eau douce à chair blanche.
Conservé par le sel : ★★★
Conservé sous vide : ★★★
Cuisson à la milanaise avec beurre doux : ★
Cuisson à la milanaise avec beurre salé : ★
Cuisson à la milanaise avec huile végétale : ★
Cuisson à la milanaise avec margarine végétale non salée : ★
Cuisson à la milanaise avec margarine végétale salée : ★
Cuisson à la milanaise avec saindoux ou graisse d'oie ou de canard : ★
Cuisson à la milanaise sans matière grasse : ★
Cuisson à l'étouffée avec beurre doux : ★★★
Cuisson à l'étouffée avec beurre salé : ★★★
Cuisson à l'étouffée avec huile végétale : ★★★
Cuisson à l'étouffée avec margarine végétale non salée : ★★★
Cuisson à l'étouffée avec margarine végétale salée : ★★★
Cuisson à l'étouffée avec saindoux ou graisse d'oie ou de canard : ★★★
Cuisson à l'étouffée sans matière grasse : ★★★
Cuisson au court bouillon : ★★★
Cuisson en braisé avec beurre doux : ★★★
Cuisson en braisé avec beurre salé : ★★★

Cuisson en braisé avec huile végétale : ★★★
Cuisson en braisé avec margarine végétale non salée : ★★★
Cuisson en braisé avec margarine végétale salée : ★★★
Cuisson en braisé avec saindoux ou graisse d'oie ou de canard : ★★★
Cuisson en braisé sans matière grasse : ★★★
Cuisson en friture : ★★★
Cuisson en meunière avec beurre doux : ★★★
Cuisson en meunière avec beurre salé : ★★★
Cuisson en meunière avec huile végétale : ★★★
Cuisson en meunière avec margarine végétale non salée : ★★★
Cuisson en meunière avec margarine végétale salée : ★★★
Cuisson en meunière avec saindoux ou graisse d'oie ou de canard : ★★★
Cuisson en meunière sans matière grasse : ★★★
Cuisson en papillote : ★★★
Cuisson en sauté (idem poêlé).
Cuisson rôti à la broche : ★★★
Cuisson rôti au four avec beurre doux : ★★★
Cuisson rôti au four avec beurre salé : ★★★
Cuisson rôti au four avec huile végétale : ★★★
Cuisson rôti au four avec margarine végétale non salée : ★★★
Cuisson rôti au four avec margarine végétale salée : ★★★
Cuisson rôti au four avec saindoux ou graisse d'oie ou de canard : ★★★
Cuisson rôti au four sans matière grasse ajoutée : ★★★
Cuisson vapeur : ★★★
Grillé : ★★★
Pierrade : ★★★
Poêlé avec beurre doux : ★★★
Poêlé avec beurre salé : ★★★
Poêlé avec huile végétale : ★★★
Poêlé avec margarine végétale non salée : ★★★
Poêlé avec margarine végétale salée : ★★★
Poêlé avec saindoux ou graisse d'oie ou de canard : ★★★
Poêlé sans matière grasse : ★★★
Salé et fumé : ★
Séché : ★★★
Surgelé : ★★★

Cheval (viande de)

Cheval (viande de) : viande rouge, viande de boucherie.
Conservée par le sel : ★★★
Conservée sous vide : ★★★
Consommation crue
Cuisson à la milanaise avec beurre doux : ★
Cuisson à la milanaise avec beurre salé : ★
Cuisson à la milanaise avec huile végétale : ★
Cuisson à la milanaise avec margarine végétale non salée : ★
Cuisson à la milanaise avec margarine végétale salée : ★
Cuisson à la milanaise avec saindoux ou graisse d'oie ou de canard : ★
Cuisson à la milanaise sans matière grasse : ★
Cuisson à l'étouffée avec beurre doux : ★★★
Cuisson à l'étouffée avec beurre salé : ★★★
Cuisson à l'étouffée avec huile végétale : ★★★
Cuisson à l'étouffée avec margarine végétale non salée : ★★★
Cuisson à l'étouffée avec margarine végétale salée : ★★★
Cuisson à l'étouffée avec saindoux ou graisse d'oie ou de canard : ★★★
Cuisson à l'étouffée sans matière grasse : ★★★
Cuisson au court bouillon : ★★★
Cuisson en braisé avec beurre doux : ★★★
Cuisson en braisé avec beurre salé : ★★★
Cuisson en braisé avec huile végétale : ★★★
Cuisson en braisé avec margarine végétale non salée : ★★★
Cuisson en braisé avec margarine végétale salée : ★★★
Cuisson en braisé avec saindoux ou graisse d'oie ou de canard : ★★★
Cuisson en braisé sans matière grasse : ★★★
Cuisson en friture : ★★★
Cuisson en meunière avec beurre doux : ★★★
Cuisson en meunière avec beurre salé : ★★★
Cuisson en meunière avec huile végétale : ★★★
Cuisson en meunière avec margarine végétale non salée : ★★★
Cuisson en meunière avec margarine végétale salée : ★★★
Cuisson en meunière avec saindoux ou graisse d'oie ou de canard : ★★★

Cuisson en meunière sans matière grasse : ★★★
Cuisson en papillote : ★★★
Cuisson en ragoût avec beurre doux : ★★★
Cuisson en ragoût avec beurre salé : ★★★
Cuisson en ragoût avec huile végétale : ★★★
Cuisson en ragoût avec margarine végétale non salée : ★★★
Cuisson en ragoût avec margarine végétale salée : ★★★
Cuisson en ragoût avec saindoux ou graisse d'oie ou de canard :
★★★
Cuisson en sauté (idem poêlée).
Cuisson rôtie à la broche : ★★★
Cuisson rôtie au four avec beurre doux : ★★★
Cuisson rôtie au four avec beurre salé : ★★★
Cuisson rôtie au four avec huile végétale : ★★★
Cuisson rôtie au four avec margarine végétale non salée : ★★★
Cuisson rôtie au four avec margarine végétale salée : ★★★
Cuisson rôtie au four avec saindoux ou graisse d'oie ou de canard : ★★★
Cuisson rôtie au four sans matière grasse ajoutée : ★★★
Cuisson vapeur : ★★★
Grillée : ★★★
Pierrade : ★★★
Poêlée avec beurre doux : ★★★
Poêlée avec beurre salé : ★★★
Poêlée avec huile végétale : ★★★
Poêlée avec margarine végétale non salée : ★★★
Poêlée avec margarine végétale salée : ★★★
Poêlée avec saindoux ou graisse d'oie ou de canard : ★★★
Poêlée sans matière grasse : ★★★
Salée et fumée : ★
Séchée : ★★★
Surgelée : ★★★

Remarque : pas d'huile d'arachide ni de beurre noisette.

Chevreuil (viande de) : viande rouge et gibier.
Conservée par le sel : ★★★
Conservée sous vide : ★★★
Consommation crue
Cuisson à la milanaise avec beurre doux : ★

Chevreuil (viande de)

Cuisson à la milanaise avec beurre salé : ★
Cuisson à la milanaise avec huile végétale : ★
Cuisson à la milanaise avec margarine végétale non salée : ★
Cuisson à la milanaise avec margarine végétale salée : ★
Cuisson à la milanaise avec saindoux ou graisse d'oie ou de canard : ★
Cuisson à la milanaise sans matière grasse : ★
Cuisson à l'étouffée avec beurre doux : ★★★
Cuisson à l'étouffée avec beurre salé : ★★★
Cuisson à l'étouffée avec huile végétale : ★★★
Cuisson à l'étouffée avec margarine végétale non salée : ★★★
Cuisson à l'étouffée avec margarine végétale salée : ★★★
Cuisson à l'étouffée avec saindoux ou graisse d'oie ou de canard : ★★★
Cuisson à l'étouffée sans matière grasse : ★★★
Cuisson au court bouillon : ★★★
Cuisson en braisé avec beurre doux : ★★★
Cuisson en braisé avec beurre salé : ★★★
Cuisson en braisé avec huile végétale : ★★★
Cuisson en braisé avec margarine végétale non salée : ★★★
Cuisson en braisé avec margarine végétale salée : ★★★
Cuisson en braisé avec saindoux ou graisse d'oie ou de canard : ★★★
Cuisson en braisé sans matière grasse : ★★★
Cuisson en friture : ★★★
Cuisson en meunière avec beurre doux : ★★★
Cuisson en meunière avec beurre salé : ★★★
Cuisson en meunière avec huile végétale : ★★★
Cuisson en meunière avec margarine végétale non salée : ★★★
Cuisson en meunière avec margarine végétale salée : ★★★
Cuisson en meunière avec saindoux ou graisse d'oie ou de canard : ★★★
Cuisson en meunière sans matière grasse : ★★★
Cuisson en papillote : ★★★
Cuisson en ragoût avec beurre doux : ★★★
Cuisson en ragoût avec beurre salé : ★★★
Cuisson en ragoût avec huile végétale : ★★★
Cuisson en ragoût avec margarine végétale non salée : ★★★
Cuisson en ragoût avec margarine végétale salée : ★★★

Cuisson en ragoût avec saindoux ou graisse d'oie ou de canard :
★★★
Cuisson en sauté (idem poêlée).
Cuisson rôtie à la broche : ★★★
Cuisson rôtie au four avec beurre doux : ★★★
Cuisson rôtie au four avec beurre salé : ★★★
Cuisson rôtie au four avec huile végétale : ★★★
Cuisson rôtie au four avec margarine végétale non salée : ★★★
Cuisson rôtie au four avec margarine végétale salée : ★★★
Cuisson rôtie au four avec saindoux ou graisse d'oie ou de canard : ★★★
Cuisson rôtie au four sans matière grasse ajoutée : ★★★
Cuisson vapeur : ★★★
Faisandée
Grillée : ★★★
Pierrade : ★★★
Poêlée avec beurre doux : ★★★
Poêlée avec beurre salé : ★★★
Poêlée avec huile végétale : ★★★
Poêlée avec margarine végétale non salée : ★★★
Poêlée avec margarine végétale salée : ★★★
Poêlée avec saindoux ou graisse d'oie ou de canard : ★★★
Poêlée sans matière grasse : ★★★
Salée et fumée : ★
Séchée : ★★★
Surgelée : ★★★
Remarque : pas d'huile d'arachide ni de beurre noisette.

Chinchard : poisson gras marin.
Conservé par le sel : ★★★★
Conservé sous vide : ★★★★
Consommation cru
Cuisson à la milanaise avec beurre doux : ★
Cuisson à la milanaise avec beurre salé : ★
Cuisson à la milanaise avec huile végétale : ★
Cuisson à la milanaise avec margarine végétale non salée : ★
Cuisson à la milanaise avec margarine végétale salée : ★
Cuisson à la milanaise avec saindoux ou graisse d'oie ou de canard : ★

Chinchard

Cuisson à la milanaise sans matière grasse : ★
Cuisson à l'étouffée avec beurre doux : ★★★★
Cuisson à l'étouffée avec beurre salé : ★★★★
Cuisson à l'étouffée avec huile végétale : ★★★★
Cuisson à l'étouffée avec margarine végétale non salée : ★★★★
Cuisson à l'étouffée avec margarine végétale salée : ★★★★
Cuisson à l'étouffée avec saindoux ou graisse d'oie ou de canard : ★★★★
Cuisson à l'étouffée sans matière grasse : ★★★★
Cuisson au court bouillon : ★★★★
Cuisson en braisé avec beurre doux : ★★★★
Cuisson en braisé avec beurre salé : ★★★★
Cuisson en braisé avec huile végétale : ★★★★
Cuisson en braisé avec margarine végétale non salée : ★★★★
Cuisson en braisé avec margarine végétale salée : ★★★★
Cuisson en braisé avec saindoux ou graisse d'oie ou de canard : ★★★★
Cuisson en braisé sans matière grasse : ★★★★
Cuisson en friture : ★★★★
Cuisson en meunière avec beurre doux : ★★★★
Cuisson en meunière avec beurre salé : ★★★★
Cuisson en meunière avec huile végétale : ★★★★
Cuisson en meunière avec margarine végétale non salée : ★★★★
Cuisson en meunière avec margarine végétale salée : ★★★★
Cuisson en meunière avec saindoux ou graisse d'oie ou de canard : ★★★★
Cuisson en meunière sans matière grasse : ★★★★
Cuisson en papillote : ★★★★
Cuisson en sauté (idem poêlé).
Cuisson rôti à la broche : ★★★ ★
Cuisson rôti au four avec beurre doux : ★★★★
Cuisson rôti au four avec beurre salé : ★★★★
Cuisson rôti au four avec huile végétale : ★★★★
Cuisson rôti au four avec margarine végétale non salée : ★★★★
Cuisson rôti au four avec margarine végétale salée : ★★★★
Cuisson rôti au four avec saindoux ou graisse d'oie ou de canard : ★★★★

Cuisson rôti au four sans matière grasse ajoutée : ★★★★
Cuisson vapeur : ★★★★
Grillé : ★★★ ★
Pierrade : ★★★★
Poêlé avec beurre doux : ★★★★
Poêlé avec beurre salé : ★★★★
Poêlé avec huile végétale : ★★★★
Poêlé avec margarine végétale non salée : ★★★★
Poêlé avec margarine végétale salée : ★★★★
Poêlé avec saindoux ou graisse d'oie ou de canard : ★★★★
Poêlé sans matière grasse : ★★★★
Salé et fumé : ★
Séché : ★★★★
Surgelé : ★★★★
Remarque : pas d'huile d'arachide ni de beurre noisette.

Chipolata : voir « Porc (viande de)».

Chou brocoli : chou dont on consomme l'inflorescence centrale.
Conservé dans du vinaigre : ★
Conserve en saumure (eau salée) : ★
Conservé sous vide : ★
Consommation cru
Cuisson à l'étouffée avec beurre doux : ★
Cuisson à l'étouffée avec beurre salé : ★
Cuisson à l'étouffée avec huile végétale : ★
Cuisson à l'étouffée avec margarine végétale non salée : ★
Cuisson à l'étouffée avec margarine végétale salée : ★
Cuisson à l'étouffée avec saindoux ou graisse d'oie ou de canard : ★
Cuisson à l'étouffée sans matière grasse : ★
Cuisson au court bouillon : ★
Cuisson en beignet : ★
Cuisson en braisé avec beurre doux : ★
Cuisson en braisé avec beurre salé : ★
Cuisson en braisé avec huile végétale : ★
Cuisson en braisé avec margarine végétale non salée : ★
Cuisson en braisé avec margarine végétale salée : ★

Chou brocoli - Chou cabus

Cuisson en braisé avec saindoux ou graisse d'oie ou de canard : ★

Cuisson en braisé sans matière grasse : ★

Cuisson en friture : ★

Cuisson en papillote : ★

Cuisson en sauté (idem poêlé).

Cuisson vapeur : ★

Poêlé avec beurre doux : ★

Poêlé avec beurre salé : ★

Poêlé avec huile végétale : ★

Poêlé avec margarine végétale non salée : ★

Poêlé avec margarine végétale salée : ★

Poêlé avec saindoux ou graisse d'oie ou de canard : ★

Poêlé sans matière grasse : ★

Potage crème : ★

Potage nature sans matière grasse ajoutée : ★

Potage velouté : ★

Surgelé : ★

Remarque : pas d'huile d'arachide ni de beurre noisette.

Chou cabus : variété de chou à pomme lisse.

Conservé dans du vinaigre : ★

Conserve en saumure (eau salée) : ★

Conservé sous vide : ★

Consommation cru

Cuisson à l'étouffée avec beurre doux : ★

Cuisson à l'étouffée avec beurre salé : ★

Cuisson à l'étouffée avec huile végétale : ★

Cuisson à l'étouffée avec margarine végétale non salée : ★

Cuisson à l'étouffée avec margarine végétale salée : ★

Cuisson à l'étouffée avec saindoux ou graisse d'oie ou de canard : ★

Cuisson à l'étouffée sans matière grasse : ★

Cuisson au court bouillon : ★

Cuisson en beignet : ★

Cuisson en braisé avec beurre doux : ★

Cuisson en braisé avec beurre salé : ★

Cuisson en braisé avec huile végétale : ★

Cuisson en braisé avec margarine végétale non salée : ★

Cuisson en braisé avec margarine végétale salée : ✦
Cuisson en braisé avec saindoux ou graisse d'oie ou de canard :
✦
Cuisson en braisé sans matière grasse : ✦
Cuisson en friture : ✦
Cuisson en papillote : ✦
Cuisson en sauté (idem poêlé).
Cuisson vapeur : ✦
Poêlé avec beurre doux : ✦
Poêlé avec beurre salé : ✦
Poêlé avec huile végétale : ✦
Poêlé avec margarine végétale non salée : ✦
Poêlé avec margarine végétale salée : ✦
Poêlé avec saindoux ou graisse d'oie ou de canard : ✦
Poêlé sans matière grasse : ✦
Potage crème : ✦
Potage nature sans matière grasse ajoutée : ✦
Potage velouté : ✦
Surgelé : ✦
Remarque : pas d'huile d'arachide ni de beurre noisette.

Chou chinois : variété de deux choux : pet saï et pet Choi.
Conservé dans du vinaigre : ✦
Conserve en saumure (eau salée) : ✦
Conservé sous vide : ✦
Consommation cru
Cuisson à l'étouffée avec beurre doux : ✦
Cuisson à l'étouffée avec beurre salé : ✦
Cuisson à l'étouffée avec huile végétale : ✦
Cuisson à l'étouffée avec margarine végétale non salée : ✦
Cuisson à l'étouffée avec margarine végétale salée : ✦
Cuisson à l'étouffée avec saindoux ou graisse d'oie ou de canard : ✦
Cuisson à l'étouffée sans matière grasse : ✦
Cuisson au court bouillon : ✦
Cuisson en beignet : ✦
Cuisson en braisé avec beurre doux : ✦
Cuisson en braisé avec beurre salé : ✦
Cuisson en braisé avec huile végétale : ✦

Chou chinois - Chou de Bruxelles

Cuisson en braisé avec margarine végétale non salée : ✦
Cuisson en braisé avec margarine végétale salée : ✦
Cuisson en braisé avec saindoux ou graisse d'oie ou de canard : ✦
Cuisson en braisé sans matière grasse : ✦
Cuisson en friture : ✦
Cuisson en papillote : ✦
Cuisson en sauté (idem poêlé).
Cuisson vapeur : ✦
Poêlé avec beurre doux : ✦
Poêlé avec beurre salé : ✦
Poêlé avec huile végétale : ✦
Poêlé avec margarine végétale non salée : ✦
Poêlé avec margarine végétale salée : ✦
Poêlé avec saindoux ou graisse d'oie ou de canard : ✦
Poêlé sans matière grasse : ✦
Potage crème : ✦
Potage nature sans matière grasse ajoutée : ✦
Potage velouté : ✦
Surgelé : ✦
Remarque : pas d'huile d'arachide ni de beurre noisette.

Chou de Bruxelles : plante potagère dont on consomme uniquement les capitules qui se forment sur sa tige principale.
Conservé dans du vinaigre : ✦
Conserve en saumure (eau salée) : ✦
Conservé sous vide : ✦
Consommation cru
Cuisson à l'étouffée avec beurre doux : ✦
Cuisson à l'étouffée avec beurre salé : ✦
Cuisson à l'étouffée avec huile végétale : ✦
Cuisson à l'étouffée avec margarine végétale non salée : ✦
Cuisson à l'étouffée avec margarine végétale salée : ✦
Cuisson à l'étouffée avec saindoux ou graisse d'oie ou de canard : ✦
Cuisson à l'étouffée sans matière grasse : ✦
Cuisson au court bouillon : ✦
Cuisson en braisé avec beurre doux : ✦
Cuisson en braisé avec beurre salé : ✦

Cuisson en braisé avec huile végétale : ✶
Cuisson en braisé avec margarine végétale non salée : ✶
Cuisson en braisé avec margarine végétale salée : ✶
Cuisson en braisé avec saindoux ou graisse d'oie ou de canard : ✶
Cuisson en braisé sans matière grasse : ✶
Cuisson en papillote : ✶
Cuisson en sauté (idem poêlé).
Cuisson vapeur : ✶
Poêlé avec beurre doux : ✶
Poêlé avec beurre salé : ✶
Poêlé avec huile végétale : ✶
Poêlé avec margarine végétale non salée : ✶
Poêlé avec margarine végétale salée : ✶
Poêlé avec saindoux ou graisse d'oie ou de canard : ✶
Poêlé sans matière grasse : ✶
Potage crème : ✶
Potage nature sans matière grasse ajoutée : ✶
Potage velouté : ✶
Surgelé : ✶
Remarque : pas d'huile d'arachide ni de beurre noisette.

Chou-fleur : chou dont on consomme l'inflorescence centrale.
Conservé dans du vinaigre : ✶
Conserve en saumure (eau salée) : ✶
Conservé sous vide : ✶
Consommation cru
Cuisson à l'étouffée avec beurre doux : ✶
Cuisson à l'étouffée avec beurre salé : ✶
Cuisson à l'étouffée avec huile végétale : ✶
Cuisson à l'étouffée avec margarine végétale non salée : ✶
Cuisson à l'étouffée avec margarine végétale salée : ✶
Cuisson à l'étouffée avec saindoux ou graisse d'oie ou de canard : ✶
Cuisson à l'étouffée sans matière grasse : ✶
Cuisson au court bouillon : ✶
Cuisson en braisé avec beurre doux : ✶
Cuisson en braisé avec beurre salé : ✶
Cuisson en braisé avec huile végétale : ✶

Chou-fleur - Chou frisé

Cuisson en braisé avec margarine végétale non salée : ★
Cuisson en braisé avec margarine végétale salée : ★
Cuisson en braisé avec saindoux ou graisse d'oie ou de canard : ★
Cuisson en braisé sans matière grasse : ★
Cuisson en papillote : ★
Cuisson en sauté (idem poêlé).
Cuisson vapeur : ★
Poêlé avec beurre doux : ★
Poêlé avec beurre salé : ★
Poêlé avec huile végétale : ★
Poêlé avec margarine végétale non salée : ★
Poêlé avec margarine végétale salée : ★
Poêlé avec saindoux ou graisse d'oie ou de canard : ★
Poêlé sans matière grasse : ★
Potage crème : ★
Potage nature sans matière grasse ajoutée : ★
Potage velouté : ★
Surgelé : ★
Remarque : pas d'huile d'arachide ni de beurre noisette.

Chou frisé : plante potagère dont on consomme la totalité de la feuillure.
Conservé dans du vinaigre : ★
Conserve en saumure (eau salée) : ★
Conservé sous vide : ★
Consommation cru
Cuisson à l'étouffée avec beurre doux : ★
Cuisson à l'étouffée avec beurre salé : ★
Cuisson à l'étouffée avec huile végétale : ★
Cuisson à l'étouffée avec margarine végétale non salée : ★
Cuisson à l'étouffée avec margarine végétale salée : ★
Cuisson à l'étouffée avec saindoux ou graisse d'oie ou de canard : ★
Cuisson à l'étouffée sans matière grasse : ★
Cuisson au court bouillon : ★
Cuisson en beignet : ★
Cuisson en braisé avec beurre doux : ★
Cuisson en braisé avec beurre salé : ★

Cuisson en braisé avec huile végétale : ✦
Cuisson en braisé avec margarine végétale non salée : ✦
Cuisson en braisé avec margarine végétale salée : ✦
Cuisson en braisé avec saindoux ou graisse d'oie ou de canard :
✦
Cuisson en braisé sans matière grasse : ✦
Cuisson en friture : ✦
Cuisson en papillote : ✦
Cuisson en sauté (idem poêlé).
Cuisson vapeur : ✦
Poêlé avec beurre doux : ✦
Poêlé avec beurre salé : ✦
Poêlé avec huile végétale : ✦
Poêlé avec margarine végétale non salée : ✦
Poêlé avec margarine végétale salée : ✦
Poêlé avec saindoux ou graisse d'oie ou de canard : ✦
Poêlé sans matière grasse : ✦
Potage crème : ✦
Potage nature sans matière grasse ajoutée : ✦
Potage velouté : ✦
Surgelé : ✦
Remarque : pas d'huile d'arachide ni de beurre noisette.

Chou kale : voir « Chou frisé ».

Chou-navet : voir « Rutabaga ».

Chou pommé (rouge, blanc, vert) : plante potagère dont on consomme la totalité de la feuillure.
Conservé dans du vinaigre : ✦
Conserve en saumure (eau salée) : ✦
Conservé sous vide : ✦
Consommation cru : ✦
Cuisson à l'étouffée avec beurre doux : ✦
Cuisson à l'étouffée avec beurre salé : ✦
Cuisson à l'étouffée avec huile végétale : ✦
Cuisson à l'étouffée avec margarine végétale non salée : ✦
Cuisson à l'étouffée avec margarine végétale salée : ✦

Chou pommé - Chou-rave

Cuisson à l'étouffée avec saindoux ou graisse d'oie ou de canard : ★
Cuisson à l'étouffée sans matière grasse : ★
Cuisson au court bouillon : ★
Cuisson en beignet : ★
Cuisson en braisé avec beurre doux : ★
Cuisson en braisé avec beurre salé : ★
Cuisson en braisé avec huile végétale : ★
Cuisson en braisé avec margarine végétale non salée : ★
Cuisson en braisé avec margarine végétale salée : ★
Cuisson en braisé avec saindoux ou graisse d'oie ou de canard : ★
Cuisson en braisé sans matière grasse : ★
Cuisson en friture : ★
Cuisson en papillote : ★
Cuisson en sauté (idem poêlé).
Cuisson vapeur : ★
Fermenté (choucroute) : ★
Poêlé avec beurre doux : ★
Poêlé avec beurre salé : ★
Poêlé avec huile végétale : ★
Poêlé avec margarine végétale non salée : ★
Poêlé avec margarine végétale salée : ★
Poêlé avec saindoux ou graisse d'oie ou de canard : ★
Poêlé sans matière grasse : ★
Potage crème : ★
Potage nature sans matière grasse ajoutée : ★
Potage velouté : ★
Surgelé : ★

Remarque : pas d'huile d'arachide ni de beurre noisette.

Chou-rave : plante potagère dont on consomme le renflement de la tige.
Conserve en saumure (eau salée) : ★ ★ ★
Conservé sous vide : ★ ★ ★
Consommation cru : ★ ★ ★
Cuisson à la milanaise avec beurre doux : ★
Cuisson à la milanaise avec beurre salé : ★
Cuisson à la milanaise avec huile végétale : ★

Cuisson à la milanaise avec margarine végétale non salée : ★
Cuisson à la milanaise avec margarine végétale salée : ★
Cuisson à la milanaise avec saindoux ou graisse d'oie ou de canard : ★
Cuisson à la milanaise sans matière grasse : ★
Cuisson à l'étouffée avec beurre doux : ★★★
Cuisson à l'étouffée avec beurre salé : ★★★
Cuisson à l'étouffée avec huile végétale : ★★★
Cuisson à l'étouffée avec margarine végétale non salée : ★★★
Cuisson à l'étouffée avec margarine végétale salée : ★★★
Cuisson à l'étouffée avec saindoux ou graisse d'oie ou de canard : ★★★
Cuisson à l'étouffée sans matière grasse : ★★★
Cuisson au court bouillon : ★★★
Cuisson en beignet : ★★★
Cuisson en braisé avec beurre doux : ★★★
Cuisson en braisé avec beurre salé : ★★★
Cuisson en braisé avec huile végétale : ★★★
Cuisson en braisé avec margarine végétale non salée : ★★★
Cuisson en braisé avec margarine végétale salée : ★★★
Cuisson en braisé avec saindoux ou graisse d'oie ou de canard : ★★★
Cuisson en braisé sans matière grasse : ★★★
Cuisson en friture : ★★★
Cuisson en meunière avec beurre doux : ★★★
Cuisson en meunière avec beurre salé : ★★★
Cuisson en meunière avec huile végétale : ★★★
Cuisson en meunière avec margarine végétale non salée : ★★★
Cuisson en meunière avec margarine végétale salée : ★★★
Cuisson en meunière avec saindoux ou graisse d'oie ou de canard : ★★★
Cuisson en meunière sans matière grasse : ★★★
Cuisson en papillote : ★★★
Cuisson en ragoût avec beurre doux : ★★★
Cuisson en ragoût avec beurre salé : ★★★
Cuisson en ragoût avec huile végétale : ★★★
Cuisson en ragoût avec margarine végétale non salée : ★★★
Cuisson en ragoût avec margarine végétale salée : ★★★
Cuisson en ragoût avec saindoux ou graisse d'oie ou de canard : ★★★

Chou-rave - Chou romanesco

Cuisson en sauté (idem poêlé).
Cuisson vapeur : ★★★
Poêlé avec beurre doux : ★★★
Poêlé avec beurre salé : ★★★
Poêlé avec huile végétale : ★★★
Poêlé avec margarine végétale non salée : ★★★
Poêlé avec margarine végétale salée : ★★★
Poêlé avec saindoux ou graisse d'oie ou de canard : ★★★
Poêlé sans matière grasse : ★★★
Potage crème : ★★★
Potage nature sans matière grasse ajoutée : ★★★
Potage velouté : ★★★
Surgelé : ★★★
Remarque : pas d'huile d'arachide ni de beurre noisette.

Chou romanesco : chou dont on consomme l'inflorescence centrale.
Conservé dans du vinaigre : ★
Conserve en saumure (eau salée) : ★
Conservé sous vide : ★
Consommation cru
Cuisson à l'étouffée avec beurre doux : ★
Cuisson à l'étouffée avec beurre salé : ★
Cuisson à l'étouffée avec huile végétale : ★
Cuisson à l'étouffée avec margarine végétale non salée : ★
Cuisson à l'étouffée avec margarine végétale salée : ★
Cuisson à l'étouffée avec saindoux ou graisse d'oie ou de canard : ★
Cuisson à l'étouffée sans matière grasse : ★
Cuisson au court bouillon : ★
Cuisson en beignet : ★
Cuisson en braisé avec beurre doux : ★
Cuisson en braisé avec beurre salé : ★
Cuisson en braisé avec huile végétale : ★
Cuisson en braisé avec margarine végétale non salée : ★
Cuisson en braisé avec margarine végétale salée : ★
Cuisson en braisé avec saindoux ou graisse d'oie ou de canard : ★
Cuisson en braisé sans matière grasse : ★

Cuisson en friture : ✦
Cuisson en papillote : ✦
Cuisson en sauté (idem poêlé).
Cuisson vapeur : ✦
Poêlé avec beurre doux : ✦
Poêlé avec beurre salé : ✦
Poêlé avec huile végétale : ✦
Poêlé avec margarine végétale non salée : ✦
Poêlé avec margarine végétale salée : ✦
Poêlé avec saindoux ou graisse d'oie ou de canard : ✦
Poêlé sans matière grasse : ✦
Potage crème : ✦
Potage nature sans matière grasse ajoutée : ✦
Potage velouté : ✦
Surgelé : ✦
Remarque : pas d'huile d'arachide ni de beurre noisette.

Ciboule : plante voisine de l'ail dont on consomme les feuilles ventrues.
Conservée sous vide : ✦✦✦
Consommation crue : ✦✦✦
Consommation cuite : ✦✦✦
Déshydratée : ✦✦✦
Fraîchement récoltée : ✦✦✦
Surgelée : ✦✦✦

Ciboulette : plante dont on consomme les feuilles creuses et cylindriques.
Conservée sous vide : ✦✦✦
Consommation crue : ✦✦✦
Consommation cuite : ✦✦✦
Déshydratée : ✦✦✦
Fraîchement récoltée : ✦✦✦
Surgelée : ✦✦✦

Citron : fruit du citronnier. Agrume.
A l'anglaise : ✦✦✦
Au sirop : ✦✦✦
Au sirop léger : ✦✦✦

Citron - Citrouille

Confit : ★★★
Conserve au naturel : ★★★
Conservé dans l'alcool
Conservé sous vide : ★★★
Consommation cru : ★★★
En beignet : ★★★
En compote (avec sucre ajouté) : ★★★
En compote sans sucre ajouté : ★★★
En confiture : ★★★
En confiture allégée en sucre : ★★★
En confiture sans sucre : ★★★
Fraîchement récolté : ★★★
Poché sans sucre : ★★★
Séché : ★★★★
Surgelé : ★★★

Citronnelle : graminée utilisée comme plante aromatique.
Conservée sous vide : ★★★★
Déshydratée : ★★★★
Fraîchement récoltée : ★★★★
Surgelée : ★★★★

Citrouille : variété de courge, très gros fruit d'automne.
Légume vert.
Conserve en saumure (eau salée) : ★★★
Conservée sous vide : ★★★
Consommation crue
Cuisson à l'étouffée avec beurre doux : ★★★
Cuisson à l'étouffée avec beurre salé : ★★★
Cuisson à l'étouffée avec huile végétale : ★★★
Cuisson à l'étouffée avec margarine végétale non salée : ★★★
Cuisson à l'étouffée avec margarine végétale salée : ★★★
Cuisson à l'étouffée avec saindoux ou graisse d'oie ou de canard : ★★★
Cuisson à l'étouffée sans matière grasse : ★★★
Cuisson au court bouillon : ★★★
Cuisson en beignet : ★★★
Cuisson en braisé avec beurre doux : ★★★
Cuisson en braisé avec beurre salé : ★★★
Cuisson en braisé avec huile végétale : ★★★

Cuisson en braisé avec margarine végétale non salée : ★★★
Cuisson en braisé avec margarine végétale salée : ★★★
Cuisson en braisé avec saindoux ou graisse d'oie ou de canard : ★★★
Cuisson en braisé sans matière grasse : ★★★
Cuisson en friture : ★★★
Cuisson en papillote : ★★★
Cuisson en ragoût avec beurre doux : ★★★
Cuisson en ragoût avec beurre salé : ★★★
Cuisson en ragoût avec huile végétale : ★★★
Cuisson en ragoût avec margarine végétale non salée : ★★★
Cuisson en ragoût avec margarine végétale salée : ★★★
Cuisson en ragoût avec saindoux ou graisse d'oie ou de canard : ★★★
Cuisson en sauté (idem poêlée).
Cuisson vapeur : ★★★
Poêlée avec beurre doux : ★★★
Poêlée avec beurre salé : ★★★
Poêlée avec huile végétale : ★★★
Poêlée avec margarine végétale non salée : ★★★
Poêlée avec margarine végétale salée : ★★★
Poêlée avec saindoux ou graisse d'oie ou de canard : ★★★
Poêlée sans matière grasse : ★★★
Potage : ★★★
Potage crème : ★★★
Potage nature sans matière grasse ajoutée : ★★★
Potage velouté : ★★★
Surgelée : ★★★
Remarque : pas d'huile d'arachide ni de beurre noisette.

Cive : voir « Ciboule ».

Civette : voir « Ciboulette ».

Clam : voir « Palourde ».

Clavaire doré : voir « Champignon ».

Clémentine - Cœur d'artichaut

Clémentine : fruit issu du clémentinier. Agrume.
A l'anglaise : ★★★
Au sirop : ★★★
Au sirop léger : ★★★
Confite : ★★★
Conserve au naturel : ★★★
Conservée dans l'alcool
Conservée sous vide : ★★★
Consommation crue : ★★★
En beignet : ★★★
En compote (avec sucre ajouté) : ★★★
En compote sans sucre ajouté : ★★★
En confiture : ★★★
En confiture allégée en sucre : ★★★
En confiture sans sucre : ★★★
Fraîchement récoltée : ★★★
Pochée sans sucre : ★★★
Séchée : ★★★★
Surgelée : ★★★

Clovisse : voir « Palourde ».

Cochon : voir « Porc (viande de) ».

Cœur : voir « Viande de... ».

Cœur d'artichaut : cœur de la fleur de l'artichaut comestible.
Légume vert.
Conserve en saumure (eau salée) : ★★★
Conservé sous vide : ★★★
Consommation cru
Cuisson à l'étouffée avec beurre doux : ★★★
Cuisson à l'étouffée avec beurre salé : ★★★
Cuisson à l'étouffée avec huile végétale : ★★★
Cuisson à l'étouffée avec margarine végétale non salée : ★★★
Cuisson à l'étouffée avec margarine végétale salée : ★★★
Cuisson à l'étouffée avec saindoux ou graisse d'oie ou de canard : ★★★
Cuisson à l'étouffée sans matière grasse : ★★★
Cuisson au court bouillon : ★★★

Cuisson en beignet : ★★★
Cuisson en braisé avec beurre doux : ★★★
Cuisson en braisé avec beurre salé : ★★★
Cuisson en braisé avec huile végétale : ★★★
Cuisson en braisé avec margarine végétale non salée : ★★★
Cuisson en braisé avec margarine végétale salée : ★★★
Cuisson en braisé avec saindoux ou graisse d'oie ou de canard :
★★★
Cuisson en braisé sans matière grasse : ★★★
Cuisson en friture : ★★★
Cuisson en papillote : ★★★
Cuisson en ragoût avec beurre doux : ★★★
Cuisson en ragoût avec beurre salé : ★★★
Cuisson en ragoût avec huile végétale : ★★★
Cuisson en ragoût avec margarine végétale non salée : ★★★
Cuisson en ragoût avec margarine végétale salée : ★★★
Cuisson en ragoût avec saindoux ou graisse d'oie ou de canard :
★★★
Cuisson en sauté (idem poêlé).
Cuisson vapeur : ★★★
Poêlé avec beurre doux : ★★★
Poêlé avec beurre salé : ★★★
Poêlé avec huile végétale : ★★★
Poêlé avec margarine végétale non salée : ★★★
Poêlé avec margarine végétale salée : ★★★
Poêlé avec saindoux ou graisse d'oie ou de canard : ★★★
Poêlé sans matière grasse : ★★★
Potage crème : ★★★
Potage nature sans matière grasse ajoutée : ★★★
Potage velouté : ★★★
Surgelé : ★★★
Remarque : pas d'huile d'arachide ni de beurre noisette.

Cœur de palmier : cœur de palmier comestible. Légume vert.
Conserve en saumure (eau salée) : ★★★
Conservé sous vide : ★★★
Consommation cru
Cuisson à l'étouffée avec beurre doux : ★★★
Cuisson à l'étouffée avec beurre salé : ★★★

Cœur de palmier

Cuisson à l'étouffée avec huile végétale : ★★★
Cuisson à l'étouffée avec margarine végétale non salée : ★★★
Cuisson à l'étouffée avec margarine végétale salée : ★★★
Cuisson à l'étouffée avec saindoux ou graisse d'oie ou de canard : ★★★
Cuisson à l'étouffée sans matière grasse : ★★★
Cuisson au court bouillon : ★★★
Cuisson en beignet : ★★★
Cuisson en braisé avec beurre doux : ★★★
Cuisson en braisé avec beurre salé : ★★★
Cuisson en braisé avec huile végétale : ★★★
Cuisson en braisé avec margarine végétale non salée : ★★★
Cuisson en braisé avec margarine végétale salée : ★★★
Cuisson en braisé avec saindoux ou graisse d'oie ou de canard : ★★★
Cuisson en braisé sans matière grasse : ★★★
Cuisson en friture : ★★★
Cuisson en papillote : ★★★
Cuisson en ragoût avec beurre doux : ★★★
Cuisson en ragoût avec beurre salé : ★★★
Cuisson en ragoût avec huile végétale : ★★★
Cuisson en ragoût avec margarine végétale non salée : ★★★
Cuisson en ragoût avec margarine végétale salée : ★★★
Cuisson en ragoût avec saindoux ou graisse d'oie ou de canard : ★★★
Cuisson en sauté (idem poêlé).
Cuisson vapeur : ★★★
Poêlé avec beurre doux : ★★★
Poêlé avec beurre salé : ★★★
Poêlé avec huile végétale : ★★★
Poêlé avec margarine végétale non salée : ★★★
Poêlé avec margarine végétale salée : ★★★
Poêlé avec saindoux ou graisse d'oie ou de canard : ★★★
Poêlé sans matière grasse : ★★★
Potage crème : ★★★
Potage nature sans matière grasse ajoutée : ★★★
Potage velouté : ★★★
Surgelé : ★★★

Remarque : pas d'huile d'arachide ni de beurre noisette.

Coing : fruit jaune du cognassier.
A l'anglaise : ★★★
Au sirop : ★★★
Au sirop léger : ★★★
Confit : ★★★
Conserve au naturel : ★★★
Conservé dans l'alcool
Conservé sous vide : ★★★
Consommation cru
En beignet : ★★★
En compote (avec sucre ajouté) : ★★★
En compote sans sucre ajouté : ★★★
En confiture : ★★★
En confiture allégée en sucre : ★★★
En confiture sans sucre : ★★★
Fraîchement récolté : ★★★
Poché sans sucre : ★★★
Séché : ★★★★
Surgelé : ★★★

Colin : poisson marin à chair blanche.
Conservé par le sel : ★★★
Conservé sous vide : ★★★
Consommation cru
Cuisson à la milanaise avec beurre doux : ★
Cuisson à la milanaise avec beurre salé : ★
Cuisson à la milanaise avec huile végétale : ★
Cuisson à la milanaise avec margarine végétale non salée : ★
Cuisson à la milanaise avec margarine végétale salée : ★
Cuisson à la milanaise avec saindoux ou graisse d'oie ou de canard : ★
Cuisson à la milanaise sans matière grasse : ★
Cuisson à l'étouffée avec beurre doux : ★★★
Cuisson à l'étouffée avec beurre salé : ★★★
Cuisson à l'étouffée avec huile végétale : ★★★
Cuisson à l'étouffée avec margarine végétale non salée : ★★★
Cuisson à l'étouffée avec margarine végétale salée : ★★★
Cuisson à l'étouffée avec saindoux ou graisse d'oie ou de canard : ★★★
Cuisson à l'étouffée sans matière grasse : ★★★

Colin

Cuisson au court bouillon : ★★★
Cuisson en braisé avec beurre doux : ★★★
Cuisson en braisé avec beurre salé : ★★★
Cuisson en braisé avec huile végétale : ★★★
Cuisson en braisé avec margarine végétale non salée : ★★★
Cuisson en braisé avec margarine végétale salée : ★★★
Cuisson en braisé avec saindoux ou graisse d'oie ou de canard :
★★★
Cuisson en braisé sans matière grasse : ★★★
Cuisson en friture : ★★★
Cuisson en meunière avec beurre doux : ★★★
Cuisson en meunière avec beurre salé : ★★★
Cuisson en meunière avec huile végétale : ★★★
Cuisson en meunière avec margarine végétale non salée : ★★★
Cuisson en meunière avec margarine végétale salée : ★★★
Cuisson en meunière avec saindoux ou graisse d'oie ou de canard : ★★★
Cuisson en meunière sans matière grasse : ★★★
Cuisson en papillote : ★★★
Cuisson en sauté (idem poêlé).
Cuisson rôti à la broche : ★★★
Cuisson rôti au four avec beurre doux : ★★★
Cuisson rôti au four avec beurre salé : ★★★
Cuisson rôti au four avec huile végétale : ★★★
Cuisson rôti au four avec margarine végétale non salée : ★★★
Cuisson rôti au four avec margarine végétale salée : ★★★
Cuisson rôti au four avec saindoux ou graisse d'oie ou de canard : ★★★
Cuisson rôti au four sans matière grasse ajoutée : ★★★
Cuisson vapeur : ★★★
Grillé : ★★★
Pierrade : ★★★
Poêlé avec beurre doux : ★★★
Poêlé avec beurre salé : ★★★
Poêlé avec huile végétale : ★★★
Poêlé avec margarine végétale non salée : ★★★
Poêlé avec margarine végétale salée : ★★★
Poêlé avec saindoux ou graisse d'oie ou de canard : ★★★
Poêlé sans matière grasse : ★★★
Salé et fumé : ★

Séché : ★★★
Surgelé : ★★★
Remarque : pas d'huile d'arachide ni de beurre noisette.

Collet d'agneau : voir « Agneau (viande de) ».

Collet de veau : voir « Veau (viande de) ».

Colvert : voir « Canard sauvage (viande de) ».

Concombre : plante potagère cultivée pour son fruit allongé.
Conserve en saumure (eau salée) : ★★★
Conservé sous vide : ★★★
Consommation cru : ★★★
Cuisson à la milanaise avec beurre doux : ★
Cuisson à la milanaise avec beurre salé : ★
Cuisson à la milanaise avec huile végétale : ★
Cuisson à la milanaise avec margarine végétale non salée : ★
Cuisson à la milanaise avec margarine végétale salée : ★
Cuisson à la milanaise avec saindoux ou graisse d'oie ou de canard : ★
Cuisson à la milanaise sans matière grasse : ★
Cuisson à l'étouffée avec beurre doux : ★★★
Cuisson à l'étouffée avec beurre salé : ★★★
Cuisson à l'étouffée avec huile végétale : ★★★
Cuisson à l'étouffée avec margarine végétale non salée : ★★★
Cuisson à l'étouffée avec margarine végétale salée : ★★★
Cuisson à l'étouffée avec saindoux ou graisse d'oie ou de canard : ★★★
Cuisson à l'étouffée sans matière grasse : ★★★
Cuisson au court bouillon : ★★★
Cuisson en beignet : ★★★
Cuisson en braisé avec beurre doux : ★★★
Cuisson en braisé avec beurre salé : ★★★
Cuisson en braisé avec huile végétale : ★★★
Cuisson en braisé avec margarine végétale non salée : ★★★
Cuisson en braisé avec margarine végétale salée : ★★★
Cuisson en braisé avec saindoux ou graisse d'oie ou de canard : ★★★

Cuisson en braisé sans matière grasse : ★★★
Cuisson en friture : ★★★
Cuisson en meunière avec beurre doux : ★★★
Cuisson en meunière avec beurre salé : ★★★
Cuisson en meunière avec huile végétale : ★★★
Cuisson en meunière avec margarine végétale non salée : ★★★
Cuisson en meunière avec margarine végétale salée : ★★★
Cuisson en meunière avec saindoux ou graisse d'oie ou de canard : ★★★
Cuisson en meunière sans matière grasse : ★★★
Cuisson en papillote : ★★★
Cuisson en sauté (idem poêlé).
Cuisson vapeur : ★★★
Grillé : ★★★
Pierrade : ★★★
Poêlé avec beurre doux : ★★★
Poêlé avec beurre salé : ★★★
Poêlé avec huile végétale : ★★★
Poêlé avec margarine végétale non salée : ★★★
Poêlé avec margarine végétale salée : ★★★
Poêlé avec saindoux ou graisse d'oie ou de canard : ★★★
Poêlé sans matière grasse : ★★★
Potage crème : ★★★
Potage nature sans matière grasse ajoutée : ★★★
Potage velouté : ★★★
Surgelé : ★★★
Remarque : pas d'huile d'arachide ni de beurre noisette.

Congre : poisson gras marin.
Conservé par le sel : ★★★★
Conservé sous vide : ★★★★
Consommation cru
Cuisson à la milanaise avec beurre doux : ★
Cuisson à la milanaise avec beurre salé : ★
Cuisson à la milanaise avec huile végétale : ★
Cuisson à la milanaise avec margarine végétale non salée : ★
Cuisson à la milanaise avec margarine végétale salée : ★
Cuisson à la milanaise avec saindoux ou graisse d'oie ou de canard : ★

Cuisson à la milanaise sans matière grasse : ★
Cuisson à l'étouffée avec beurre doux : ★★★★
Cuisson à l'étouffée avec beurre salé : ★★★★
Cuisson à l'étouffée avec huile végétale : ★★★★
Cuisson à l'étouffée avec margarine végétale non salée : ★★★★
Cuisson à l'étouffée avec margarine végétale salée : ★★★★
Cuisson à l'étouffée avec saindoux ou graisse d'oie ou de canard : ★★★★
Cuisson à l'étouffée sans matière grasse : ★★★★
Cuisson au court bouillon : ★★★★
Cuisson en braisé avec beurre doux : ★★★★
Cuisson en braisé avec beurre salé : ★★★★
Cuisson en braisé avec huile végétale : ★★★★
Cuisson en braisé avec margarine végétale non salée : ★★★★
Cuisson en braisé avec margarine végétale salée : ★★★★
Cuisson en braisé avec saindoux ou graisse d'oie ou de canard : ★★★★
Cuisson en braisé sans matière grasse : ★★★★
Cuisson en friture : ★★★★
Cuisson en meunière avec beurre doux : ★★★★
Cuisson en meunière avec beurre salé : ★★★★
Cuisson en meunière avec huile végétale : ★★★★
Cuisson en meunière avec margarine végétale non salée : ★★★★
Cuisson en meunière avec margarine végétale salée : ★★★★
Cuisson en meunière avec saindoux ou graisse d'oie ou de canard : ★★★★
Cuisson en meunière sans matière grasse : ★★★★
Cuisson en papillote : ★★★★
Cuisson en ragoût avec beurre doux : ★★★★
Cuisson en ragoût avec beurre salé : ★★★★
Cuisson en ragoût avec huile végétale : ★★★★
Cuisson en ragoût avec margarine végétale non salée : ★★★★
Cuisson en ragoût avec margarine végétale salée : ★★★★
Cuisson en ragoût avec saindoux ou graisse d'oie ou de canard : ★★★★
Cuisson en sauté (idem poêlé).
Cuisson rôti au four avec beurre doux : ★★★★
Cuisson rôti au four avec beurre salé : ★★★★

Congre - Coquille saint Jacques

Cuisson rôti au four avec huile végétale : ★★★★
Cuisson rôti au four avec margarine végétale non salée : ★★★★
Cuisson rôti au four avec margarine végétale salée : ★★★★
Cuisson rôti au four avec saindoux ou graisse d'oie ou de canard : ★★★★
Cuisson rôti au four sans matière grasse ajoutée : ★★★★
Cuisson vapeur : ★★★★
Grillé : ★★★ ★
Pierrade : ★★★★
Poêlé avec beurre doux : ★★★★
Poêlé avec beurre salé : ★★★★
Poêlé avec huile végétale : ★★★★
Poêlé avec margarine végétale non salée : ★★★★
Poêlé avec margarine végétale salée : ★★★★
Poêlé avec saindoux ou graisse d'oie ou de canard : ★★★★
Poêlé sans matière grasse : ★★★★
Salé et fumé : ★
Séché : ★★★★
Surgelé : ★★★★

Remarque : pas d'huile d'arachide ni de beurre noisette.

Contre-filet : voir « Bœuf (viande de) ».

Coprin chevelu : voir « Champignon ».

Coq : voir « Poulet ».

Coque : voir « Palourde ».

Coquelet : voir « Poulet (viande de)».

Coquille saint Jacques : mollusque marin comestible.
Conservée par le sel : ★★★
Conservée sous vide : ★★★
Consommation crue
Cuisson à la milanaise avec beurre doux : ★
Cuisson à la milanaise avec beurre salé : ★
Cuisson à la milanaise avec huile végétale : ★

Cuisson à la milanaise avec margarine végétale non salée : ★
Cuisson à la milanaise avec margarine végétale salée : ★
Cuisson à la milanaise avec saindoux ou graisse d'oie ou de canard : ★
Cuisson à la milanaise sans matière grasse : ★
Cuisson à l'étouffée avec beurre doux : ★★★
Cuisson à l'étouffée avec beurre salé : ★★★
Cuisson à l'étouffée avec huile végétale : ★★★
Cuisson à l'étouffée avec margarine végétale non salée : ★★★
Cuisson à l'étouffée avec margarine végétale salée : ★★★
Cuisson à l'étouffée avec saindoux ou graisse d'oie ou de canard : ★★★
Cuisson à l'étouffée sans matière grasse : ★★★
Cuisson au court bouillon : ★★★
Cuisson en braisé avec beurre doux : ★★★
Cuisson en braisé avec beurre salé : ★★★
Cuisson en braisé avec huile végétale : ★★★
Cuisson en braisé avec margarine végétale non salée : ★★★
Cuisson en braisé avec margarine végétale salée : ★★★
Cuisson en braisé avec saindoux ou graisse d'oie ou de canard : ★★★
Cuisson en braisé sans matière grasse : ★★★
Cuisson en friture : ★★★
Cuisson en meunière avec beurre doux : ★★★
Cuisson en meunière avec beurre salé : ★★★
Cuisson en meunière avec huile végétale : ★★★
Cuisson en meunière avec margarine végétale non salée : ★★★
Cuisson en meunière avec margarine végétale salée : ★★★
Cuisson en meunière avec saindoux ou graisse d'oie ou de canard : ★★★
Cuisson en meunière sans matière grasse : ★★★
Cuisson en papillote : ★★★
Cuisson en sauté (idem poêlée).
Cuisson vapeur : ★★★
Grillée en brochette : ★★★
Pierrade : ★★★
Poêlée avec beurre doux : ★★★
Poêlée avec beurre salé : ★★★
Poêlée avec huile végétale : ★★★
Poêlée avec margarine végétale non salée : ★★★

Coquille saint Jacques - Corégone

Poêlée avec margarine végétale salée : ★★★
Poêlée avec saindoux ou graisse d'oie ou de canard : ★★★
Poêlée sans matière grasse : ★★★
Salée et fumée : ★
Séchée : ★★★
Surgelée : ★★★
Remarque : pas d'huile d'arachide ni de beurre noisette.

Corail : voir « Coquille saint Jacques ».

Corégone : poisson d'eau douce à chair blanche.
Conservée par le sel : ★★★
Conservée sous vide : ★★★
Consommation crue
Cuisson à la milanaise avec beurre doux : ★
Cuisson à la milanaise avec beurre salé : ★
Cuisson à la milanaise avec huile végétale : ★
Cuisson à la milanaise avec margarine végétale non salée : ★
Cuisson à la milanaise avec margarine végétale salée : ★
Cuisson à la milanaise avec saindoux ou graisse d'oie ou de canard : ★
Cuisson à la milanaise sans matière grasse : ★
Cuisson à l'étouffée avec beurre doux : ★★★
Cuisson à l'étouffée avec beurre salé : ★★★
Cuisson à l'étouffée avec huile végétale : ★★★
Cuisson à l'étouffée avec margarine végétale non salée : ★★★
Cuisson à l'étouffée avec margarine végétale salée : ★★★
Cuisson à l'étouffée avec saindoux ou graisse d'oie ou de canard : ★★★
Cuisson à l'étouffée sans matière grasse : ★★★
Cuisson au court bouillon : ★★★
Cuisson en braisé avec beurre doux : ★★★
Cuisson en braisé avec beurre salé : ★★★
Cuisson en braisé avec huile végétale : ★★★
Cuisson en braisé avec margarine végétale non salée : ★★★
Cuisson en braisé avec margarine végétale salée : ★★★
Cuisson en braisé avec saindoux ou graisse d'oie ou de canard : ★★★
Cuisson en braisé sans matière grasse : ★★★

Cuisson en friture : ★★★
Cuisson en meunière avec beurre doux : ★★★
Cuisson en meunière avec beurre salé : ★★★
Cuisson en meunière avec huile végétale : ★★★
Cuisson en meunière avec margarine végétale non salée : ★★★
Cuisson en meunière avec margarine végétale salée : ★★★
Cuisson en meunière avec saindoux ou graisse d'oie ou de canard : ★★★
Cuisson en meunière sans matière grasse : ★★★
Cuisson en papillote : ★★★
Cuisson en sauté (idem poêlée).
Cuisson rôtie à la broche : ★★★
Cuisson rôtie au four avec beurre doux : ★★★
Cuisson rôtie au four avec beurre salé : ★★★
Cuisson rôtie au four avec huile végétale : ★★★
Cuisson rôtie au four avec margarine végétale non salée : ★★★
Cuisson rôtie au four avec margarine végétale salée : ★★★
Cuisson rôtie au four avec saindoux ou graisse d'oie ou de canard : ★★★
Cuisson rôtie au four sans matière grasse ajoutée : ★★★
Cuisson vapeur : ★★★
Grillée : ★★★
Pierrade : ★★★
Poêlée avec beurre doux : ★★★
Poêlée avec beurre salé : ★★★
Poêlée avec huile végétale : ★★★
Poêlée avec margarine végétale non salée : ★★★
Poêlée avec margarine végétale salée : ★★★
Poêlée avec saindoux ou graisse d'oie ou de canard : ★★★
Poêlée sans matière grasse : ★★★
Salée et fumée : ★
Séchée : ★★★
Surgelée : ★★★

Remarque : pas d'huile d'arachide ni de beurre noisette.

Coriandre : plante aromatique utilisée comme condiment. Légume vert.
Conservée sous vide : ★★★★
Consommation crue : ★★★★

117

Coriandre - Cornichon

Consommation cuite : ★★★★
Déshydratée : ★★★★
Fraîchement récoltée : ★★★★
Surgelée : ★★★★

Cornichon : type de concombre récolté jeune ou très jeune.
Légume vert.
Conservé dans du vinaigre : ★★★
Conserve en saumure (eau salée) : ★★★
Conservé sous vide : ★★★
Consommation cru : ★★★
Cuisson à l'étouffée avec beurre doux : ★★★
Cuisson à l'étouffée avec beurre salé : ★★★
Cuisson à l'étouffée avec huile végétale : ★★★
Cuisson à l'étouffée avec margarine végétale non salée : ★★★
Cuisson à l'étouffée avec margarine végétale salée : ★★★
Cuisson à l'étouffée avec saindoux ou graisse d'oie ou de canard : ★★★
Cuisson à l'étouffée sans matière grasse : ★★★
Cuisson au court bouillon : ★★★
Cuisson en braisé avec beurre doux : ★★★
Cuisson en braisé avec beurre salé : ★★★
Cuisson en braisé avec huile végétale : ★★★
Cuisson en braisé avec margarine végétale non salée : ★★★
Cuisson en braisé avec margarine végétale salée : ★★★
Cuisson en braisé avec saindoux ou graisse d'oie ou de canard : ★★★
Cuisson en braisé sans matière grasse : ★★★
Cuisson en papillote : ★★★
Cuisson en sauté (idem poêlé).
Cuisson vapeur : ★★★
Grillé : ★★★
Pierrade : ★★★
Poêlé avec beurre doux : ★★★
Poêlé avec beurre salé : ★★★
Poêlé avec huile végétale : ★★★
Poêlé avec margarine végétale non salée : ★★★
Poêlé avec margarine végétale salée : ★★★
Poêlé avec saindoux ou graisse d'oie ou de canard : ★★★
Poêlé sans matière grasse : ★★★

Potage crème : ★★★
Potage nature sans matière grasse ajoutée : ★★★
Potage velouté : ★★★
Surgelé : ★★★
Remarque : pas d'huile d'arachide ni de beurre noisette.

Cortinaire comestible : voir « Champignon ».

Côte d'agneau : voir « Agneau (viande d') ».

Côte de bœuf : voir « Bœuf (viande de) ».

Côte de porc : voir « Porc (viande de) ».

Côte de veau : voir « Veau (viande de) ».

Coulemelle : voir « Champignon ».

Courge : voir « Courgette ».

Courgette : variété de courge à fruit allongé ou rond. Légume vert.
Confite : ★★★
Conserve en saumure (eau salée) : ★★★
Conservée sous vide : ★★★
Consommation crue
Cuisson à la milanaise avec beurre doux : ★
Cuisson à la milanaise avec beurre salé : ★
Cuisson à la milanaise avec huile végétale : ★
Cuisson à la milanaise avec margarine végétale non salée : ★
Cuisson à la milanaise avec margarine végétale salée : ★
Cuisson à la milanaise avec saindoux ou graisse d'oie ou de canard : ★
Cuisson à la milanaise sans matière grasse : ★
Cuisson à l'étouffée avec beurre doux : ★★★
Cuisson à l'étouffée avec beurre salé : ★★★
Cuisson à l'étouffée avec huile végétale : ★★★
Cuisson à l'étouffée avec margarine végétale non salée : ★★★
Cuisson à l'étouffée avec margarine végétale salée : ★★★

Courgette

Cuisson à l'étouffée avec saindoux ou graisse d'oie ou de canard : ★★★
Cuisson à l'étouffée sans matière grasse : ★★★
Cuisson au court bouillon : ★★★
Cuisson en beignet : ★★★
Cuisson en braisé avec beurre doux : ★★★
Cuisson en braisé avec beurre salé : ★★★
Cuisson en braisé avec huile végétale : ★★★
Cuisson en braisé avec margarine végétale non salée : ★★★
Cuisson en braisé avec margarine végétale salée : ★★★
Cuisson en braisé avec saindoux ou graisse d'oie ou de canard : ★★★
Cuisson en braisé sans matière grasse : ★★★
Cuisson en friture : ★★★
Cuisson en meunière avec beurre doux : ★★★
Cuisson en meunière avec beurre salé : ★★★
Cuisson en meunière avec huile végétale : ★★★
Cuisson en meunière avec margarine végétale non salée : ★★★
Cuisson en meunière avec margarine végétale salée : ★★★
Cuisson en meunière avec saindoux ou graisse d'oie ou de canard : ★★★
Cuisson en meunière sans matière grasse : ★★★
Cuisson en papillote : ★★★
Cuisson en sauté (idem poêlée).
Cuisson vapeur : ★★★
Grillée : ★★★
Pierrade : ★★★
Poêlée avec beurre doux : ★★★
Poêlée avec beurre salé : ★★★
Poêlée avec huile végétale : ★★★
Poêlée avec margarine végétale non salée : ★★★
Poêlée avec margarine végétale salée : ★★★
Poêlée avec saindoux ou graisse d'oie ou de canard : ★★★
Poêlée sans matière grasse : ★★★
Potage crème : ★★★
Potage nature sans matière grasse ajoutée : ★★★
Potage velouté : ★★★
Surgelée : ★★★

Remarque : pas d'huile d'arachide ni de beurre noisette.

Couteau : voir « Palourde ».

Cranberry (baie de) : voir « Canneberge ».

Craterelle : voir « Champignon ».

Crépinette : voir « Porc (viande de) ».

Crevette : petit crustacé marin.
Conservée par le sel : ★★★
Conservée sous vide : ★★★
Consommation crue
Cuisson à la milanaise avec beurre doux : ★
Cuisson à la milanaise avec beurre salé : ★
Cuisson à la milanaise avec huile végétale : ★
Cuisson à la milanaise avec margarine végétale non salée : ★
Cuisson à la milanaise avec margarine végétale salée : ★
Cuisson à la milanaise avec saindoux ou graisse d'oie ou de canard : ★
Cuisson à la milanaise sans matière grasse : ★
Cuisson à l'étouffée avec beurre doux : ★★★
Cuisson à l'étouffée avec beurre salé : ★★★
Cuisson à l'étouffée avec huile végétale : ★★★
Cuisson à l'étouffée avec margarine végétale non salée : ★★★
Cuisson à l'étouffée avec margarine végétale salée : ★★★
Cuisson à l'étouffée avec saindoux ou graisse d'oie ou de canard : ★★★
Cuisson à l'étouffée sans matière grasse : ★★★
Cuisson au court bouillon : ★★★
Cuisson en beignet : ★★★
Cuisson en braisé avec beurre doux : ★★★
Cuisson en braisé avec beurre salé : ★★★
Cuisson en braisé avec huile végétale : ★★★
Cuisson en braisé avec margarine végétale non salée : ★★★
Cuisson en braisé avec margarine végétale salée : ★★★
Cuisson en braisé avec saindoux ou graisse d'oie ou de canard : ★★★
Cuisson en braisé sans matière grasse : ★★★
Cuisson en friture : ★★★
Cuisson en meunière avec beurre doux : ★★★

Cuisson en meunière avec beurre salé : ★★★
Cuisson en meunière avec huile végétale : ★★★
Cuisson en meunière avec margarine végétale non salée : ★★★
Cuisson en meunière avec margarine végétale salée : ★★★
Cuisson en meunière avec saindoux ou graisse d'oie ou de canard : ★★★
Cuisson en meunière sans matière grasse : ★★★
Cuisson en papillote : ★★★
Cuisson en ragoût avec beurre doux : ★★★
Cuisson en ragoût avec beurre salé : ★★★
Cuisson en ragoût avec huile végétale : ★★★
Cuisson en ragoût avec margarine végétale non salée : ★★★
Cuisson en ragoût avec margarine végétale salée : ★★★
Cuisson en ragoût avec saindoux ou graisse d'oie ou de canard : ★★★
Cuisson en sauté (idem poêlée).
Cuisson vapeur : ★★★
Grillée : ★★★
Pierrade : ★★★
Poêlée avec beurre doux : ★★★
Poêlée avec beurre salé : ★★★
Poêlée avec huile végétale : ★★★
Poêlée avec margarine végétale non salée : ★★★
Poêlée avec margarine végétale salée : ★★★
Poêlée avec saindoux ou graisse d'oie ou de canard : ★★★
Poêlée sans matière grasse : ★★★
Séchée : ★★★
Surgelée : ★★★
Remarque : pas d'huile d'arachide ni de beurre noisette.

Crosne du Japon : plante potagère dont on consomme les rhizomes. Légume vert.
Conserve en saumure (eau salée) : ★★★
Conservé sous vide : ★★★
Consommation cru
Cuisson à l'étouffée avec beurre doux : ★★★
Cuisson à l'étouffée avec beurre salé : ★★★
Cuisson à l'étouffée avec huile végétale : ★★★
Cuisson à l'étouffée avec margarine végétale non salée : ★★★

Cuisson à l'étouffée avec margarine végétale salée : ★★★
Cuisson à l'étouffée avec saindoux ou graisse d'oie ou de canard : ★★★
Cuisson à l'étouffée sans matière grasse : ★★★
Cuisson au court bouillon : ★★★
Cuisson en braisé avec beurre doux : ★★★
Cuisson en braisé avec beurre salé : ★★★
Cuisson en braisé avec huile végétale : ★★★
Cuisson en braisé avec margarine végétale non salée : ★★★
Cuisson en braisé avec margarine végétale salée : ★★★
Cuisson en braisé avec saindoux ou graisse d'oie ou de canard : ★★★
Cuisson en braisé sans matière grasse : ★★★
Cuisson en friture : ★★★
Cuisson en papillote : ★★★
Cuisson en ragoût avec beurre doux : ★★★
Cuisson en ragoût avec beurre salé : ★★★
Cuisson en ragoût avec huile végétale : ★★★
Cuisson en ragoût avec margarine végétale non salée : ★★★
Cuisson en ragoût avec margarine végétale salée : ★★★
Cuisson en ragoût avec saindoux ou graisse d'oie ou de canard : ★★★
Cuisson en sauté (idem poêlé).
Cuisson vapeur : ★★★
Poêlé avec beurre doux : ★★★
Poêlé avec beurre salé : ★★★
Poêlé avec huile végétale : ★★★
Poêlé avec margarine végétale non salée : ★★★
Poêlé avec margarine végétale salée : ★★★
Poêlé avec saindoux ou graisse d'oie ou de canard : ★★★
Poêlé sans matière grasse : ★★★
Potage crème : ★★★
Potage nature sans matière grasse ajoutée : ★★★
Potage velouté : ★★★
Surgelé : ★★★
Remarque : pas d'huile d'arachide ni de beurre noisette.

Cuisse de grenouille : cuisse de grenouille comestible.
Conservée par le sel : ★★★

Cuisse de grenouille

Conservée sous vide : ★★★
Consommation crue
Cuisson à la milanaise avec beurre doux : ★
Cuisson à la milanaise avec beurre salé : ★
Cuisson à la milanaise avec huile végétale : ★
Cuisson à la milanaise avec margarine végétale non salée : ★
Cuisson à la milanaise avec margarine végétale salée : ★
Cuisson à la milanaise avec saindoux ou graisse d'oie ou de canard : ★
Cuisson à la milanaise sans matière grasse : ★
Cuisson à l'étouffée avec beurre doux : ★★★
Cuisson à l'étouffée avec beurre salé : ★★★
Cuisson à l'étouffée avec huile végétale : ★★★
Cuisson à l'étouffée avec margarine végétale non salée : ★★★
Cuisson à l'étouffée avec margarine végétale salée : ★★★
Cuisson à l'étouffée avec saindoux ou graisse d'oie ou de canard : ★★★
Cuisson à l'étouffée sans matière grasse : ★★★
Cuisson au court bouillon : ★★★
Cuisson en braisé avec beurre doux : ★★★
Cuisson en braisé avec beurre salé : ★★★
Cuisson en braisé avec huile végétale : ★★★
Cuisson en braisé avec margarine végétale non salée : ★★★
Cuisson en braisé avec margarine végétale salée : ★★★
Cuisson en braisé avec saindoux ou graisse d'oie ou de canard : ★★★
Cuisson en braisé sans matière grasse : ★★★
Cuisson en friture : ★★★
Cuisson en meunière avec beurre doux : ★★★
Cuisson en meunière avec beurre salé : ★★★
Cuisson en meunière avec huile végétale : ★★★
Cuisson en meunière avec margarine végétale non salée : ★★★
Cuisson en meunière avec margarine végétale salée : ★★★
Cuisson en meunière avec saindoux ou graisse d'oie ou de canard : ★★★
Cuisson en meunière sans matière grasse : ★★★
Cuisson en papillote : ★★★
Cuisson en ragoût avec beurre doux : ★★★
Cuisson en ragoût avec beurre salé : ★★★
Cuisson en ragoût avec huile végétale : ★★★

Cuisson en ragoût avec margarine végétale non salée : ★★★
Cuisson en ragoût avec margarine végétale salée : ★★★
Cuisson en ragoût avec saindoux ou graisse d'oie ou de canard : ★★★
Cuisson en sauté (idem poêlée).
Cuisson rôtie au four avec beurre doux : ★★★
Cuisson rôtie au four avec beurre salé : ★★★
Cuisson rôtie au four avec huile végétale : ★★★
Cuisson rôtie au four avec margarine végétale non salée : ★★★
Cuisson rôtie au four avec margarine végétale salée : ★★★
Cuisson rôtie au four avec saindoux ou graisse d'oie ou de canard : ★★★
Cuisson rôtie au four sans matière grasse ajoutée : ★★★
Cuisson vapeur : ★★★
Grillée : ★★★
Pierrade : ★★★
Poêlée avec beurre doux : ★★★
Poêlée avec beurre salé : ★★★
Poêlée avec huile végétale : ★★★
Poêlée avec margarine végétale non salée : ★★★
Poêlée avec margarine végétale salée : ★★★
Poêlée avec saindoux ou graisse d'oie ou de canard : ★★★
Poêlée sans matière grasse : ★★★
Salée et fumée : ★
Séchée : ★★★
Surgelée : ★★★
Remarque : pas d'huile d'arachide ni de beurre noisette.

Culotte de bœuf : voir « Bœuf (viande de) ».

Culotte de veau : voir « Veau (viande de) ».

Cyprin : poisson d'eau douce à chair blanche.
Conservé par le sel : ★★★
Conservé sous vide : ★★★
Consommation cru
Cuisson à la milanaise avec beurre doux : ★
Cuisson à la milanaise avec beurre salé : ★
Cuisson à la milanaise avec huile végétale : ★

Cyprin

Cuisson à la milanaise avec margarine végétale non salée : ★
Cuisson à la milanaise avec margarine végétale salée : ★
Cuisson à la milanaise avec saindoux ou graisse d'oie ou de canard : ★
Cuisson à la milanaise sans matière grasse : ★
Cuisson à l'étouffée avec beurre doux : ★★★
Cuisson à l'étouffée avec beurre salé : ★★★
Cuisson à l'étouffée avec huile végétale : ★★★
Cuisson à l'étouffée avec margarine végétale non salée : ★★★
Cuisson à l'étouffée avec margarine végétale salée : ★★★
Cuisson à l'étouffée avec saindoux ou graisse d'oie ou de canard : ★★★
Cuisson à l'étouffée sans matière grasse : ★★★
Cuisson au court bouillon : ★★★
Cuisson en braisé avec beurre doux : ★★★
Cuisson en braisé avec beurre salé : ★★★
Cuisson en braisé avec huile végétale : ★★★
Cuisson en braisé avec margarine végétale non salée : ★★★
Cuisson en braisé avec margarine végétale salée : ★★★
Cuisson en braisé avec saindoux ou graisse d'oie ou de canard : ★★★
Cuisson en braisé sans matière grasse : ★★★
Cuisson en friture : ★★★
Cuisson en meunière avec beurre doux : ★★★
Cuisson en meunière avec beurre salé : ★★★
Cuisson en meunière avec huile végétale : ★★★
Cuisson en meunière avec margarine végétale non salée : ★★★
Cuisson en meunière avec margarine végétale salée : ★★★
Cuisson en meunière avec saindoux ou graisse d'oie ou de canard : ★★★
Cuisson en meunière sans matière grasse : ★★★
Cuisson en papillote : ★★★
Cuisson en sauté (idem poêlé).
Cuisson rôti à la broche : ★★★
Cuisson rôti au four avec beurre doux : ★★★
Cuisson rôti au four avec beurre salé : ★★★
Cuisson rôti au four avec huile végétale : ★★★
Cuisson rôti au four avec margarine végétale non salée : ★★★
Cuisson rôti au four avec margarine végétale salée : ★★★

Cuisson rôti au four avec saindoux ou graisse d'oie ou de canard : ★★★
Cuisson rôti au four sans matière grasse ajoutée : ★★★
Cuisson vapeur : ★★★
Grillé : ★★★
Pierrade : ★★★
Poêlé avec beurre doux : ★★★
Poêlé avec beurre salé : ★★★
Poêlé avec huile végétale : ★★★
Poêlé avec margarine végétale non salée : ★★★
Poêlé avec margarine végétale salée : ★★★
Poêlé avec saindoux ou graisse d'oie ou de canard : ★★★
Poêlé sans matière grasse : ★★★
Salé et fumé : ★
Séché : ★★★
Surgelé : ★★★
Remarque : pas d'huile d'arachide ni de beurre noisette.

D

Daim (viande de) : gibier dont on consomme la viande. Viande rouge.
Conservée par le sel : ★★★
Conservée sous vide : ★★★
Consommation crue
Cuisson à la milanaise avec beurre doux : ★
Cuisson à la milanaise avec beurre salé : ★
Cuisson à la milanaise avec huile végétale : ★
Cuisson à la milanaise avec margarine végétale non salée : ★
Cuisson à la milanaise avec margarine végétale salée : ★
Cuisson à la milanaise avec saindoux ou graisse d'oie ou de canard : ★
Cuisson à la milanaise sans matière grasse : ★
Cuisson à l'étouffée avec beurre doux : ★★★
Cuisson à l'étouffée avec beurre salé : ★★★

Daim (viande de)

Cuisson à l'étouffée avec huile végétale : ★★★
Cuisson à l'étouffée avec margarine végétale non salée : ★★★
Cuisson à l'étouffée avec margarine végétale salée : ★★★
Cuisson à l'étouffée avec saindoux ou graisse d'oie ou de canard : ★★★
Cuisson à l'étouffée sans matière grasse : ★★★
Cuisson au court bouillon : ★★★
Cuisson en braisé avec beurre doux : ★★★
Cuisson en braisé avec beurre salé : ★★★
Cuisson en braisé avec huile végétale : ★★★
Cuisson en braisé avec margarine végétale non salée : ★★★
Cuisson en braisé avec margarine végétale salée : ★★★
Cuisson en braisé avec saindoux ou graisse d'oie ou de canard : ★★★
Cuisson en braisé sans matière grasse : ★★★
Cuisson en friture : ★★★
Cuisson en meunière avec beurre doux : ★★★
Cuisson en meunière avec beurre salé : ★★★
Cuisson en meunière avec huile végétale : ★★★
Cuisson en meunière avec margarine végétale non salée : ★★★
Cuisson en meunière avec margarine végétale salée : ★★★
Cuisson en meunière avec saindoux ou graisse d'oie ou de canard : ★★★
Cuisson en meunière sans matière grasse : ★★★
Cuisson en papillote : ★★★
Cuisson en ragoût avec beurre doux : ★★★
Cuisson en ragoût avec beurre salé : ★★★
Cuisson en ragoût avec huile végétale : ★★★
Cuisson en ragoût avec margarine végétale non salée : ★★★
Cuisson en ragoût avec margarine végétale salée : ★★★
Cuisson en ragoût avec saindoux ou graisse d'oie ou de canard : ★★★
Cuisson en sauté (idem poêlée).
Cuisson rôtie à la broche : ★★★
Cuisson rôtie au four avec beurre doux : ★★★
Cuisson rôtie au four avec beurre salé : ★★★
Cuisson rôtie au four avec huile végétale : ★★★
Cuisson rôtie au four avec margarine végétale non salée : ★★★
Cuisson rôtie au four avec margarine végétale salée : ★★★

Cuisson rôtie au four avec saindoux ou graisse d'oie ou de canard : ★★★
Cuisson rôtie au four sans matière grasse ajoutée : ★★★
Cuisson vapeur : ★★★
Faisandée
Grillée : ★★★
Pierrade : ★★★
Poêlée avec beurre doux : ★★★
Poêlée avec beurre salé : ★★★
Poêlée avec huile végétale : ★★★
Poêlée avec margarine végétale non salée : ★★★
Poêlée avec margarine végétale salée : ★★★
Poêlée avec saindoux ou graisse d'oie ou de canard : ★★★
Poêlée sans matière grasse : ★★★
Salée et fumée : ★
Séchée : ★★★
Surgelée : ★★★
Remarque : pas d'huile d'arachide ni de beurre noisette.

Datte : fruit du dattier. Fruit exotique.
A l'anglaise : ★★★
Au sirop : ★★★
Au sirop léger : ★★★
Confite : ★★★
Conserve au naturel : ★★★
Conservée dans l'alcool
Conservée sous vide : ★★★
Consommation crue : ★★★
En beignet : ★★★
En compote (avec sucre ajouté) : ★★★
En compote sans sucre ajouté : ★★★
En confiture : ★★★
En confiture allégée en sucre : ★★★
En confiture sans sucre : ★★★
Fraîchement récoltée : ★★★
Pochée sans sucre : ★★★
Séchée : ★★★★
Surgelée : ★★★

Daube - Daurade

Daube : voir « Bœuf (viande de) » section *Cuisson à l'étouffée.*

Daurade : poisson marin à chair blanche.
Conservée par le sel : ★★★
Conservée sous vide : ★★★
Consommation crue
Cuisson à la milanaise avec beurre doux : ★
Cuisson à la milanaise avec beurre salé : ★
Cuisson à la milanaise avec huile végétale : ★
Cuisson à la milanaise avec margarine végétale non salée : ★
Cuisson à la milanaise avec margarine végétale salée : ★
Cuisson à la milanaise avec saindoux ou graisse d'oie ou de canard : ★
Cuisson à la milanaise sans matière grasse : ★
Cuisson à l'étouffée avec beurre doux : ★★★
Cuisson à l'étouffée avec beurre salé : ★★★
Cuisson à l'étouffée avec huile végétale : ★★★
Cuisson à l'étouffée avec margarine végétale non salée : ★★★
Cuisson à l'étouffée avec margarine végétale salée : ★★★
Cuisson à l'étouffée avec saindoux ou graisse d'oie ou de canard : ★★★
Cuisson à l'étouffée sans matière grasse : ★★★
Cuisson au court bouillon : ★★★
Cuisson en braisé avec beurre doux : ★★★
Cuisson en braisé avec beurre salé : ★★★
Cuisson en braisé avec huile végétale : ★★★
Cuisson en braisé avec margarine végétale non salée : ★★★
Cuisson en braisé avec margarine végétale salée : ★★★
Cuisson en braisé avec saindoux ou graisse d'oie ou de canard : ★★★
Cuisson en braisé sans matière grasse : ★★★
Cuisson en friture : ★★★
Cuisson en meunière avec beurre doux : ★★★
Cuisson en meunière avec beurre salé : ★★★
Cuisson en meunière avec huile végétale : ★★★
Cuisson en meunière avec margarine végétale non salée : ★★★
Cuisson en meunière avec margarine végétale salée : ★★★
Cuisson en meunière avec saindoux ou graisse d'oie ou de canard : ★★★
Cuisson en meunière sans matière grasse : ★★★

Cuisson en papillote : ★★★
Cuisson en sauté (idem poêlée).
Cuisson rôtie à la broche : ★★★
Cuisson rôtie au four avec beurre doux : ★★★
Cuisson rôtie au four avec beurre salé : ★★★
Cuisson rôtie au four avec huile végétale : ★★★
Cuisson rôtie au four avec margarine végétale non salée : ★★★
Cuisson rôtie au four avec margarine végétale salée : ★★★
Cuisson rôtie au four avec saindoux ou graisse d'oie ou de canard : ★★★
Cuisson rôtie au four sans matière grasse ajoutée : ★★★
Cuisson vapeur : ★★★
Grillée : ★★★
Pierrade : ★★★
Poêlée avec beurre doux : ★★★
Poêlée avec beurre salé : ★★★
Poêlée avec huile végétale : ★★★
Poêlée avec margarine végétale non salée : ★★★
Poêlée avec margarine végétale salée : ★★★
Poêlée avec saindoux ou graisse d'oie ou de canard : ★★★
Poêlée sans matière grasse : ★★★
Salée et fumée : ★
Séchée : ★★★
Surgelée : ★★★
Remarque : pas d'huile d'arachide ni de beurre noisette.

Dinde : volaille à chair blanche.
Conservée par le sel : ★★★
Conservée sous vide : ★★★
Consommation crue
Cuisson à la milanaise avec beurre doux : ★
Cuisson à la milanaise avec beurre salé : ★
Cuisson à la milanaise avec huile végétale : ★
Cuisson à la milanaise avec margarine végétale non salée : ★
Cuisson à la milanaise avec margarine végétale salée : ★
Cuisson à la milanaise avec saindoux ou graisse d'oie ou de canard : ★
Cuisson à la milanaise sans matière grasse : ★
Cuisson à l'étouffée avec beurre doux : ★★★

Dinde

Cuisson à l'étouffée avec beurre salé : ★★★
Cuisson à l'étouffée avec huile végétale : ★★★
Cuisson à l'étouffée avec margarine végétale non salée : ★★★
Cuisson à l'étouffée avec margarine végétale salée : ★★★
Cuisson à l'étouffée avec saindoux ou graisse d'oie ou de canard : ★★★
Cuisson à l'étouffée sans matière grasse : ★★★
Cuisson au court bouillon : ★★★
Cuisson en braisé avec beurre doux : ★★★
Cuisson en braisé avec beurre salé : ★★★
Cuisson en braisé avec huile végétale : ★★★
Cuisson en braisé avec margarine végétale non salée : ★★★
Cuisson en braisé avec margarine végétale salée : ★★★
Cuisson en braisé avec saindoux ou graisse d'oie ou de canard : ★★★
Cuisson en braisé sans matière grasse : ★★★
Cuisson en friture : ★★★
Cuisson en meunière avec beurre doux : ★★★
Cuisson en meunière avec beurre salé : ★★★
Cuisson en meunière avec huile végétale : ★★★
Cuisson en meunière avec margarine végétale non salée : ★★★
Cuisson en meunière avec margarine végétale salée : ★★★
Cuisson en meunière avec saindoux ou graisse d'oie ou de canard : ★★★
Cuisson en meunière sans matière grasse : ★★★
Cuisson en papillote : ★★★
Cuisson en ragoût avec beurre doux : ★★★
Cuisson en ragoût avec beurre salé : ★★★
Cuisson en ragoût avec huile végétale : ★★★
Cuisson en ragoût avec margarine végétale non salée : ★★★
Cuisson en ragoût avec margarine végétale salée : ★★★
Cuisson en ragoût avec saindoux ou graisse d'oie ou de canard : ★★★
Cuisson en sauté (idem poêlée).
Cuisson rôtie à la broche : ★★★
Cuisson rôtie au four avec beurre doux : ★★★
Cuisson rôtie au four avec beurre salé : ★★★
Cuisson rôtie au four avec huile végétale : ★★★
Cuisson rôtie au four avec margarine végétale non salée : ★★★
Cuisson rôtie au four avec margarine végétale salée : ★★★

Cuisson rôtie au four avec saindoux ou graisse d'oie ou de canard : ★★★
Cuisson rôtie au four sans matière grasse ajoutée : ★★★
Cuisson vapeur : ★★★
Grillée : ★★★
Pierrade : ★★★
Poêlée avec beurre doux : ★★★
Poêlée avec beurre salé : ★★★
Poêlée avec huile végétale : ★★★
Poêlée avec margarine végétale non salée : ★★★
Poêlée avec margarine végétale salée : ★★★
Poêlée avec saindoux ou graisse d'oie ou de canard : ★★★
Poêlée sans matière grasse : ★★★
Salée et fumée : ★
Séchée : ★★★
Surgelée : ★★★
Remarque : pas d'huile d'arachide ni de beurre noisette.

Dindon : voir « Dinde ».

Dindonneau (rôti de) : voir « Dinde ».

Dolique (gousse jeune) : plante ressemblant au haricot qui pousse dans les régions tropicales. Légume vert.
Conserve en saumure (eau salée) : ★★★
Conservée sous vide : ★★★
Consommation crue
Cuisson à l'étouffée avec beurre doux : ★★★
Cuisson à l'étouffée avec beurre salé : ★★★
Cuisson à l'étouffée avec huile végétale : ★★★
Cuisson à l'étouffée avec margarine végétale non salée : ★★★
Cuisson à l'étouffée avec margarine végétale salée : ★★★
Cuisson à l'étouffée avec saindoux ou graisse d'oie ou de canard : ★★★
Cuisson à l'étouffée sans matière grasse : ★★★
Cuisson au court bouillon : ★★★
Cuisson en beignet : ★★★
Cuisson en braisé avec beurre doux : ★★★
Cuisson en braisé avec beurre salé : ★★★

Dolique (gousse jeune) - Doré

Cuisson en braisé avec huile végétale : ★★★
Cuisson en braisé avec margarine végétale non salée : ★★★
Cuisson en braisé avec margarine végétale salée : ★★★
Cuisson en braisé avec saindoux ou graisse d'oie ou de canard :
★★★
Cuisson en braisé sans matière grasse : ★★★
Cuisson en friture : ★★★
Cuisson en papillote : ★★★
Cuisson en sauté (idem poêlée).
Cuisson vapeur : ★★★
Poêlée avec beurre doux : ★★★
Poêlée avec beurre salé : ★★★
Poêlée avec huile végétale : ★★★
Poêlée avec margarine végétale non salée : ★★★
Poêlée avec margarine végétale salée : ★★★
Poêlée avec saindoux ou graisse d'oie ou de canard : ★★★
Poêlée sans matière grasse : ★★★
Potage crème : ★★★
Potage nature sans matière grasse ajoutée : ★★★
Potage velouté : ★★★
Surgelée : ★★★
Remarque : pas d'huile d'arachide ni de beurre noisette.

Dolique (graine) : voir « Haricot sec ».

Donax : voir « Palourde ».

Doré : poisson d'eau douce très semblable au sandre.
Conservé par le sel : ★★★
Conservé sous vide : ★★★
Consommation cru
Cuisson à la milanaise avec beurre doux : ★
Cuisson à la milanaise avec beurre salé : ★
Cuisson à la milanaise avec huile végétale : ★
Cuisson à la milanaise avec margarine végétale non salée : ★
Cuisson à la milanaise avec margarine végétale salée : ★
Cuisson à la milanaise avec saindoux ou graisse d'oie ou de canard : ★
Cuisson à la milanaise sans matière grasse : ★

Cuisson à l'étouffée avec beurre doux : ★★★
Cuisson à l'étouffée avec beurre salé : ★★★
Cuisson à l'étouffée avec huile végétale : ★★★
Cuisson à l'étouffée avec margarine végétale non salée : ★★★
Cuisson à l'étouffée avec margarine végétale salée : ★★★
Cuisson à l'étouffée avec saindoux ou graisse d'oie ou de canard : ★★★
Cuisson à l'étouffée sans matière grasse : ★★★
Cuisson au court bouillon : ★★★
Cuisson en braisé avec beurre doux : ★★★
Cuisson en braisé avec beurre salé : ★★★
Cuisson en braisé avec huile végétale : ★★★
Cuisson en braisé avec margarine végétale non salée : ★★★
Cuisson en braisé avec margarine végétale salée : ★★★
Cuisson en braisé avec saindoux ou graisse d'oie ou de canard : ★★★
Cuisson en braisé sans matière grasse : ★★★
Cuisson en friture : ★★★
Cuisson en meunière avec beurre doux : ★★★
Cuisson en meunière avec beurre salé : ★★★
Cuisson en meunière avec huile végétale : ★★★
Cuisson en meunière avec margarine végétale non salée : ★★★
Cuisson en meunière avec margarine végétale salée : ★★★
Cuisson en meunière avec saindoux ou graisse d'oie ou de canard : ★★★
Cuisson en meunière sans matière grasse : ★★★
Cuisson en papillote : ★★★
Cuisson en sauté (idem poêlé).
Cuisson rôti à la broche : ★★★
Cuisson rôti au four avec beurre doux : ★★★
Cuisson rôti au four avec beurre salé : ★★★
Cuisson rôti au four avec huile végétale : ★★★
Cuisson rôti au four avec margarine végétale non salée : ★★★
Cuisson rôti au four avec margarine végétale salée : ★★★
Cuisson rôti au four avec saindoux ou graisse d'oie ou de canard : ★★★
Cuisson rôti au four sans matière grasse ajoutée : ★★★
Cuisson vapeur : ★★★
Grillé : ★★★
Pierrade : ★★★

Doré - Durian

Poêlé avec beurre doux : ★★★
Poêlé avec beurre salé : ★★★
Poêlé avec huile végétale : ★★★
Poêlé avec margarine végétale non salée : ★★★
Poêlé avec margarine végétale salée : ★★★
Poêlé avec saindoux ou graisse d'oie ou de canard : ★★★
Poêlé sans matière grasse : ★★★
Salé et fumé : ★
Séché : ★★★
Surgelé : ★★★
Remarque : pas d'huile d'arachide ni de beurre noisette.

Dorée : voir « Saint-pierre ».

Durian : fruit exotique provenant d'Asie.
A l'anglaise : ★★
Au sirop : ★★
Au sirop léger : ★★
Confit : ★★
Conserve au naturel : ★★
Conservé dans l'alcool
Conservé sous vide : ★★
Consommation cru : ★★
En beignet : ★★
En compote (avec sucre ajouté) : ★★
En compote sans sucre ajouté : ★★
En confiture : ★★
En confiture allégée en sucre : ★★
En confiture sans sucre : ★★
Fraîchement récolté : ★★
Poché sans sucre : ★★
Séché : ★★
Surgelé : ★★

Æ

Echalote : plante potagère voisine de l'oignon cultivée pour son bulbe. Légume vert.
Conservée dans le vinaigre : ★★★
Conservée en saumure : ★★★
Conservée sous vide : ★★★
Consommation crue : ★★★
Consommation cuite : ★★★
Déshydratée : ★★★
Fraîchement récoltée : ★★★
Surgelée : ★★★

Echine de bœuf : voir « Bœuf (viande de) ».

Echine de porc : voir « Porc (viande de) ».

Ecrevisse : crustacé d'eau douce apprécié pour sa chair.
Conservée par le sel : ★★★
Conservée sous vide : ★★★
Consommation crue
Cuisson à la milanaise avec beurre doux : ★
Cuisson à la milanaise avec beurre salé : ★
Cuisson à la milanaise avec huile végétale : ★
Cuisson à la milanaise avec margarine végétale non salée : ★
Cuisson à la milanaise avec margarine végétale salée : ★
Cuisson à la milanaise avec saindoux ou graisse d'oie ou de canard : ★
Cuisson à la milanaise sans matière grasse : ★
Cuisson à l'étouffée avec beurre doux : ★★★
Cuisson à l'étouffée avec beurre salé : ★★★
Cuisson à l'étouffée avec huile végétale : ★★★
Cuisson à l'étouffée avec margarine végétale non salée : ★★★
Cuisson à l'étouffée avec margarine végétale salée : ★★★
Cuisson à l'étouffée avec saindoux ou graisse d'oie ou de canard : ★★★
Cuisson à l'étouffée sans matière grasse : ★★★

Ecrevisse

Cuisson au court bouillon : ★★★
Cuisson en braisé avec beurre doux : ★★★
Cuisson en braisé avec beurre salé : ★★★
Cuisson en braisé avec huile végétale : ★★★
Cuisson en braisé avec margarine végétale non salée : ★★★
Cuisson en braisé avec margarine végétale salée : ★★★
Cuisson en braisé avec saindoux ou graisse d'oie ou de canard :
★★★
Cuisson en braisé sans matière grasse : ★★★
Cuisson en friture : ★★★
Cuisson en meunière avec beurre doux : ★★★
Cuisson en meunière avec beurre salé : ★★★
Cuisson en meunière avec huile végétale : ★★★
Cuisson en meunière avec margarine végétale non salée : ★★★
Cuisson en meunière avec margarine végétale salée : ★★★
Cuisson en meunière avec saindoux ou graisse d'oie ou de canard : ★★★
Cuisson en meunière sans matière grasse : ★★★
Cuisson en papillote : ★★★
Cuisson en ragoût avec beurre doux : ★★★
Cuisson en ragoût avec beurre salé : ★★★
Cuisson en ragoût avec huile végétale : ★★★
Cuisson en ragoût avec margarine végétale non salée : ★★★
Cuisson en ragoût avec margarine végétale salée : ★★★
Cuisson en ragoût avec saindoux ou graisse d'oie ou de canard :
★★★
Cuisson en sauté (idem poêlée).
Cuisson vapeur : ★★★
Grillée : ★★★
Pierrade : ★★★
Poêlée avec beurre doux : ★★★
Poêlée avec beurre salé : ★★★
Poêlée avec huile végétale : ★★★
Poêlée avec margarine végétale non salée : ★★★
Poêlée avec margarine végétale salée : ★★★
Poêlée avec saindoux ou graisse d'oie ou de canard : ★★★
Poêlée sans matière grasse : ★★★
Salée et fumée : ★
Séchée : ★★★
Surgelée : ★★★

Remarque : pas d'huile d'arachide ni de beurre noisette.

Eglefin : poisson marin à chair blanche.
Conservé par le sel : ★★★
Conservé sous vide : ★★★
Consommation cru
Cuisson à la milanaise avec beurre doux : ★
Cuisson à la milanaise avec beurre salé : ★
Cuisson à la milanaise avec huile végétale : ★
Cuisson à la milanaise avec margarine végétale non salée : ★
Cuisson à la milanaise avec margarine végétale salée : ★
Cuisson à la milanaise avec saindoux ou graisse d'oie ou de canard : ★
Cuisson à la milanaise sans matière grasse : ★
Cuisson à l'étouffée avec beurre doux : ★★★
Cuisson à l'étouffée avec beurre salé : ★★★
Cuisson à l'étouffée avec huile végétale : ★★★
Cuisson à l'étouffée avec margarine végétale non salée : ★★★
Cuisson à l'étouffée avec margarine végétale salée : ★★★
Cuisson à l'étouffée avec saindoux ou graisse d'oie ou de canard : ★★★
Cuisson à l'étouffée sans matière grasse : ★★★
Cuisson au court bouillon : ★★★
Cuisson en braisé avec beurre doux : ★★★
Cuisson en braisé avec beurre salé : ★★★
Cuisson en braisé avec huile végétale : ★★★
Cuisson en braisé avec margarine végétale non salée : ★★★
Cuisson en braisé avec margarine végétale salée : ★★★
Cuisson en braisé avec saindoux ou graisse d'oie ou de canard : ★★★
Cuisson en braisé sans matière grasse : ★★★
Cuisson en friture : ★★★
Cuisson en meunière avec beurre doux : ★★★
Cuisson en meunière avec beurre salé : ★★★
Cuisson en meunière avec huile végétale : ★★★
Cuisson en meunière avec margarine végétale non salée : ★★★
Cuisson en meunière avec margarine végétale salée : ★★★
Cuisson en meunière avec saindoux ou graisse d'oie ou de canard : ★★★

Eglefin - Emissole

Cuisson en meunière sans matière grasse : ★★★
Cuisson en papillote : ★★★
Cuisson en sauté (idem poêlé).
Cuisson rôti à la broche : ★★★
Cuisson rôti au four avec beurre doux : ★★★
Cuisson rôti au four avec beurre salé : ★★★
Cuisson rôti au four avec huile végétale : ★★★
Cuisson rôti au four avec margarine végétale non salée : ★★★
Cuisson rôti au four avec margarine végétale salée : ★★★
Cuisson rôti au four avec saindoux ou graisse d'oie ou de canard : ★★★
Cuisson rôti au four sans matière grasse ajoutée : ★★★
Cuisson vapeur : ★★★
Grillé : ★★★
Pierrade : ★★★
Poêlé avec beurre doux : ★★★
Poêlé avec beurre salé : ★★★
Poêlé avec huile végétale : ★★★
Poêlé avec margarine végétale non salée : ★★★
Poêlé avec margarine végétale salée : ★★★
Poêlé avec saindoux ou graisse d'oie ou de canard : ★★★
Poêlé sans matière grasse : ★★★
Salé et fumé : ★
Séché : ★★★
Surgelé : ★★★
Remarque : pas d'huile d'arachide ni de beurre noisette.

Emissole : petit requin comestible, à chair blanche.
Conservé par le sel : ★★★
Conservé sous vide : ★★★
Consommation cru
Cuisson à la milanaise avec beurre doux : ★
Cuisson à la milanaise avec beurre salé : ★
Cuisson à la milanaise avec huile végétale : ★
Cuisson à la milanaise avec margarine végétale non salée : ★
Cuisson à la milanaise avec margarine végétale salée : ★
Cuisson à la milanaise avec saindoux ou graisse d'oie ou de canard : ★
Cuisson à la milanaise sans matière grasse : ★

Cuisson à l'étouffée avec beurre doux : ★★★
Cuisson à l'étouffée avec beurre salé : ★★★
Cuisson à l'étouffée avec huile végétale : ★★★
Cuisson à l'étouffée avec margarine végétale non salée : ★★★
Cuisson à l'étouffée avec margarine végétale salée : ★★★
Cuisson à l'étouffée avec saindoux ou graisse d'oie ou de canard : ★★★
Cuisson à l'étouffée sans matière grasse : ★★★
Cuisson au court bouillon : ★★★
Cuisson en braisé avec beurre doux : ★★★
Cuisson en braisé avec beurre salé : ★★★
Cuisson en braisé avec huile végétale : ★★★
Cuisson en braisé avec margarine végétale non salée : ★★★
Cuisson en braisé avec margarine végétale salée : ★★★
Cuisson en braisé avec saindoux ou graisse d'oie ou de canard : ★★★
Cuisson en braisé sans matière grasse : ★★★
Cuisson en friture : ★★★
Cuisson en meunière avec beurre doux : ★★★
Cuisson en meunière avec beurre salé : ★★★
Cuisson en meunière avec huile végétale : ★★★
Cuisson en meunière avec margarine végétale non salée : ★★★
Cuisson en meunière avec margarine végétale salée : ★★★
Cuisson en meunière avec saindoux ou graisse d'oie ou de canard : ★★★
Cuisson en meunière sans matière grasse : ★★★
Cuisson en papillote : ★★★
Cuisson en ragoût avec beurre doux : ★★★
Cuisson en ragoût avec beurre salé : ★★★
Cuisson en ragoût avec huile végétale : ★★★
Cuisson en ragoût avec margarine végétale non salée : ★★★
Cuisson en ragoût avec margarine végétale salée : ★★★
Cuisson en ragoût avec saindoux ou graisse d'oie ou de canard : ★★★
Cuisson en sauté (idem poêlé).
Cuisson rôti à la broche : ★★★
Cuisson rôti au four avec beurre doux : ★★★
Cuisson rôti au four avec beurre salé : ★★★
Cuisson rôti au four avec huile végétale : ★★★
Cuisson rôti au four avec margarine végétale non salée : ★★★

Cuisson rôti au four avec margarine végétale salée : ★★★
Cuisson rôti au four avec saindoux ou graisse d'oie ou de canard : ★★★
Cuisson rôti au four sans matière grasse ajoutée : ★★★
Cuisson vapeur : ★★★
Grillé : ★★★
Pierrade : ★★★
Poêlé avec beurre doux : ★★★
Poêlé avec beurre salé : ★★★
Poêlé avec huile végétale : ★★★
Poêlé avec margarine végétale non salée : ★★★
Poêlé avec margarine végétale salée : ★★★
Poêlé avec saindoux ou graisse d'oie ou de canard : ★★★
Poêlé sans matière grasse : ★★★
Salé et fumé : ★
Séché : ★★★
Surgelé : ★★★
Remarque : pas d'huile d'arachide ni de beurre noisette.

Empereur : poisson marin à chair blanche.
Conservé par le sel : ★★★
Conservé sous vide : ★★★
Consommation cru
Cuisson à la milanaise avec beurre doux : ★
Cuisson à la milanaise avec beurre salé : ★
Cuisson à la milanaise avec huile végétale : ★
Cuisson à la milanaise avec margarine végétale non salée : ★
Cuisson à la milanaise avec margarine végétale salée : ★
Cuisson à la milanaise avec saindoux ou graisse d'oie ou de canard : ★
Cuisson à la milanaise sans matière grasse : ★
Cuisson à l'étouffée avec beurre doux : ★★★
Cuisson à l'étouffée avec beurre salé : ★★★
Cuisson à l'étouffée avec huile végétale : ★★★
Cuisson à l'étouffée avec margarine végétale non salée : ★★★
Cuisson à l'étouffée avec margarine végétale salée : ★★★
Cuisson à l'étouffée avec saindoux ou graisse d'oie ou de canard : ★★★
Cuisson à l'étouffée sans matière grasse : ★★★

Cuisson au court bouillon : ★★★
Cuisson en braisé avec beurre doux : ★★★
Cuisson en braisé avec beurre salé : ★★★
Cuisson en braisé avec huile végétale : ★★★
Cuisson en braisé avec margarine végétale non salée : ★★★
Cuisson en braisé avec margarine végétale salée : ★★★
Cuisson en braisé avec saindoux ou graisse d'oie ou de canard :
★★★
Cuisson en braisé sans matière grasse : ★★★
Cuisson en friture : ★★★
Cuisson en meunière avec beurre doux : ★★★
Cuisson en meunière avec beurre salé : ★★★
Cuisson en meunière avec huile végétale : ★★★
Cuisson en meunière avec margarine végétale non salée : ★★★
Cuisson en meunière avec margarine végétale salée : ★★★
Cuisson en meunière avec saindoux ou graisse d'oie ou de canard : ★★★
Cuisson en meunière sans matière grasse : ★★★
Cuisson en papillote : ★★★
Cuisson en ragoût avec beurre doux : ★★★
Cuisson en ragoût avec beurre salé : ★★★
Cuisson en ragoût avec huile végétale : ★★★
Cuisson en ragoût avec margarine végétale non salée : ★★★
Cuisson en ragoût avec margarine végétale salée : ★★★
Cuisson en ragoût avec saindoux ou graisse d'oie ou de canard :
★★★
Cuisson en sauté (idem poêlé).
Cuisson rôti à la broche : ★★★
Cuisson rôti au four avec beurre doux : ★★★
Cuisson rôti au four avec beurre salé : ★★★
Cuisson rôti au four avec huile végétale : ★★★
Cuisson rôti au four avec margarine végétale non salée : ★★★
Cuisson rôti au four avec margarine végétale salée : ★★★
Cuisson rôti au four avec saindoux ou graisse d'oie ou de canard : ★★★
Cuisson rôti au four sans matière grasse ajoutée : ★★★
Cuisson vapeur : ★★★
Grillé : ★★★
Pierrade : ★★★
Poêlé avec beurre doux : ★★★

Poêlé avec beurre salé : ★★★
Poêlé avec huile végétale : ★★★
Poêlé avec margarine végétale non salée : ★★★
Poêlé avec margarine végétale salée : ★★★
Poêlé avec saindoux ou graisse d'oie ou de canard : ★★★
Poêlé sans matière grasse : ★★★
Salé et fumé : ★
Séché : ★★★
Surgelé : ★★★
Remarque : pas d'huile d'arachide ni de beurre noisette.

Encornet : voir « Calamar ».

Endive : bourgeon hypertrophié que l'on consomme en salade ou en légume. Légume vert.
Conserve en saumure (eau salée) : ★★★
Conservée sous vide : ★★★
Consommation crue : ★★★
Cuisson à l'étouffée avec beurre doux : ★★★
Cuisson à l'étouffée avec beurre salé : ★★★
Cuisson à l'étouffée avec huile végétale : ★★★
Cuisson à l'étouffée avec margarine végétale non salée : ★★★
Cuisson à l'étouffée avec margarine végétale salée : ★★★
Cuisson à l'étouffée avec saindoux ou graisse d'oie ou de canard : ★★★
Cuisson à l'étouffée sans matière grasse : ★★★
Cuisson au court bouillon : ★★★
Cuisson en braisé avec beurre doux : ★★★
Cuisson en braisé avec beurre salé : ★★★
Cuisson en braisé avec huile végétale : ★★★
Cuisson en braisé avec margarine végétale non salée : ★★★
Cuisson en braisé avec margarine végétale salée : ★★★
Cuisson en braisé avec saindoux ou graisse d'oie ou de canard : ★★★
Cuisson en braisé sans matière grasse : ★★★
Cuisson en papillote : ★★★
Cuisson en sauté (idem poêlée).
Cuisson vapeur : ★★★
Poêlée avec beurre doux : ★★★

Poêlée avec beurre salé : ★★★
Poêlée avec huile végétale : ★★★
Poêlée avec margarine végétale non salée : ★★★
Poêlée avec margarine végétale salée : ★★★
Poêlée avec saindoux ou graisse d'oie ou de canard : ★★★
Poêlée sans matière grasse : ★★★
Potage crème : ★★★
Potage nature sans matière grasse ajoutée : ★★★
Potage velouté : ★★★
Surgelée : ★★★
Remarque : pas d'huile d'arachide ni de beurre noisette.

Entrecôte : voir « Bœuf (viande de) ».

Epaule d'agneau : voir « Agneau (viande de) ».

Epaule de veau : voir « Veau (viande de) ».

Eperlan : poisson marin à chair blanche.
Conservé par le sel : ★★★
Conservé sous vide : ★★★
Consommation cru
Cuisson à la milanaise avec beurre doux : ★
Cuisson à la milanaise avec beurre salé : ★
Cuisson à la milanaise avec huile végétale : ★
Cuisson à la milanaise avec margarine végétale non salée : ★
Cuisson à la milanaise avec margarine végétale salée : ★
Cuisson à la milanaise avec saindoux ou graisse d'oie ou de canard : ★
Cuisson à la milanaise sans matière grasse : ★
Cuisson en friture : ★★★
Cuisson en meunière avec beurre doux : ★★★
Cuisson en meunière avec beurre salé : ★★★
Cuisson en meunière avec huile végétale : ★★★
Cuisson en meunière avec margarine végétale non salée : ★★★
Cuisson en meunière avec margarine végétale salée : ★★★
Cuisson en meunière avec saindoux ou graisse d'oie ou de canard : ★★★
Cuisson en meunière sans matière grasse : ★★★

Eperlan - Epinoche

Cuisson en sauté (idem poêlé).
Pierrade : ★★★
Poêlé avec beurre doux : ★★★
Poêlé avec beurre salé : ★★★
Poêlé avec huile végétale : ★★★
Poêlé avec margarine végétale non salée : ★★★
Poêlé avec margarine végétale salée : ★★★
Poêlé avec saindoux ou graisse d'oie ou de canard : ★★★
Poêlé sans matière grasse : ★★★
Salé et fumé : ★
Séché : ★★★
Surgelé : ★★★
Remarque : pas d'huile d'arachide ni de beurre noisette.

Epigramme d'agneau : voir « Agneau (viande de) ».

Epinoche : petit poisson d'eau douce à chair blanche.
Conservée par le sel : ★★★
Conservée sous vide : ★★★
Consommation crue
Cuisson à la milanaise avec beurre doux : ★
Cuisson à la milanaise avec beurre salé : ★
Cuisson à la milanaise avec huile végétale : ★
Cuisson à la milanaise avec margarine végétale non salée : ★
Cuisson à la milanaise avec margarine végétale salée : ★
Cuisson à la milanaise avec saindoux ou graisse d'oie ou de canard : ★
Cuisson à la milanaise sans matière grasse : ★
Cuisson en friture : ★★★
Cuisson en meunière avec beurre doux : ★★★
Cuisson en meunière avec beurre salé : ★★★
Cuisson en meunière avec huile végétale : ★★★
Cuisson en meunière avec margarine végétale non salée : ★★★
Cuisson en meunière avec margarine végétale salée : ★★★
Cuisson en meunière avec saindoux ou graisse d'oie ou de canard : ★★★
Cuisson en meunière sans matière grasse : ★★★
Cuisson en sauté (idem poêlée).
Pierrade : ★★★

Poêlée avec beurre doux : ★★★
Poêlée avec beurre salé : ★★★
Poêlée avec huile végétale : ★★★
Poêlée avec margarine végétale non salée : ★★★
Poêlée avec margarine végétale salée : ★★★
Poêlée avec saindoux ou graisse d'oie ou de canard : ★★★
Poêlée sans matière grasse : ★★★
Salée et fumée : ★
Séchée : ★★★
Surgelée : ★★★
Remarque : pas d'huile d'arachide ni de beurre noisette.

Epinochette : petit poisson d'eau douce à chair blanche.
Conservée par le sel : ★★★
Conservée sous vide : ★★★
Consommation crue
Cuisson à la milanaise avec beurre doux : ★
Cuisson à la milanaise avec beurre salé : ★
Cuisson à la milanaise avec huile végétale : ★
Cuisson à la milanaise avec margarine végétale non salée : ★
Cuisson à la milanaise avec margarine végétale salée : ★
Cuisson à la milanaise avec saindoux ou graisse d'oie ou de canard : ★
Cuisson à la milanaise sans matière grasse : ★
Cuisson en friture : ★★★
Cuisson en meunière avec beurre doux : ★★★
Cuisson en meunière avec beurre salé : ★★★
Cuisson en meunière avec huile végétale : ★★★
Cuisson en meunière avec margarine végétale non salée : ★★★
Cuisson en meunière avec margarine végétale salée : ★★★
Cuisson en meunière avec saindoux ou graisse d'oie ou de canard : ★★★
Cuisson en meunière sans matière grasse : ★★★
Cuisson en sauté (idem poêlée).
Pierrade : ★★★
Poêlée avec beurre doux : ★★★
Poêlée avec beurre salé : ★★★
Poêlée avec huile végétale : ★★★
Poêlée avec margarine végétale non salée : ★★★

Poêlée avec margarine végétale salée : ★★★
Poêlée avec saindoux ou graisse d'oie ou de canard : ★★★
Poêlée sans matière grasse : ★★★
Salée et fumée : ★
Séchée : ★★★
Surgelée : ★★★
Remarque : pas d'huile d'arachide ni de beurre noisette.

Equille : petit poisson long marin à chair blanche.
Conservée par le sel : ★★★
Conservée sous vide : ★★★
Consommation crue
Cuisson à la milanaise avec beurre doux : ★
Cuisson à la milanaise avec beurre salé : ★
Cuisson à la milanaise avec huile végétale : ★
Cuisson à la milanaise avec margarine végétale non salée : ★
Cuisson à la milanaise avec margarine végétale salée : ★
Cuisson à la milanaise avec saindoux ou graisse d'oie ou de canard : ★
Cuisson à la milanaise sans matière grasse : ★
Cuisson en beignet : ★★★
Cuisson en friture : ★★★
Cuisson en meunière avec beurre doux : ★★★
Cuisson en meunière avec beurre salé : ★★★
Cuisson en meunière avec huile végétale : ★★★
Cuisson en meunière avec margarine végétale non salée : ★★★
Cuisson en meunière avec margarine végétale salée : ★★★
Cuisson en meunière avec saindoux ou graisse d'oie ou de canard : ★★★
Cuisson en meunière sans matière grasse : ★★★
Cuisson en sauté (idem poêlée).
Pierrade : ★★★
Poêlée avec beurre doux : ★★★
Poêlée avec beurre salé : ★★★
Poêlée avec huile végétale : ★★★
Poêlée avec margarine végétale non salée : ★★★
Poêlée avec margarine végétale salée : ★★★
Poêlée avec saindoux ou graisse d'oie ou de canard : ★★★
Poêlée sans matière grasse : ★★★

Salée et fumée : ★
Séchée : ★★★
Surgelée : ★★★
Remarque : pas d'huile d'arachide ni de beurre noisette.

Espadon : poisson gras des mers chaudes.
Conservé par le sel : ★★★★
Conservé sous vide : ★★★★
Consommation cru
Cuisson à la milanaise avec beurre doux : ★
Cuisson à la milanaise avec beurre salé : ★
Cuisson à la milanaise avec huile végétale : ★
Cuisson à la milanaise avec margarine végétale non salée : ★
Cuisson à la milanaise avec margarine végétale salée : ★
Cuisson à la milanaise avec saindoux ou graisse d'oie ou de canard : ★
Cuisson à la milanaise sans matière grasse : ★
Cuisson à l'étouffée avec beurre doux : ★★★★
Cuisson à l'étouffée avec beurre salé : ★★★★
Cuisson à l'étouffée avec huile végétale : ★★★★
Cuisson à l'étouffée avec margarine végétale non salée : ★★★★
Cuisson à l'étouffée avec margarine végétale salée : ★★★★
Cuisson à l'étouffée avec saindoux ou graisse d'oie ou de canard : ★★★★
Cuisson à l'étouffée sans matière grasse : ★★★★
Cuisson au court bouillon : ★★★★
Cuisson en braisé avec beurre doux : ★★★★
Cuisson en braisé avec beurre salé : ★★★★
Cuisson en braisé avec huile végétale : ★★★★
Cuisson en braisé avec margarine végétale non salée : ★★★★
Cuisson en braisé avec margarine végétale salée : ★★★★
Cuisson en braisé avec saindoux ou graisse d'oie ou de canard : ★★★★
Cuisson en braisé sans matière grasse : ★★★★
Cuisson en friture : ★★★★
Cuisson en meunière avec beurre doux : ★★★★
Cuisson en meunière avec beurre salé : ★★★★
Cuisson en meunière avec huile végétale : ★★★★

Espadon

Cuisson en meunière avec margarine végétale non salée : ★★★★

Cuisson en meunière avec margarine végétale salée : ★★★★

Cuisson en meunière avec saindoux ou graisse d'oie ou de canard : ★★★★

Cuisson en meunière sans matière grasse : ★★★★

Cuisson en papillote : ★★★★

Cuisson en ragoût avec beurre doux : ★★★★

Cuisson en ragoût avec beurre salé : ★★★★

Cuisson en ragoût avec huile végétale : ★★★★

Cuisson en ragoût avec margarine végétale non salée : ★★★★

Cuisson en ragoût avec margarine végétale salée : ★★★★

Cuisson en ragoût avec saindoux ou graisse d'oie ou de canard : ★★★★

Cuisson en sauté (idem poêlé).

Cuisson rôti à la broche : ★★★ ★

Cuisson rôti au four avec beurre doux : ★★★★

Cuisson rôti au four avec beurre salé : ★★★★

Cuisson rôti au four avec huile végétale : ★★★★

Cuisson rôti au four avec margarine végétale non salée : ★★★★

Cuisson rôti au four avec margarine végétale salée : ★★★★

Cuisson rôti au four avec saindoux ou graisse d'oie ou de canard : ★★★★

Cuisson rôti au four sans matière grasse ajoutée : ★★★★

Cuisson vapeur : ★★★★

Grillé : ★★★ ★

Pierrade : ★★★★

Poêlé avec beurre doux : ★★★★

Poêlé avec beurre salé : ★★★★

Poêlé avec huile végétale : ★★★★

Poêlé avec margarine végétale non salée : ★★★★

Poêlé avec margarine végétale salée : ★★★★

Poêlé avec saindoux ou graisse d'oie ou de canard : ★★★★

Poêlé sans matière grasse : ★★★★

Salé et fumé : ★

Séché : ★★★★

Surgelé : ★★★★

Remarque : pas d'huile d'arachide ni de beurre noisette.

Estragon : plante aromatique utilisée comme condiment.
Conservé sous vide : ★★★
Consommation cru : ★★★
Consommation cuit : ★★★
Déshydraté : ★★★
Fraîchement récolté : ★★★
Surgelé : ★★★

ℱ

Faisan : oiseau gallinacé à chair estimée. Gibier.
Conservé par le sel : ★★★
Conservé sous vide : ★★★
Consommation cru
Cuisson à la milanaise avec beurre doux : ★
Cuisson à la milanaise avec beurre salé : ★
Cuisson à la milanaise avec huile végétale : ★
Cuisson à la milanaise avec margarine végétale non salée : ★
Cuisson à la milanaise avec margarine végétale salée : ★
Cuisson à la milanaise avec saindoux ou graisse d'oie ou de canard : ★
Cuisson à la milanaise sans matière grasse : ★
Cuisson à l'étouffée avec beurre doux : ★★★
Cuisson à l'étouffée avec beurre salé : ★★★
Cuisson à l'étouffée avec huile végétale : ★★★
Cuisson à l'étouffée avec margarine végétale non salée : ★★★
Cuisson à l'étouffée avec margarine végétale salée : ★★★
Cuisson à l'étouffée avec saindoux ou graisse d'oie ou de canard : ★★★
Cuisson à l'étouffée sans matière grasse : ★★★
Cuisson au court bouillon : ★★★
Cuisson en braisé avec beurre doux : ★★★
Cuisson en braisé avec beurre salé : ★★★
Cuisson en braisé avec huile végétale : ★★★
Cuisson en braisé avec margarine végétale non salée : ★★★
Cuisson en braisé avec margarine végétale salée : ★★★

Faisan

Cuisson en braisé avec saindoux ou graisse d'oie ou de canard :
★★★
Cuisson en braisé sans matière grasse : ★★★
Cuisson en friture : ★★★
Cuisson en meunière avec beurre doux : ★★★
Cuisson en meunière avec beurre salé : ★★★
Cuisson en meunière avec huile végétale : ★★★
Cuisson en meunière avec margarine végétale non salée : ★★★
Cuisson en meunière avec margarine végétale salée : ★★★
Cuisson en meunière avec saindoux ou graisse d'oie ou de canard : ★★★
Cuisson en meunière sans matière grasse : ★★★
Cuisson en papillote : ★★★
Cuisson en ragoût avec beurre doux : ★★★
Cuisson en ragoût avec beurre salé : ★★★
Cuisson en ragoût avec huile végétale : ★★★
Cuisson en ragoût avec margarine végétale non salée : ★★★
Cuisson en ragoût avec margarine végétale salée : ★★★
Cuisson en ragoût avec saindoux ou graisse d'oie ou de canard : ★★★
Cuisson en sauté (idem poêlé).
Cuisson rôti à la broche : ★★★
Cuisson rôti au four avec beurre doux : ★★★
Cuisson rôti au four avec beurre salé : ★★★
Cuisson rôti au four avec huile végétale : ★★★
Cuisson rôti au four avec margarine végétale non salée : ★★★
Cuisson rôti au four avec margarine végétale salée : ★★★
Cuisson rôti au four avec saindoux ou graisse d'oie ou de canard : ★★★
Cuisson rôti au four sans matière grasse ajoutée : ★★★
Cuisson vapeur : ★★★
Faisandé
Grillé : ★★★
Pierrade : ★★★
Poêlé avec beurre doux : ★★★
Poêlé avec beurre salé : ★★★
Poêlé avec huile végétale : ★★★
Poêlé avec margarine végétale non salée : ★★★
Poêlé avec margarine végétale salée : ★★★
Poêlé avec saindoux ou graisse d'oie ou de canard : ★★★

Poêlé sans matière grasse : ★★★
Salé et fumé : ★
Séché : ★★★
Surgelé : ★★★
Remarque : pas d'huile d'arachide ni de beurre noisette.

Faux-filet : voir « Bœuf (viande de) ».

Fenouil : plante aromatique potagère dont on consomme la base des pétioles charnus. Légume vert.
Conservé en saumure : ★★★★
Conservé sous vide : ★★★★
Consommation cru : ★★★★
Cuisson à la milanaise avec beurre doux : ★
Cuisson à la milanaise avec beurre salé : ★
Cuisson à la milanaise avec huile végétale : ★
Cuisson à la milanaise avec margarine végétale non salée : ★
Cuisson à la milanaise avec margarine végétale salée : ★
Cuisson à la milanaise avec saindoux ou graisse d'oie ou de canard : ★
Cuisson à la milanaise sans matière grasse : ★
Cuisson à l'étouffée avec beurre doux : ★★★★
Cuisson à l'étouffée avec beurre salé : ★★★★
Cuisson à l'étouffée avec huile végétale : ★★★★
Cuisson à l'étouffée avec margarine végétale non salée : ★★★★
Cuisson à l'étouffée avec margarine végétale salée : ★★★★
Cuisson à l'étouffée avec saindoux ou graisse d'oie ou de canard : ★★★★
Cuisson à l'étouffée sans matière grasse : ★★★★
Cuisson au court bouillon : ★★★★
Cuisson en beignet : ★★★
Cuisson en braisé avec beurre doux : ★★★★
Cuisson en braisé avec beurre salé : ★★★★
Cuisson en braisé avec huile végétale : ★★★★
Cuisson en braisé avec margarine végétale non salée : ★★★★
Cuisson en braisé avec margarine végétale salée : ★★★★
Cuisson en braisé avec saindoux ou graisse d'oie ou de canard : ★★★★

Cuisson en braisé sans matière grasse : ★★★★
Cuisson en friture : ★★★★
Cuisson en meunière avec beurre doux : ★★★★
Cuisson en meunière avec beurre salé : ★★★★
Cuisson en meunière avec huile végétale : ★★★★
Cuisson en meunière avec margarine végétale non salée : ★★★★
Cuisson en meunière avec margarine végétale salée : ★★★★
Cuisson en meunière avec saindoux ou graisse d'oie ou de canard : ★★★★
Cuisson en meunière sans matière grasse : ★★★★
Cuisson en papillote : ★★★★
Cuisson en sauté (idem poêlé).
Cuisson vapeur : ★★★★
Grillé : ★★★★
Pierrade : ★★★★
Poêlé avec beurre doux : ★★★★
Poêlé avec beurre salé : ★★★★
Poêlé avec huile végétale : ★★★★
Poêlé avec margarine végétale non salée : ★★★★
Poêlé avec margarine végétale salée : ★★★★
Poêlé avec saindoux ou graisse d'oie ou de canard : ★★★★
Poêlé sans matière grasse : ★★★★
Potage crème : ★★★★
Potage nature sans matière grasse ajoutée : ★★★★
Potage velouté : ★★★★
Surgelé : ★★★★
Remarque : pas d'huile d'arachide ni de beurre noisette.

Fève : graine d'une plante annuelle potagère. Féculent.
Conserve à l'étuvé : ★★★
Conserve en saumure (eau salée) : ★★★
Conservée sous vide : ★★★
Consommation crue
Cuisson à l'étouffée avec beurre doux : ★★★
Cuisson à l'étouffée avec beurre salé : ★★★
Cuisson à l'étouffée avec huile végétale : ★★★
Cuisson à l'étouffée avec margarine végétale non salée : ★★★
Cuisson à l'étouffée avec margarine végétale salée : ★★★

Cuisson à l'étouffée avec saindoux ou graisse d'oie ou de canard : ★★★
Cuisson à l'étouffée sans matière grasse : ★★★
Cuisson au court bouillon : ★★★
Cuisson en braisé avec beurre doux : ★★★
Cuisson en braisé avec beurre salé : ★★★
Cuisson en braisé avec huile végétale : ★★★
Cuisson en braisé avec margarine végétale non salée : ★★★
Cuisson en braisé avec margarine végétale salée : ★★★
Cuisson en braisé avec saindoux ou graisse d'oie ou de canard : ★★★
Cuisson en braisé sans matière grasse : ★★★
Cuisson en ragoût avec beurre doux : ★★★
Cuisson en ragoût avec beurre salé : ★★★
Cuisson en ragoût avec huile végétale : ★★★
Cuisson en ragoût avec margarine végétale non salée : ★★★
Cuisson en ragoût avec margarine végétale salée : ★★★
Cuisson en ragoût avec saindoux ou graisse d'oie ou de canard : ★★★
Potage crème : ★★★
Potage nature sans matière grasse ajoutée : ★★★
Potage velouté : ★★★
Surgelée : ★★★

Figue : fruit frais du figuier.
À l'anglaise : ★★★
Au sirop : ★★★
Au sirop léger : ★★★
Confite : ★★★
Conserve au naturel : ★★★
Conservée dans l'alcool
Conservée sous vide : ★★★
Consommation crue : ★★★
En beignet : ★★★
En compote (avec sucre ajouté) : ★★★
En compote sans sucre ajouté : ★★★
En confiture : ★★★
En confiture allégée en sucre : ★★★
En confiture sans sucre : ★★★
Fraîchement récoltée : ★★★

Figue - Flageolet

Pochée sans sucre : ★★★
Séchée : ★★★★
Surgelée : ★★★

Flageolet : graine d'une légumineuse potagère. Féculent.
Conserve à l'étuvé : ★★★★
Conserve en saumure (eau salée) : ★★★★
Conservé sous vide : ★★★★
Consommation cru
Cuisson à l'étouffée avec beurre doux : ★★★★
Cuisson à l'étouffée avec beurre salé : ★★★★
Cuisson à l'étouffée avec huile végétale : ★★★★
Cuisson à l'étouffée avec margarine végétale non salée : ★★★★
Cuisson à l'étouffée avec margarine végétale salée : ★★★★
Cuisson à l'étouffée avec saindoux ou graisse d'oie ou de canard : ★★★★
Cuisson à l'étouffée sans matière grasse : ★★★★
Cuisson au court bouillon : ★★★★
Cuisson en braisé avec beurre doux : ★★★★
Cuisson en braisé avec beurre salé : ★★★★
Cuisson en braisé avec huile végétale : ★★★★
Cuisson en braisé avec margarine végétale non salée : ★★★★
Cuisson en braisé avec margarine végétale salée : ★★★★
Cuisson en braisé avec saindoux ou graisse d'oie ou de canard : ★★★★
Cuisson en braisé sans matière grasse : ★★★★
Cuisson en ragoût avec beurre doux : ★★★★
Cuisson en ragoût avec beurre salé : ★★★★
Cuisson en ragoût avec huile végétale : ★★★★
Cuisson en ragoût avec margarine végétale non salée : ★★★★
Cuisson en ragoût avec margarine végétale salée : ★★★★
Cuisson en ragoût avec saindoux ou graisse d'oie ou de canard : ★★★★
Potage crème : ★★★ ★
Potage nature sans matière grasse ajoutée : ★★★★
Potage velouté : ★★★★
Sec : ★★★★
Surgelé : ★★★★

Remarque : pas d'huile d'arachide ni de beurre noisette.

Flanchet (de bœuf) : voir « Bœuf (viande de) ».

Flanchet (de veau) : voir « Veau (viande de) ».

Flet : poisson marin plat à chair blanche.
Conservé par le sel : ★★★
Conservé sous vide : ★★★
Consommation cru
Cuisson à la milanaise avec beurre doux : ★
Cuisson à la milanaise avec beurre salé : ★
Cuisson à la milanaise avec huile végétale : ★
Cuisson à la milanaise avec margarine végétale non salée : ★
Cuisson à la milanaise avec margarine végétale salée : ★
Cuisson à la milanaise avec saindoux ou graisse d'oie ou de canard : ★
Cuisson à la milanaise sans matière grasse : ★
Cuisson à l'étouffée avec beurre doux : ★★★
Cuisson à l'étouffée avec beurre salé : ★★★
Cuisson à l'étouffée avec huile végétale : ★★★
Cuisson à l'étouffée avec margarine végétale non salée : ★★★
Cuisson à l'étouffée avec margarine végétale salée : ★★★
Cuisson à l'étouffée avec saindoux ou graisse d'oie ou de canard : ★★★
Cuisson à l'étouffée sans matière grasse : ★★★
Cuisson au court bouillon : ★★★
Cuisson en braisé avec beurre doux : ★★★
Cuisson en braisé avec beurre salé : ★★★
Cuisson en braisé avec huile végétale : ★★★
Cuisson en braisé avec margarine végétale non salée : ★★★
Cuisson en braisé avec margarine végétale salée : ★★★
Cuisson en braisé avec saindoux ou graisse d'oie ou de canard : ★★★
Cuisson en braisé sans matière grasse : ★★★
Cuisson en friture : ★★★
Cuisson en meunière avec beurre doux : ★★★
Cuisson en meunière avec beurre salé : ★★★
Cuisson en meunière avec huile végétale : ★★★

Flet - Flétan

Cuisson en meunière avec margarine végétale non salée : ★★★
Cuisson en meunière avec margarine végétale salée : ★★★
Cuisson en meunière avec saindoux ou graisse d'oie ou de canard : ★★★
Cuisson en meunière sans matière grasse : ★★★
Cuisson en papillote : ★★★
Cuisson en sauté (idem poêlé).
Cuisson rôti au four avec beurre doux : ★★★
Cuisson rôti au four avec beurre salé : ★★★
Cuisson rôti au four avec huile végétale : ★★★
Cuisson rôti au four avec margarine végétale non salée : ★★★
Cuisson rôti au four avec margarine végétale salée : ★★★
Cuisson rôti au four avec saindoux ou graisse d'oie ou de canard : ★★★
Cuisson rôti au four sans matière grasse ajoutée : ★★★
Cuisson vapeur : ★★★
Grillé : ★★★
Pierrade : ★★★
Poêlé avec beurre doux : ★★★
Poêlé avec beurre salé : ★★★
Poêlé avec huile végétale : ★★★
Poêlé avec margarine végétale non salée : ★★★
Poêlé avec margarine végétale salée : ★★★
Poêlé avec saindoux ou graisse d'oie ou de canard : ★★★
Poêlé sans matière grasse : ★★★
Salé et fumé : ★
Séché : ★★★
Surgelé : ★★★
Remarque : pas d'huile d'arachide ni de beurre noisette.

Flétan : grand poisson marin plat à chair blanche.
Conservé par le sel : ★★★
Conservé sous vide : ★★★
Consommation cru
Cuisson à la milanaise avec beurre doux : ★
Cuisson à la milanaise avec beurre salé : ★
Cuisson à la milanaise avec huile végétale : ★
Cuisson à la milanaise avec margarine végétale non salée : ★
Cuisson à la milanaise avec margarine végétale salée : ★

Cuisson à la milanaise avec saindoux ou graisse d'oie ou de canard : ★

Cuisson à la milanaise sans matière grasse : ★

Cuisson à l'étouffée avec beurre doux : ★★★

Cuisson à l'étouffée avec beurre salé : ★★★

Cuisson à l'étouffée avec huile végétale : ★★★

Cuisson à l'étouffée avec margarine végétale non salée : ★★★

Cuisson à l'étouffée avec margarine végétale salée : ★★★

Cuisson à l'étouffée avec saindoux ou graisse d'oie ou de canard : ★★★

Cuisson à l'étouffée sans matière grasse : ★★★

Cuisson au court bouillon : ★★★

Cuisson en braisé avec beurre doux : ★★★

Cuisson en braisé avec beurre salé : ★★★

Cuisson en braisé avec huile végétale : ★★★

Cuisson en braisé avec margarine végétale non salée : ★★★

Cuisson en braisé avec margarine végétale salée : ★★★

Cuisson en braisé avec saindoux ou graisse d'oie ou de canard : ★★★

Cuisson en braisé sans matière grasse : ★★★

Cuisson en friture : ★★★

Cuisson en meunière avec beurre doux : ★★★

Cuisson en meunière avec beurre salé : ★★★

Cuisson en meunière avec huile végétale : ★★★

Cuisson en meunière avec margarine végétale non salée : ★★★

Cuisson en meunière avec margarine végétale salée : ★★★

Cuisson en meunière avec saindoux ou graisse d'oie ou de canard : ★★★

Cuisson en meunière sans matière grasse : ★★★

Cuisson en papillote : ★★★

Cuisson en sauté (idem poêlé).

Cuisson rôti au four avec beurre doux : ★★★

Cuisson rôti au four avec beurre salé : ★★★

Cuisson rôti au four avec huile végétale : ★★★

Cuisson rôti au four avec margarine végétale non salée : ★★★

Cuisson rôti au four avec margarine végétale salée : ★★★

Cuisson rôti au four avec saindoux ou graisse d'oie ou de canard : ★★★

Cuisson rôti au four sans matière grasse ajoutée : ★★★

Cuisson vapeur : ★★★

Grillé : ★★★
Pierrade : ★★★
Poêlé avec beurre doux : ★★★
Poêlé avec beurre salé : ★★★
Poêlé avec huile végétale : ★★★
Poêlé avec margarine végétale non salée : ★★★
Poêlé avec margarine végétale salée : ★★★
Poêlé avec saindoux ou graisse d'oie ou de canard : ★★★
Poêlé sans matière grasse : ★★★
Salé et fumé : ★
Séché : ★★★
Surgelé : ★★★
Remarque : pas d'huile d'arachide ni de beurre noisette.

Foie d'agneau : voir « Agneau (viande de) ».

Foie de bœuf : voir « Bœuf (viande de) ».

Foie de porc : voir « Porc (viande de) ».

Foie de veau : voir « Veau (viande de) ».

Fondue bourguignonne : voir « Bœuf (viande de) » section *Cuisson en friture.*

Fondue bourguignonne au vin : voir « Bœuf (viande de) » section *Cuisson au court bouillon.*

Fondue chinoise : voir « Bœuf (viande de) » section *Cuisson au court bouillon.*

Fraise : fruit charnu provenant du fraisier.
A l'anglaise : ★★★
Au sirop : ★★★
Au sirop léger : ★★★
Confite : ★★★
Conserve au naturel : ★★★
Conservée dans l'alcool
Conservée sous vide : ★★★

Consommation crue : ★★★
En beignet : ★★★
En compote (avec sucre ajouté) : ★★★
En compote sans sucre ajouté : ★★★
En confiture : ★★★
En confiture allégée en sucre : ★★★
En confiture sans sucre : ★★★
Fraîchement récoltée : ★★★
Pochée sans sucre : ★★★
Séchée : ★★★★
Surgelée : ★★★

Framboise : fruit frais provenant du framboisier.
A l'anglaise : ★★★
Au sirop : ★★★
Au sirop léger : ★★★
Confite : ★★★
Conserve au naturel : ★★★
Conservée dans l'alcool
Conservée sous vide : ★★★
Consommation crue : ★★★
En beignet : ★★★
En compote (avec sucre ajouté) : ★★★
En compote sans sucre ajouté : ★★★
En confiture : ★★★
En confiture allégée en sucre : ★★★
En confiture sans sucre : ★★★
Fraîchement récoltée : ★★★
Pochée sans sucre : ★★★
Séchée : ★★★★
Surgelée : ★★★

Frites : voir « Pomme de terre » section *Cuisson en friture.*

Frites au four : voir « Pomme de terre » section *Poêlée sans matière grasse.*

G

Gamba : voir « Crevette ».

Gardon : poisson d'eau douce à chair blanche.
Conservé par le sel : ★★★
Conservé sous vide : ★★★
Consommation cru
Cuisson à la milanaise avec beurre doux : ★
Cuisson à la milanaise avec beurre salé : ★
Cuisson à la milanaise avec huile végétale : ★
Cuisson à la milanaise avec margarine végétale non salée : ★
Cuisson à la milanaise avec margarine végétale salée : ★
Cuisson à la milanaise avec saindoux ou graisse d'oie ou de canard : ★
Cuisson à la milanaise sans matière grasse : ★
Cuisson à l'étouffée avec beurre doux : ★★★
Cuisson à l'étouffée avec beurre salé : ★★★
Cuisson à l'étouffée avec huile végétale : ★★★
Cuisson à l'étouffée avec margarine végétale non salée : ★★★
Cuisson à l'étouffée avec margarine végétale salée : ★★★
Cuisson à l'étouffée avec saindoux ou graisse d'oie ou de canard : ★★★
Cuisson à l'étouffée sans matière grasse : ★★★
Cuisson au court bouillon : ★★★
Cuisson en braisé avec beurre doux : ★★★
Cuisson en braisé avec beurre salé : ★★★
Cuisson en braisé avec huile végétale : ★★★
Cuisson en braisé avec margarine végétale non salée : ★★★
Cuisson en braisé avec margarine végétale salée : ★★★
Cuisson en braisé avec saindoux ou graisse d'oie ou de canard : ★★★
Cuisson en braisé sans matière grasse : ★★★
Cuisson en friture : ★★★
Cuisson en meunière avec beurre doux : ★★★
Cuisson en meunière avec beurre salé : ★★★
Cuisson en meunière avec huile végétale : ★★★

Cuisson en meunière avec margarine végétale non salée : ★★★
Cuisson en meunière avec margarine végétale salée : ★★★
Cuisson en meunière avec saindoux ou graisse d'oie ou de canard : ★★★
Cuisson en meunière sans matière grasse : ★★★
Cuisson en papillote : ★★★
Cuisson en sauté (idem poêlé).
Cuisson rôti au four avec beurre doux : ★★★
Cuisson rôti au four avec beurre salé : ★★★
Cuisson rôti au four avec huile végétale : ★★★
Cuisson rôti au four avec margarine végétale non salée : ★★★
Cuisson rôti au four avec margarine végétale salée : ★★★
Cuisson rôti au four avec saindoux ou graisse d'oie ou de canard : ★★★
Cuisson rôti au four sans matière grasse ajoutée : ★★★
Cuisson vapeur : ★★★
Grillé : ★★★
Pierrade : ★★★
Poêlé avec beurre doux : ★★★
Poêlé avec beurre salé : ★★★
Poêlé avec huile végétale : ★★★
Poêlé avec margarine végétale non salée : ★★★
Poêlé avec margarine végétale salée : ★★★
Poêlé avec saindoux ou graisse d'oie ou de canard : ★★★
Poêlé sans matière grasse : ★★★
Salé et fumé : ★
Séché : ★★★
Surgelé : ★★★
Remarque : pas d'huile d'arachide ni de beurre noisette.

Gendarme : voir « Porc (viande de) » *section Salée et fumée.*

Germon : voir « Thon ».

Gigot : voir « Agneau (viande d') ».

Gingembre : rhizome aromatique utilisé comme condiment. Légume vert.
Confit : ★★★

Gingembre

Conserve en saumure (eau salée) : ★★★
Conservé sous vide : ★★★
Consommation cru
Cuisson à l'étouffée avec beurre doux : ★★★
Cuisson à l'étouffée avec beurre salé : ★★★
Cuisson à l'étouffée avec huile végétale : ★★★
Cuisson à l'étouffée avec margarine végétale non salée : ★★★
Cuisson à l'étouffée avec margarine végétale salée : ★★★
Cuisson à l'étouffée avec saindoux ou graisse d'oie ou de canard : ★★★
Cuisson à l'étouffée sans matière grasse : ★★★
Cuisson au court bouillon : ★★★
Cuisson en beignet : ★★★
Cuisson en braisé avec beurre doux : ★★★
Cuisson en braisé avec beurre salé : ★★★
Cuisson en braisé avec huile végétale : ★★★
Cuisson en braisé avec margarine végétale non salée : ★★★
Cuisson en braisé avec margarine végétale salée : ★★★
Cuisson en braisé avec saindoux ou graisse d'oie ou de canard : ★★★
Cuisson en braisé sans matière grasse : ★★★
Cuisson en friture : ★★★
Cuisson en papillote : ★★★
Cuisson en ragoût avec beurre doux : ★★★
Cuisson en ragoût avec beurre salé : ★★★
Cuisson en ragoût avec huile végétale : ★★★
Cuisson en ragoût avec margarine végétale non salée : ★★★
Cuisson en ragoût avec margarine végétale salée : ★★★
Cuisson en ragoût avec saindoux ou graisse d'oie ou de canard : ★★★
Cuisson en sauté (idem poêlé).
Cuisson vapeur : ★★★
Grillé : ★★★
Pierrade : ★★★
Poêlé avec beurre doux : ★★★
Poêlé avec beurre salé : ★★★
Poêlé avec huile végétale : ★★★
Poêlé avec margarine végétale non salée : ★★★
Poêlé avec margarine végétale salée : ★★★
Poêlé avec saindoux ou graisse d'oie ou de canard : ★★★

Poêlé sans matière grasse : ★★★
Potage crème : ★★★
Potage nature sans matière grasse ajoutée : ★★★
Potage velouté : ★★★
Surgelé : ★★★
Remarque : pas d'huile d'arachide ni de beurre noisette.

Giraumon : voir « Courgette ».

Girolle : voir « Champignon ».

Gîte : voir « Bœuf (viande de) ».

Gîte à la noix : voir « Bœuf (viande de) ».

Gombo : légume vert tropical.
Conserve en saumure (eau salée) : ★★★
Conservé sous vide : ★★★
Consommation cru
Cuisson à l'étouffée avec beurre doux : ★★★
Cuisson à l'étouffée avec beurre salé : ★★★
Cuisson à l'étouffée avec huile végétale : ★★★
Cuisson à l'étouffée avec margarine végétale non salée : ★★★
Cuisson à l'étouffée avec margarine végétale salée : ★★★
Cuisson à l'étouffée avec saindoux ou graisse d'oie ou de canard : ★★★
Cuisson à l'étouffée sans matière grasse : ★★★
Cuisson au court bouillon : ★★★
Cuisson en beignet : ★★★
Cuisson en braisé avec beurre doux : ★★★
Cuisson en braisé avec beurre salé : ★★★
Cuisson en braisé avec huile végétale : ★★★
Cuisson en braisé avec margarine végétale non salée : ★★★
Cuisson en braisé avec margarine végétale salée : ★★★
Cuisson en braisé avec saindoux ou graisse d'oie ou de canard : ★★★
Cuisson en braisé sans matière grasse : ★★★
Cuisson en friture : ★★★
Cuisson en papillote : ★★★

Gombo - Goujon

Cuisson en sauté (idem poêlé).
Cuisson vapeur : ★★★
Poêlé avec beurre doux : ★★★
Poêlé avec beurre salé : ★★★
Poêlé avec huile végétale : ★★★
Poêlé avec margarine végétale non salée : ★★★
Poêlé avec margarine végétale salée : ★★★
Poêlé avec saindoux ou graisse d'oie ou de canard : ★★★
Poêlé sans matière grasse : ★★★
Potage crème : ★★★
Potage nature sans matière grasse ajoutée : ★★★
Potage velouté : ★★★
Surgelé : ★★★
Remarque : pas d'huile d'arachide ni de beurre noisette.

Goujon : petit poisson d'eau douce à chair blanche.
Conservé par le sel : ★★★
Conservé sous vide : ★★★
Consommation cru
Cuisson à la milanaise avec beurre doux : ★
Cuisson à la milanaise avec beurre salé : ★
Cuisson à la milanaise avec huile végétale : ★
Cuisson à la milanaise avec margarine végétale non salée : ★
Cuisson à la milanaise avec margarine végétale salée : ★
Cuisson à la milanaise avec saindoux ou graisse d'oie ou de canard : ★
Cuisson à la milanaise sans matière grasse : ★
Cuisson en beignet : ★★★
Cuisson en friture : ★★★
Cuisson en meunière avec beurre doux : ★★★
Cuisson en meunière avec beurre salé : ★★★
Cuisson en meunière avec huile végétale : ★★★
Cuisson en meunière avec margarine végétale non salée : ★★★
Cuisson en meunière avec margarine végétale salée : ★★★
Cuisson en meunière avec saindoux ou graisse d'oie ou de canard : ★★★
Cuisson en meunière sans matière grasse : ★★★
Cuisson en sauté (idem poêlé).
Pierrade : ★★★

Poêlé avec beurre doux : ★★★
Poêlé avec beurre salé : ★★★
Poêlé avec huile végétale : ★★★
Poêlé avec margarine végétale non salée : ★★★
Poêlé avec margarine végétale salée : ★★★
Poêlé avec saindoux ou graisse d'oie ou de canard : ★★★
Poêlé sans matière grasse : ★★★
Salé et fumé : ★
Séché : ★★★
Surgelé : ★★★
Remarque : pas d'huile d'arachide ni de beurre noisette.

Goyave : fruit du goyavier. Fruit exotique.
A l'anglaise : ★★
Au sirop : ★★
Au sirop léger : ★★
Confite : ★★
Conserve au naturel : ★★
Conservée dans l'alcool
Conservée sous vide : ★★
Consommation crue : ★★
En beignet : ★★
En compote (avec sucre ajouté) : ★★
En compote sans sucre ajouté : ★★
En confiture : ★★
En confiture allégée en sucre : ★★
En confiture sans sucre : ★★
Fraîchement récoltée : ★★
Pochée sans sucre : ★★
Séchée : ★★
Surgelée : ★★

Grémille : poisson d'eau douce à chair blanche.
Conservée par le sel : ★★★
Conservée sous vide : ★★★
Consommation crue
Cuisson à la milanaise avec beurre doux : ★
Cuisson à la milanaise avec beurre salé : ★
Cuisson à la milanaise avec huile végétale : ★

Gremille - Grenade

Cuisson à la milanaise avec margarine végétale non salée : ★
Cuisson à la milanaise avec margarine végétale salée : ★
Cuisson à la milanaise avec saindoux ou graisse d'oie ou de canard : ★
Cuisson à la milanaise sans matière grasse : ★
Cuisson en beignet : ★★★
Cuisson en friture : ★★★
Cuisson en meunière avec beurre doux : ★★★
Cuisson en meunière avec beurre salé : ★★★
Cuisson en meunière avec huile végétale : ★★★
Cuisson en meunière avec margarine végétale non salée : ★★★
Cuisson en meunière avec margarine végétale salée : ★★★
Cuisson en meunière avec saindoux ou graisse d'oie ou de canard : ★★★
Cuisson en meunière sans matière grasse : ★★★
Cuisson en sauté (idem poêlée).
Pierrade : ★★★
Poêlée avec beurre doux : ★★★
Poêlée avec beurre salé : ★★★
Poêlée avec huile végétale : ★★★
Poêlée avec margarine végétale non salée : ★★★
Poêlée avec margarine végétale salée : ★★★
Poêlée avec saindoux ou graisse d'oie ou de canard : ★★★
Poêlée sans matière grasse : ★★★
Salée et fumée : ★
Séchée : ★★★
Surgelée : ★★★
Remarque : pas d'huile d'arachide ni de beurre noisette.

Grenade : fruit du grenadier. Fruit exotique.
A l'anglaise : ★★
Au sirop : ★★
Au sirop léger : ★★
Confite : ★★
Conserve au naturel : ★★
Conservée dans l'alcool
Conservée sous vide : ★★
Consommation crue : ★★
En beignet : ★★

En compote (avec sucre ajouté) : ★★
En compote sans sucre ajouté : ★★
En confiture : ★★
En confiture allégée en sucre : ★★
En confiture sans sucre : ★★
Fraîchement récoltée : ★★
Pochée sans sucre : ★★
Séchée : ★★
Surgelée : ★★

Grenadille : fruit comestible d'une passiflore. Fruit exotique.
A l'anglaise : ★★
Au sirop : ★★
Au sirop léger : ★★
Confite : ★★
Conserve au naturel : ★★
Conservée dans l'alcool
Conservée sous vide : ★★
Consommation crue : ★★
En beignet : ★★
En compote (avec sucre ajouté) : ★★
En compote sans sucre ajouté : ★★
En confiture : ★★
En confiture allégée en sucre : ★★
En confiture sans sucre : ★★
Fraîchement récoltée : ★★
Pochée sans sucre : ★★
Séchée : ★★
Surgelée : ★★

Grondin : poisson marin à chair blanche.
Conservé par le sel : ★★★
Conservé sous vide : ★★★
Consommation cru
Cuisson à la milanaise avec beurre doux : ★
Cuisson à la milanaise avec beurre salé : ★
Cuisson à la milanaise avec huile végétale : ★
Cuisson à la milanaise avec margarine végétale non salée : ★
Cuisson à la milanaise avec margarine végétale salée : ★

Grondin

Cuisson à la milanaise avec saindoux ou graisse d'oie ou de canard : ★

Cuisson à la milanaise sans matière grasse : ★

Cuisson à l'étouffée avec beurre doux : ★★★

Cuisson à l'étouffée avec beurre salé : ★★★

Cuisson à l'étouffée avec huile végétale : ★★★

Cuisson à l'étouffée avec margarine végétale non salée : ★★★

Cuisson à l'étouffée avec margarine végétale salée : ★★★

Cuisson à l'étouffée avec saindoux ou graisse d'oie ou de canard : ★★★

Cuisson à l'étouffée sans matière grasse : ★★★

Cuisson au court bouillon : ★★★

Cuisson en braisé avec beurre doux : ★★★

Cuisson en braisé avec beurre salé : ★★★

Cuisson en braisé avec huile végétale : ★★★

Cuisson en braisé avec margarine végétale non salée : ★★★

Cuisson en braisé avec margarine végétale salée : ★★★

Cuisson en braisé avec saindoux ou graisse d'oie ou de canard : ★★★

Cuisson en braisé sans matière grasse : ★★★

Cuisson en friture : ★★★

Cuisson en meunière avec beurre doux : ★★★

Cuisson en meunière avec beurre salé : ★★★

Cuisson en meunière avec huile végétale : ★★★

Cuisson en meunière avec margarine végétale non salée : ★★★

Cuisson en meunière avec margarine végétale salée : ★★★

Cuisson en meunière avec saindoux ou graisse d'oie ou de canard : ★★★

Cuisson en meunière sans matière grasse : ★★★

Cuisson en papillote : ★★★

Cuisson en sauté (idem poêlé).

Cuisson rôti à la broche : ★★★

Cuisson rôti au four avec beurre doux : ★★★

Cuisson rôti au four avec beurre salé : ★★★

Cuisson rôti au four avec huile végétale : ★★★

Cuisson rôti au four avec margarine végétale non salée : ★★★

Cuisson rôti au four avec margarine végétale salée : ★★★

Cuisson rôti au four avec saindoux ou graisse d'oie ou de canard : ★★★

Cuisson rôti au four sans matière grasse ajoutée : ★★★

Cuisson vapeur : ★★★
Grillé : ★★★
Pierrade : ★★★
Poêlé avec beurre doux : ★★★
Poêlé avec beurre salé : ★★★
Poêlé avec huile végétale : ★★★
Poêlé avec margarine végétale non salée : ★★★
Poêlé avec margarine végétale salée : ★★★
Poêlé avec saindoux ou graisse d'oie ou de canard : ★★★
Poêlé sans matière grasse : ★★★
Salé et fumé : ★
Séché : ★★★
Surgelé : ★★★
Remarque : pas d'huile d'arachide ni de beurre noisette.

Groseille : fruit comestible du groseillier.
A l'anglaise : ★★★
Au sirop : ★★★
Au sirop léger : ★★★
Confite : ★★★
Conserve au naturel : ★★★
Conservée dans l'alcool
Conservée sous vide : ★★★
Consommation crue : ★★★
En beignet : ★★★
En compote (avec sucre ajouté) : ★★★
En compote sans sucre ajouté : ★★★
En confiture : ★★★
En confiture allégée en sucre : ★★★
En confiture sans sucre : ★★★
Fraîchement récoltée : ★★★
Pochée sans sucre : ★★★
Séchée : ★★★★
Surgelée : ★★★

Gyromitre : voir « Champignon ».

H

Ha : requin comestible.
Conservé par le sel : ★★★
Conservé sous vide : ★★★
Consommation cru
Cuisson à la milanaise avec beurre doux : ★
Cuisson à la milanaise avec beurre salé : ★
Cuisson à la milanaise avec huile végétale : ★
Cuisson à la milanaise avec margarine végétale non salée : ★
Cuisson à la milanaise avec margarine végétale salée : ★
Cuisson à la milanaise avec saindoux ou graisse d'oie ou de canard : ★
Cuisson à la milanaise sans matière grasse : ★
Cuisson à l'étouffée avec beurre doux : ★★★
Cuisson à l'étouffée avec beurre salé : ★★★
Cuisson à l'étouffée avec huile végétale : ★★★
Cuisson à l'étouffée avec margarine végétale non salée : ★★★
Cuisson à l'étouffée avec margarine végétale salée : ★★★
Cuisson à l'étouffée avec saindoux ou graisse d'oie ou de canard : ★★★
Cuisson à l'étouffée sans matière grasse : ★★★
Cuisson au court bouillon : ★★★
Cuisson en braisé avec beurre doux : ★★★
Cuisson en braisé avec beurre salé : ★★★
Cuisson en braisé avec huile végétale : ★★★
Cuisson en braisé avec margarine végétale non salée : ★★★
Cuisson en braisé avec margarine végétale salée : ★★★
Cuisson en braisé avec saindoux ou graisse d'oie ou de canard : ★★★
Cuisson en braisé sans matière grasse : ★★★
Cuisson en friture : ★★★
Cuisson en meunière avec beurre doux : ★★★
Cuisson en meunière avec beurre salé : ★★★
Cuisson en meunière avec huile végétale : ★★★
Cuisson en meunière avec margarine végétale non salée : ★★★
Cuisson en meunière avec margarine végétale salée : ★★★

Cuisson en meunière avec saindoux ou graisse d'oie ou de canard : ★★★
Cuisson en meunière sans matière grasse : ★★★
Cuisson en papillote : ★★★
Cuisson en ragoût avec beurre doux : ★★★
Cuisson en ragoût avec beurre salé : ★★★
Cuisson en ragoût avec huile végétale : ★★★
Cuisson en ragoût avec margarine végétale non salée : ★★★
Cuisson en ragoût avec margarine végétale salée : ★★★
Cuisson en ragoût avec saindoux ou graisse d'oie ou de canard : ★★★
Cuisson en sauté (idem poêlé).
Cuisson rôti à la broche : ★★★
Cuisson rôti au four avec beurre doux : ★★★
Cuisson rôti au four avec beurre salé : ★★★
Cuisson rôti au four avec huile végétale : ★★★
Cuisson rôti au four avec margarine végétale non salée : ★★★
Cuisson rôti au four avec margarine végétale salée : ★★★
Cuisson rôti au four avec saindoux ou graisse d'oie ou de canard : ★★★
Cuisson rôti au four sans matière grasse ajoutée : ★★★
Cuisson vapeur : ★★★
Grillé : ★★★
Pierrade : ★★★
Poêlé avec beurre doux : ★★★
Poêlé avec beurre salé : ★★★
Poêlé avec huile végétale : ★★★
Poêlé avec margarine végétale non salée : ★★★
Poêlé avec margarine végétale salée : ★★★
Poêlé avec saindoux ou graisse d'oie ou de canard : ★★★
Poêlé sans matière grasse : ★★★
Salé et fumé : ★
Séché : ★★★
Surgelé : ★★★
Remarque : pas d'huile d'arachide ni de beurre noisette.

Haddock : voir « Eglefin » section *Salé et fumé*.

Hampe de bœuf : voir « Bœuf (viande de) ».

Hareng

Hareng : poisson gras marin.
Conservé dans le vinaigre : ★★★★
Conservé par le sel : ★★★★
Conservé sous vide : ★★★★
Consommation cru
Cuisson à la milanaise avec beurre doux : ★
Cuisson à la milanaise avec beurre salé : ★
Cuisson à la milanaise avec huile végétale : ★
Cuisson à la milanaise avec margarine végétale non salée : ★
Cuisson à la milanaise avec margarine végétale salée : ★
Cuisson à la milanaise avec saindoux ou graisse d'oie ou de canard : ★
Cuisson à la milanaise sans matière grasse : ★
Cuisson à l'étouffée avec beurre doux : ★★★★
Cuisson à l'étouffée avec beurre salé : ★★★★
Cuisson à l'étouffée avec huile végétale : ★★★★
Cuisson à l'étouffée avec margarine végétale non salée : ★★★★
Cuisson à l'étouffée avec margarine végétale salée : ★★★★
Cuisson à l'étouffée avec saindoux ou graisse d'oie ou de canard : ★★★★
Cuisson à l'étouffée sans matière grasse : ★★★★
Cuisson au court bouillon : ★★★★
Cuisson en braisé avec beurre doux : ★★★★
Cuisson en braisé avec beurre salé : ★★★★
Cuisson en braisé avec huile végétale : ★★★★
Cuisson en braisé avec margarine végétale non salée : ★★★★
Cuisson en braisé avec margarine végétale salée : ★★★★
Cuisson en braisé avec saindoux ou graisse d'oie ou de canard : ★★★★
Cuisson en braisé sans matière grasse : ★★★★
Cuisson en friture : ★★★★
Cuisson en meunière avec beurre doux : ★★★★
Cuisson en meunière avec beurre salé : ★★★★
Cuisson en meunière avec huile végétale : ★★★★
Cuisson en meunière avec margarine végétale non salée : ★★★★
Cuisson en meunière avec margarine végétale salée : ★★★★
Cuisson en meunière avec saindoux ou graisse d'oie ou de canard : ★★★★

Cuisson en meunière sans matière grasse : ★★★★
Cuisson en papillote : ★★★★
Cuisson en sauté (idem poêlé).
Cuisson rôti à la broche : ★★★ ★
Cuisson rôti au four avec beurre doux : ★★★★
Cuisson rôti au four avec beurre salé : ★★★★
Cuisson rôti au four avec huile végétale : ★★★★
Cuisson rôti au four avec margarine végétale non salée : ★★★★
Cuisson rôti au four avec margarine végétale salée : ★★★★
Cuisson rôti au four avec saindoux ou graisse d'oie ou de canard : ★★★★
Cuisson rôti au four sans matière grasse ajoutée : ★★★★
Cuisson vapeur : ★★★★
Grillé : ★★★ ★
Pierrade : ★★★★
Poêlé avec beurre doux : ★★★★
Poêlé avec beurre salé : ★★★★
Poêlé avec huile végétale : ★★★★
Poêlé avec margarine végétale non salée : ★★★★
Poêlé avec margarine végétale salée : ★★★★
Poêlé avec saindoux ou graisse d'oie ou de canard : ★★★★
Poêlé sans matière grasse : ★★★★
Salé et fumé : ★
Séché : ★★★★
Surgelé : ★★★★
Remarque : pas d'huile d'arachide ni de beurre noisette.

Hareng fumé : voir « Hareng » section *Salé et fumé.*

Hareng saur : voir « Hareng » section *Salé et fumé.*

Haricot azukis : voir « Haricot rouge ».

Haricot beurre : voir « Haricot vert ».

Haricot blanc : voir « Haricot sec ».

Haricot noir : voir « Haricot sec ».

Haricot rouge

Haricot rouge : voir « Haricot sec ».

Haricot sec : graine blanche, ou blanche et noire, rosée, rouge de haricot qui se consomme à pleine maturité. Féculent.
Conserve à l'étuvé : ★★★★
Conserve en saumure (eau salée) : ★★★★
Conservé sous vide : ★★★★
Consommation cru
Cuisson à l'étouffée avec beurre doux : ★★★★
Cuisson à l'étouffée avec beurre salé : ★★★★
Cuisson à l'étouffée avec huile végétale : ★★★★
Cuisson à l'étouffée avec margarine végétale non salée : ★★★★
Cuisson à l'étouffée avec margarine végétale salée : ★★★★
Cuisson à l'étouffée avec saindoux ou graisse d'oie ou de canard : ★★★★
Cuisson à l'étouffée sans matière grasse : ★★★★
Cuisson au court bouillon : ★★★★
Cuisson en braisé avec beurre doux : ★★★★
Cuisson en braisé avec beurre salé : ★★★★
Cuisson en braisé avec huile végétale : ★★★★
Cuisson en braisé avec margarine végétale non salée : ★★★★
Cuisson en braisé avec margarine végétale salée : ★★★★
Cuisson en braisé avec saindoux ou graisse d'oie ou de canard : ★★★★
Cuisson en braisé sans matière grasse : ★★★★
Cuisson en ragoût avec beurre doux : ★★★★
Cuisson en ragoût avec beurre salé : ★★★★
Cuisson en ragoût avec huile végétale : ★★★★
Cuisson en ragoût avec margarine végétale non salée : ★★★★
Cuisson en ragoût avec margarine végétale salée : ★★★★
Cuisson en ragoût avec saindoux ou graisse d'oie ou de canard : ★★★★
Potage crème : ★★★ ★
Potage nature sans matière grasse ajoutée : ★★★★
Potage velouté : ★★★★
Sec : ★★★★
Surgelé : ★★★
Remarque : pas d'huile d'arachide ni de beurre noisette.

Haricot de lima : voir « Fève ».

Haricot de soja : graine verte de soja. Légume vert.
Conserve à l'étuvé : ★★★★
Conserve en saumure (eau salée) : ★★★★
Conservée sous vide : ★★★★
Consommation crue
Cuisson à l'étouffée avec beurre doux : ★★★★
Cuisson à l'étouffée avec beurre salé : ★★★★
Cuisson à l'étouffée avec huile végétale : ★★★★
Cuisson à l'étouffée avec margarine végétale non salée : ★★★★
Cuisson à l'étouffée avec margarine végétale salée : ★★★★
Cuisson à l'étouffée avec saindoux ou graisse d'oie ou de canard : ★★★★
Cuisson à l'étouffée sans matière grasse : ★★★★
Cuisson au court bouillon : ★★★★
Cuisson en braisé avec beurre doux : ★★★★
Cuisson en braisé avec beurre salé : ★★★★
Cuisson en braisé avec huile végétale : ★★★★
Cuisson en braisé avec margarine végétale non salée : ★★★★
Cuisson en braisé avec margarine végétale salée : ★★★★
Cuisson en braisé avec saindoux ou graisse d'oie ou de canard : ★★★★
Cuisson en braisé sans matière grasse : ★★★★
Cuisson en ragoût avec beurre doux : ★★★★
Cuisson en ragoût avec beurre salé : ★★★★
Cuisson en ragoût avec huile végétale : ★★★★
Cuisson en ragoût avec margarine végétale non salée : ★★★★
Cuisson en ragoût avec margarine végétale salée : ★★★★
Cuisson en ragoût avec saindoux ou graisse d'oie ou de canard : ★★★★
Cuisson vapeur : ★★★★
Fermenté (Natto) : ★★★
Potage crème : ★★★★
Potage nature sans matière grasse ajoutée : ★★★★
Potage velouté : ★★★★
Surgelée : ★★★★
Remarque : pas d'huile d'arachide ni de beurre noisette.

Haricot mungo - Haricot vert

Haricot mungo : voir « Haricot de soja ».

Haricot vert : haricot de couleur vert ou violette, parfois vert strié de noir, ou brun, chocolat... qui se consomme jeune. Légume vert.

Conserve en saumure (eau salée) : ★★★
Conservé sous vide : ★★★
Consommation cru
Cuisson à l'étouffée avec beurre doux : ★★★
Cuisson à l'étouffée avec beurre salé : ★★★
Cuisson à l'étouffée avec huile végétale : ★★★
Cuisson à l'étouffée avec margarine végétale non salée : ★★★
Cuisson à l'étouffée avec margarine végétale salée : ★★★
Cuisson à l'étouffée avec saindoux ou graisse d'oie ou de canard : ★★★
Cuisson à l'étouffée sans matière grasse : ★★★
Cuisson au court bouillon : ★★★
Cuisson en beignet : ★★★
Cuisson en braisé avec beurre doux : ★★★
Cuisson en braisé avec beurre salé : ★★★
Cuisson en braisé avec huile végétale : ★★★
Cuisson en braisé avec margarine végétale non salée : ★★★
Cuisson en braisé avec margarine végétale salée : ★★★
Cuisson en braisé avec saindoux ou graisse d'oie ou de canard : ★★★
Cuisson en braisé sans matière grasse : ★★★
Cuisson en friture : ★★★
Cuisson en papillote : ★★★
Cuisson en ragoût avec beurre doux : ★★★
Cuisson en ragoût avec beurre salé : ★★★
Cuisson en ragoût avec huile végétale : ★★★
Cuisson en ragoût avec margarine végétale non salée : ★★★
Cuisson en ragoût avec margarine végétale salée : ★★★
Cuisson en ragoût avec saindoux ou graisse d'oie ou de canard : ★★★
Cuisson en sauté (idem poêlé).
Cuisson vapeur : ★★★
Poêlé avec beurre doux : ★★★
Poêlé avec beurre salé : ★★★
Poêlé avec huile végétale : ★★★

Poêlé avec margarine végétale non salée : ★★★
Poêlé avec margarine végétale salée : ★★★
Poêlé avec saindoux ou graisse d'oie ou de canard : ★★★
Poêlé sans matière grasse : ★★★
Potage crème : ★★★
Potage nature sans matière grasse ajoutée : ★★★
Potage velouté : ★★★
Surgelé : ★★★
Remarque : pas d'huile d'arachide ni de beurre noisette.

Hélianti : plante potagère dont on consomme le rhizome. Légume vert.
Conserve en saumure (eau salée) : ★★★
Conservé sous vide : ★★★
Consommation cru : ★★★
Cuisson à l'étouffée avec beurre doux : ★★★
Cuisson à l'étouffée avec beurre salé : ★★★
Cuisson à l'étouffée avec huile végétale : ★★★
Cuisson à l'étouffée avec margarine végétale non salée : ★★★
Cuisson à l'étouffée avec margarine végétale salée : ★★★
Cuisson à l'étouffée avec saindoux ou graisse d'oie ou de canard : ★★★
Cuisson à l'étouffée sans matière grasse : ★★★
Cuisson au court bouillon : ★★★
Cuisson en beignet : ★★★
Cuisson en braisé avec beurre doux : ★★★
Cuisson en braisé avec beurre salé : ★★★
Cuisson en braisé avec huile végétale : ★★★
Cuisson en braisé avec margarine végétale non salée : ★★★
Cuisson en braisé avec margarine végétale salée : ★★★
Cuisson en braisé avec saindoux ou graisse d'oie ou de canard : ★★★
Cuisson en braisé sans matière grasse : ★★★
Cuisson en friture : ★★★
Cuisson en papillote : ★★★
Cuisson en ragoût avec beurre doux : ★★★
Cuisson en ragoût avec beurre salé : ★★★
Cuisson en ragoût avec huile végétale : ★★★
Cuisson en ragoût avec margarine végétale non salée : ★★★

Hélianti - Homard

Cuisson en ragoût avec margarine végétale salée : ★★★
Cuisson en ragoût avec saindoux ou graisse d'oie ou de canard :
★★★
Cuisson en sauté (idem poêlé).
Cuisson vapeur : ★★★
Poêlé avec beurre doux : ★★★
Poêlé avec beurre salé : ★★★
Poêlé avec huile végétale : ★★★
Poêlé avec margarine végétale non salée : ★★★
Poêlé avec margarine végétale salée : ★★★
Poêlé avec saindoux ou graisse d'oie ou de canard : ★★★
Poêlé sans matière grasse : ★★★
Potage crème : ★★★
Potage nature sans matière grasse ajoutée : ★★★
Potage velouté : ★★★
Surgelé : ★★★
Remarque : pas d'huile d'arachide ni de beurre noisette.

Helvelle : voir « Champignon ».

Homard : crustacé marin très apprécié pour sa chair délicate.
Conservé par le sel : ★★★
Conservé sous vide : ★★★
Consommation cru
Cuisson à l'étouffée avec beurre doux : ★★★
Cuisson à l'étouffée avec beurre salé : ★★★
Cuisson à l'étouffée avec huile végétale : ★★★
Cuisson à l'étouffée avec margarine végétale non salée : ★★★
Cuisson à l'étouffée avec margarine végétale salée : ★★★
Cuisson à l'étouffée avec saindoux ou graisse d'oie ou de canard : ★★★
Cuisson à l'étouffée sans matière grasse : ★★★
Cuisson au court bouillon : ★★★
Cuisson en braisé avec beurre doux : ★★★
Cuisson en braisé avec beurre salé : ★★★
Cuisson en braisé avec huile végétale : ★★★
Cuisson en braisé avec margarine végétale non salée : ★★★
Cuisson en braisé avec margarine végétale salée : ★★★

Cuisson en braisé avec saindoux ou graisse d'oie ou de canard : ★★★
Cuisson en braisé sans matière grasse : ★★★
Cuisson en friture : ★★★
Cuisson en papillote : ★★★
Cuisson en ragoût avec beurre doux : ★★★
Cuisson en ragoût avec beurre salé : ★★★
Cuisson en ragoût avec huile végétale : ★★★
Cuisson en ragoût avec margarine végétale non salée : ★★★
Cuisson en ragoût avec margarine végétale salée : ★★★
Cuisson en ragoût avec saindoux ou graisse d'oie ou de canard : ★★★
Cuisson en sauté (idem poêlé).
Cuisson rôti au four avec beurre doux : ★★★
Cuisson rôti au four avec beurre salé : ★★★
Cuisson rôti au four avec huile végétale : ★★★
Cuisson rôti au four avec margarine végétale non salée : ★★★
Cuisson rôti au four avec margarine végétale salée : ★★★
Cuisson rôti au four avec saindoux ou graisse d'oie ou de canard : ★★★
Cuisson rôti au four sans matière grasse ajoutée : ★★★
Cuisson vapeur : ★★★
Grillé : ★★★
Poêlé avec beurre doux : ★★★
Poêlé avec beurre salé : ★★★
Poêlé avec huile végétale : ★★★
Poêlé avec margarine végétale non salée : ★★★
Poêlé avec margarine végétale salée : ★★★
Poêlé avec saindoux ou graisse d'oie ou de canard : ★★★
Poêlé sans matière grasse : ★★★
Surgelé : ★★★
Remarque : pas d'huile d'arachide ni de beurre noisette.

Hotu : poisson d'eau douce à chair blanche.
Conservé par le sel : ★★★
Conservé sous vide : ★★★
Consommation cru
Cuisson à la milanaise avec beurre doux : ★
Cuisson à la milanaise avec beurre salé : ★

Hotu

Cuisson à la milanaise avec huile végétale : ★
Cuisson à la milanaise avec margarine végétale non salée : ★
Cuisson à la milanaise avec margarine végétale salée : ★
Cuisson à la milanaise avec saindoux ou graisse d'oie ou de canard : ★
Cuisson à la milanaise sans matière grasse : ★
Cuisson à l'étouffée avec beurre doux : ★★★
Cuisson à l'étouffée avec beurre salé : ★★★
Cuisson à l'étouffée avec huile végétale : ★★★
Cuisson à l'étouffée avec margarine végétale non salée : ★★★
Cuisson à l'étouffée avec margarine végétale salée : ★★★
Cuisson à l'étouffée avec saindoux ou graisse d'oie ou de canard : ★★★
Cuisson à l'étouffée sans matière grasse : ★★★
Cuisson au court bouillon : ★★★
Cuisson en braisé avec beurre doux : ★★★
Cuisson en braisé avec beurre salé : ★★★
Cuisson en braisé avec huile végétale : ★★★
Cuisson en braisé avec margarine végétale non salée : ★★★
Cuisson en braisé avec margarine végétale salée : ★★★
Cuisson en braisé avec saindoux ou graisse d'oie ou de canard : ★★★
Cuisson en braisé sans matière grasse : ★★★
Cuisson en friture : ★★★
Cuisson en meunière avec beurre doux : ★★★
Cuisson en meunière avec beurre salé : ★★★
Cuisson en meunière avec huile végétale : ★★★
Cuisson en meunière avec margarine végétale non salée : ★★★
Cuisson en meunière avec margarine végétale salée : ★★★
Cuisson en meunière avec saindoux ou graisse d'oie ou de canard : ★★★
Cuisson en meunière sans matière grasse : ★★★
Cuisson en papillote : ★★★
Cuisson en sauté (idem poêlé).
Cuisson rôti à la broche : ★★★
Cuisson rôti au four avec beurre doux : ★★★
Cuisson rôti au four avec beurre salé : ★★★
Cuisson rôti au four avec huile végétale : ★★★
Cuisson rôti au four avec margarine végétale non salée : ★★★
Cuisson rôti au four avec margarine végétale salée : ★★★

Cuisson rôti au four avec saindoux ou graisse d'oie ou de canard : ★★★
Cuisson rôti au four sans matière grasse ajoutée : ★★★
Cuisson vapeur : ★★★
Grillé : ★★★
Pierrade : ★★★
Poêlé avec beurre doux : ★★★
Poêlé avec beurre salé : ★★★
Poêlé avec huile végétale : ★★★
Poêlé avec margarine végétale non salée : ★★★
Poêlé avec margarine végétale salée : ★★★
Poêlé avec saindoux ou graisse d'oie ou de canard : ★★★
Poêlé sans matière grasse : ★★★
Salé et fumé : ★
Séché : ★★★
Surgelé : ★★★
Remarque : pas d'huile d'arachide ni de beurre noisette.

Hydne : voir « Champignon ».

I

Icaque : fruit comestible de l'icaquier. Fruit exotique.
A l'anglaise : ★★
Au sirop : ★★
Au sirop léger : ★★
Confit : ★★
Conserve au naturel : ★★
Conservé dans l'alcool
Conservé sous vide : ★★
Consommation cru : ★★
En beignet : ★★
En compote (avec sucre ajouté) : ★★
En compote sans sucre ajouté : ★★
En confiture : ★★

En confiture allégée en sucre : ★★
En confiture sans sucre : ★★
Fraîchement récolté : ★★
Poché sans sucre : ★★
Séché : ★★
Surgelé : ★★

Igname : plante potagère cultivée pour son rhizome. Légume vert.
Conservé sous vide : ★★★
Consommation cru
Cuisson à la milanaise avec beurre doux : ★
Cuisson à la milanaise avec beurre salé : ★
Cuisson à la milanaise avec huile végétale : ★
Cuisson à la milanaise avec margarine végétale non salée : ★
Cuisson à la milanaise avec margarine végétale salée : ★
Cuisson à la milanaise avec saindoux ou graisse d'oie ou de canard : ★
Cuisson à la milanaise sans matière grasse : ★
Cuisson à l'étouffée avec beurre doux : ★★★
Cuisson à l'étouffée avec beurre salé : ★★★
Cuisson à l'étouffée avec huile végétale : ★★★
Cuisson à l'étouffée avec margarine végétale non salée : ★★★
Cuisson à l'étouffée avec margarine végétale salée : ★★★
Cuisson à l'étouffée avec saindoux ou graisse d'oie ou de canard : ★★★
Cuisson à l'étouffée sans matière grasse : ★★★
Cuisson au court bouillon : ★★★
Cuisson en braisé avec beurre doux : ★★★
Cuisson en braisé avec beurre salé : ★★★
Cuisson en braisé avec huile végétale : ★★★
Cuisson en braisé avec margarine végétale non salée : ★★★
Cuisson en braisé avec margarine végétale salée : ★★★
Cuisson en braisé avec saindoux ou graisse d'oie ou de canard : ★★★
Cuisson en braisé sans matière grasse : ★★★
Cuisson en friture : ★★★
Cuisson en meunière avec beurre doux : ★★★
Cuisson en meunière avec beurre salé : ★★★
Cuisson en meunière avec huile végétale : ★★★

Cuisson en meunière avec margarine végétale non salée : ★★★
Cuisson en meunière avec margarine végétale salée : ★★★
Cuisson en meunière avec saindoux ou graisse d'oie ou de canard : ★★★
Cuisson en meunière sans matière grasse : ★★★
Cuisson en papillote : ★★★
Cuisson en ragoût avec beurre doux : ★★★
Cuisson en ragoût avec beurre salé : ★★★
Cuisson en ragoût avec huile végétale : ★★★
Cuisson en ragoût avec margarine végétale non salée : ★★★
Cuisson en ragoût avec margarine végétale salée : ★★★
Cuisson en ragoût avec saindoux ou graisse d'oie ou de canard : ★★★
Cuisson en sauté (idem poêlé).
Cuisson vapeur : ★★★
Poêlé avec beurre doux : ★★★
Poêlé avec beurre salé : ★★★
Poêlé avec huile végétale : ★★★
Poêlé avec margarine végétale non salée : ★★★
Poêlé avec margarine végétale salée : ★★★
Poêlé avec saindoux ou graisse d'oie ou de canard : ★★★
Poêlé sans matière grasse : ★★★
Potage crème : ★★★
Potage nature sans matière grasse ajoutée : ★★★
Potage velouté : ★★★
Surgelé : ★★★
Remarque : pas d'huile d'arachide ni de beurre noisette.

J

Jambon blanc : voir « Porc (viande de) » section *Cuisson au court bouillon.*

Jambon blanc à teneur réduite en sel : voir « Porc (viande de) » section *Cuisson au court bouillon.*

Jambon braisé - Jarret de bœuf

Jambon braisé : voir « Porc (viande de) » section *Cuisson en braisé*.

Jambon de Paris : voir « Porc (viande de) » section *Cuisson au court bouillon*.

Jambon de poulet : voir « Poulet » section *Cuisson au court bouillon*.

Jambon d'York : voir « Porc (viande de) » section *Cuisson au court bouillon*.

Jambon fumé : voir « Porc (viande de) » section *Salée et fumée*.

Jambon sec : voir « Porc (viande de) » section *Salée et fumée*.

Jambose : fruit du jambosier. Fruit exotique.
A l'anglaise : ★★
Au sirop : ★★
Au sirop léger : ★★
Confite : ★★
Conserve au naturel : ★★
Conservée dans l'alcool
Conservée sous vide : ★★
Consommation crue : ★★
En beignet : ★★
En compote (avec sucre ajouté) : ★★
En compote sans sucre ajouté : ★★
En confiture : ★★
En confiture allégée en sucre : ★★
En confiture sans sucre : ★★
Fraîchement récoltée : ★★
Pochée sans sucre : ★★
Séchée : ★★
Surgelée : ★★

Jarret de bœuf : voir « Bœuf (viande de) » section *Cuisson au court bouillon*.

Jarret de veau : voir « Veau (viande de) » section *Cuisson au court bouillon.*

Joue de bœuf : voir « Bœuf (viande de) ».

Jujube : fruit du jujubier. Fruit exotique.
A l'anglaise : ★★
Au sirop : ★★
Au sirop léger : ★★
Confite : ★★
Conserve au naturel : ★★
Conservée dans l'alcool
Conservée sous vide : ★★
Consommation crue : ★★
En beignet : ★★
En compote (avec sucre ajouté) : ★★
En compote sans sucre ajouté : ★★
En confiture : ★★
En confiture allégée en sucre : ★★
En confiture sans sucre : ★★
Fraîchement récoltée : ★★
Pochée sans sucre : ★★
Séchée : ★★
Surgelée : ★★

Julienne : voir « Lingue ».

Julienne de légumes : mélange de légumes verts taillés en fin bâtonnets.
Conserve en saumure (eau salée) : ★★★
Conservée sous vide : ★★★
Consommation crue
Cuisson à l'étouffée avec beurre doux : ★★★
Cuisson à l'étouffée avec beurre salé : ★★★
Cuisson à l'étouffée avec huile végétale : ★★★
Cuisson à l'étouffée avec margarine végétale non salée : ★★★
Cuisson à l'étouffée avec margarine végétale salée : ★★★
Cuisson à l'étouffée avec saindoux ou graisse d'oie ou de canard : ★★★
Cuisson à l'étouffée sans matière grasse : ★★★

Julienne de légumes - Kaki

Cuisson au court bouillon : ★★★
Cuisson en beignet : ★★★
Cuisson en braisé avec beurre doux : ★★★
Cuisson en braisé avec beurre salé : ★★★
Cuisson en braisé avec huile végétale : ★★★
Cuisson en braisé avec margarine végétale non salée : ★★★
Cuisson en braisé avec margarine végétale salée : ★★★
Cuisson en braisé avec saindoux ou graisse d'oie ou de canard :
★★★
Cuisson en braisé sans matière grasse : ★★★
Cuisson en papillote : ★★★
Cuisson en sauté (idem poêlée).
Cuisson vapeur : ★★★
Poêlée avec beurre doux : ★★★
Poêlée avec beurre salé : ★★★
Poêlée avec huile végétale : ★★★
Poêlée avec margarine végétale non salée : ★★★
Poêlée avec margarine végétale salée : ★★★
Poêlée avec saindoux ou graisse d'oie ou de canard : ★★★
Poêlée sans matière grasse : ★★★
Potage crème : ★★★
Potage nature sans matière grasse ajoutée : ★★★
Potage velouté : ★★★
Surgelée : ★★★
Remarque : pas d'huile d'arachide ni de beurre noisette.

Jumeau : voir « Bœuf (viande de) ».

K

Kaki : fruit du plaqueminier.
A l'anglaise : ★★★
Au sirop : ★★★
Au sirop léger : ★★★
Confit : ★★★

Conserve au naturel : ★★★
Conservé dans l'alcool
Conservé sous vide : ★★★
Consommation cru : ★★★
En beignet : ★★★
En compote (avec sucre ajouté) : ★★★
En compote sans sucre ajouté : ★★★
En confiture : ★★★
En confiture allégée en sucre : ★★★
En confiture sans sucre : ★★★
Flambé (kaki poché) : ★★
Fraîchement récolté : ★★★
Poché sans sucre : ★★★
Séché : ★★★★
Surgelé : ★★★

Kangourou (viande de...) : viande apparentée à celle du bœuf. Viande rouge.
Conservée par le sel : ★★★
Conservée sous vide : ★★★
Consommation crue
Cuisson à la milanaise avec beurre doux : ★
Cuisson à la milanaise avec beurre salé : ★
Cuisson à la milanaise avec huile végétale : ★
Cuisson à la milanaise avec margarine végétale non salée : ★
Cuisson à la milanaise avec margarine végétale salée : ★
Cuisson à la milanaise avec saindoux ou graisse d'oie ou de canard : ★
Cuisson à la milanaise sans matière grasse : ★
Cuisson à l'étouffée avec beurre doux : ★★★
Cuisson à l'étouffée avec beurre salé : ★★★
Cuisson à l'étouffée avec huile végétale : ★★★
Cuisson à l'étouffée avec margarine végétale non salée : ★★★
Cuisson à l'étouffée avec margarine végétale salée : ★★★
Cuisson à l'étouffée avec saindoux ou graisse d'oie ou de canard : ★★★
Cuisson à l'étouffée sans matière grasse : ★★★
Cuisson au court bouillon : ★★★
Cuisson en braisé avec beurre doux : ★★★
Cuisson en braisé avec beurre salé : ★★★

Kangourou (viande de)

Cuisson en braisé avec huile végétale : ★★★
Cuisson en braisé avec margarine végétale non salée : ★★★
Cuisson en braisé avec margarine végétale salée : ★★★
Cuisson en braisé avec saindoux ou graisse d'oie ou de canard : ★★★
Cuisson en braisé sans matière grasse : ★★★
Cuisson en friture : ★★★
Cuisson en meunière avec beurre doux : ★★★
Cuisson en meunière avec beurre salé : ★★★
Cuisson en meunière avec huile végétale : ★★★
Cuisson en meunière avec margarine végétale non salée : ★★★
Cuisson en meunière avec margarine végétale salée : ★★★
Cuisson en meunière avec saindoux ou graisse d'oie ou de canard : ★★★
Cuisson en meunière sans matière grasse : ★★★
Cuisson en papillote : ★★★
Cuisson en ragoût avec beurre doux : ★★★
Cuisson en ragoût avec beurre salé : ★★★
Cuisson en ragoût avec huile végétale : ★★★
Cuisson en ragoût avec margarine végétale non salée : ★★★
Cuisson en ragoût avec margarine végétale salée : ★★★
Cuisson en ragoût avec saindoux ou graisse d'oie ou de canard : ★★★
Cuisson en sauté (idem poêlée).
Cuisson rôtie à la broche : ★★★
Cuisson rôtie au four avec beurre doux : ★★★
Cuisson rôtie au four avec beurre salé : ★★★
Cuisson rôtie au four avec huile végétale : ★★★
Cuisson rôtie au four avec margarine végétale non salée : ★★★
Cuisson rôtie au four avec margarine végétale salée : ★★★
Cuisson rôtie au four avec saindoux ou graisse d'oie ou de canard : ★★★
Cuisson rôtie au four sans matière grasse ajoutée : ★★★
Cuisson vapeur : ★★★
Grillée : ★★★
Pierrade : ★★★
Poêlée avec beurre doux : ★★★
Poêlée avec beurre salé : ★★★
Poêlée avec huile végétale : ★★★
Poêlée avec margarine végétale non salée : ★★★

Poêlée avec margarine végétale salée : ★★★
Poêlée avec saindoux ou graisse d'oie ou de canard : ★★★
Poêlée sans matière grasse : ★★★
Salée et fumée : ★
Séchée : ★★★
Surgelée : ★★★
Remarque : pas d'huile d'arachide ni de beurre noisette.

Kipper : voir « Hareng » section *Salé et fumé.*

Kiwi : fruit de l'actinidia.
A l'anglaise : ★★★
Au sirop : ★★★
Au sirop léger : ★★★
Confit : ★★★
Conserve au naturel : ★★★
Conservé dans l'alcool
Conservé sous vide : ★★★
Consommation cru : ★★★
En beignet : ★★★
En compote (avec sucre ajouté) : ★★★
En compote sans sucre ajouté : ★★★
En confiture : ★★★
En confiture allégée en sucre : ★★★
En confiture sans sucre : ★★★
Fraîchement récolté : ★★★
Poché sans sucre : ★★★
Séché : ★★★★
Surgelé : ★★★

Kumquat : petit fruit issu du kumquat, agrume jaune.
A l'anglaise : ★★★
Au sirop : ★★★
Au sirop léger : ★★★
Confit : ★★★
Conserve au naturel : ★★★
Conservé dans l'alcool
Conservé sous vide : ★★★
Consommation cru : ★★★

En beignet : ★★★
En compote (avec sucre ajouté) : ★★★
En compote sans sucre ajouté : ★★★
En confiture : ★★★
En confiture allégée en sucre : ★★★
En confiture sans sucre : ★★★
Fraîchement récolté : ★★★
Poché sans sucre : ★★★
Séché : ★★★★
Surgelé : ★★★

L

Labre : voir « Vieille ».

Lactaire : voir « Champignon ».

Lamproie : poisson de rivière à chair blanche.
Conservée par le sel : ★★★
Conservée sous vide : ★★★
Consommation crue
Cuisson à la milanaise avec beurre doux : ★
Cuisson à la milanaise avec beurre salé : ★
Cuisson à la milanaise avec huile végétale : ★
Cuisson à la milanaise avec margarine végétale non salée : ★
Cuisson à la milanaise avec margarine végétale salée : ★
Cuisson à la milanaise avec saindoux ou graisse d'oie ou de canard : ★
Cuisson à la milanaise sans matière grasse : ★
Cuisson à l'étouffée avec beurre doux : ★★★
Cuisson à l'étouffée avec beurre salé : ★★★
Cuisson à l'étouffée avec huile végétale : ★★★
Cuisson à l'étouffée avec margarine végétale non salée : ★★★
Cuisson à l'étouffée avec margarine végétale salée : ★★★
Cuisson à l'étouffée avec saindoux ou graisse d'oie ou de canard : ★★★

Cuisson à l'étouffée sans matière grasse : ★★★
Cuisson au court bouillon : ★★★
Cuisson en braisé avec beurre doux : ★★★
Cuisson en braisé avec beurre salé : ★★★
Cuisson en braisé avec huile végétale : ★★★
Cuisson en braisé avec margarine végétale non salée : ★★★
Cuisson en braisé avec margarine végétale salée : ★★★
Cuisson en braisé avec saindoux ou graisse d'oie ou de canard :
★★★
Cuisson en braisé sans matière grasse : ★★★
Cuisson en friture : ★★★
Cuisson en meunière avec beurre doux : ★★★
Cuisson en meunière avec beurre salé : ★★★
Cuisson en meunière avec huile végétale : ★★★
Cuisson en meunière avec margarine végétale non salée : ★★★
Cuisson en meunière avec margarine végétale salée : ★★★
*Cuisson en meunière avec saindoux ou graisse d'oie ou de
canard :* ★★★
Cuisson en meunière sans matière grasse : ★★★
Cuisson en papillote : ★★★
Cuisson en ragoût avec beurre doux : ★★★
Cuisson en ragoût avec beurre salé : ★★★
Cuisson en ragoût avec huile végétale : ★★★
Cuisson en ragoût avec margarine végétale non salée : ★★★
Cuisson en ragoût avec margarine végétale salée : ★★★
Cuisson en ragoût avec saindoux ou graisse d'oie ou de canard :
★★★
Cuisson en sauté (idem poêlée).
Cuisson rôtie au four avec beurre doux : ★★★
Cuisson rôtie au four avec beurre salé : ★★★
Cuisson rôtie au four avec huile végétale : ★★★
Cuisson rôtie au four avec margarine végétale non salée : ★★★
Cuisson rôtie au four avec margarine végétale salée : ★★★
*Cuisson rôtie au four avec saindoux ou graisse d'oie ou de
canard :* ★★★
Cuisson rôtie au four sans matière grasse ajoutée : ★★★
Cuisson vapeur : ★★★
Grillée : ★★★
Pierrade : ★★★
Poêlée avec beurre doux : ★★★

Poêlée avec beurre salé : ★★★
Poêlée avec huile végétale : ★★★
Poêlée avec margarine végétale non salée : ★★★
Poêlée avec margarine végétale salée : ★★★
Poêlée avec saindoux ou graisse d'oie ou de canard : ★★★
Poêlée sans matière grasse : ★★★
Salée et fumée : ★
Séchée : ★★★
Surgelée : ★★★
Remarque : pas d'huile d'arachide ni de beurre noisette.

Lançon : voir « Equille ».

Langouste : crustacé marcheur très apprécié pour sa chair.
Conservée par le sel : ★★★
Conservée sous vide : ★★★
Consommation crue
Cuisson à l'étouffée avec beurre doux : ★★★
Cuisson à l'étouffée avec beurre salé : ★★★
Cuisson à l'étouffée avec huile végétale : ★★★
Cuisson à l'étouffée avec margarine végétale non salée : ★★★
Cuisson à l'étouffée avec margarine végétale salée : ★★★
Cuisson à l'étouffée avec saindoux ou graisse d'oie ou de canard : ★★★
Cuisson à l'étouffée sans matière grasse : ★★★
Cuisson au court bouillon : ★★★
Cuisson en braisé avec beurre doux : ★★★
Cuisson en braisé avec beurre salé : ★★★
Cuisson en braisé avec huile végétale : ★★★
Cuisson en braisé avec margarine végétale non salée : ★★★
Cuisson en braisé avec margarine végétale salée : ★★★
Cuisson en braisé avec saindoux ou graisse d'oie ou de canard : ★★★
Cuisson en braisé sans matière grasse : ★★★
Cuisson en friture : ★★★
Cuisson en papillote : ★★★
Cuisson en ragoût avec beurre doux : ★★★
Cuisson en ragoût avec beurre salé : ★★★
Cuisson en ragoût avec huile végétale : ★★★

Cuisson en ragoût avec margarine végétale non salée : ★★★
Cuisson en ragoût avec margarine végétale salée : ★★★
Cuisson en ragoût avec saindoux ou graisse d'oie ou de canard :
★★★
Cuisson en sauté (idem poêlée).
Cuisson rôtie à la broche : ★★★
Cuisson rôtie au four avec beurre doux : ★★★
Cuisson rôtie au four avec beurre salé : ★★★
Cuisson rôtie au four avec huile végétale : ★★★
Cuisson rôtie au four avec margarine végétale non salée : ★★★
Cuisson rôtie au four avec margarine végétale salée : ★★★
Cuisson rôtie au four avec saindoux ou graisse d'oie ou de
canard : ★★★
Cuisson rôtie au four sans matière grasse ajoutée : ★★★
Cuisson vapeur : ★★★
Grillée : ★★★
Poêlée avec beurre doux : ★★★
Poêlée avec beurre salé : ★★★
Poêlée avec huile végétale : ★★★
Poêlée avec margarine végétale non salée : ★★★
Poêlée avec margarine végétale salée : ★★★
Poêlée avec saindoux ou graisse d'oie ou de canard : ★★★
Poêlée sans matière grasse : ★★★
Surgelée : ★★★
Remarque : pas d'huile d'arachide ni de beurre noisette.

Langoustine : crustacé de la taille d'une grosse écrevisse.
Conservée par le sel : ★★★
Conservée sous vide : ★★★
Consommation crue
Cuisson à l'étouffée avec beurre doux : ★★★
Cuisson à l'étouffée avec beurre salé : ★★★
Cuisson à l'étouffée avec huile végétale : ★★★
Cuisson à l'étouffée avec margarine végétale non salée : ★★★
Cuisson à l'étouffée avec margarine végétale salée : ★★★
Cuisson à l'étouffée avec saindoux ou graisse d'oie ou de
canard : ★★★
Cuisson à l'étouffée sans matière grasse : ★★★
Cuisson au court bouillon : ★★★

Langoustine - Langue de bœuf

Cuisson en braisé avec beurre doux : ★★★
Cuisson en braisé avec beurre salé : ★★★
Cuisson en braisé avec huile végétale : ★★★
Cuisson en braisé avec margarine végétale non salée : ★★★
Cuisson en braisé avec margarine végétale salée : ★★★
Cuisson en braisé avec saindoux ou graisse d'oie ou de canard :
★★★
Cuisson en braisé sans matière grasse : ★★★
Cuisson en friture : ★★★
Cuisson en papillote : ★★★
Cuisson en ragoût avec beurre doux : ★★★
Cuisson en ragoût avec beurre salé : ★★★
Cuisson en ragoût avec huile végétale : ★★★
Cuisson en ragoût avec margarine végétale non salée : ★★★
Cuisson en ragoût avec margarine végétale salée : ★★★
Cuisson en ragoût avec saindoux ou graisse d'oie ou de canard :
★★★
Cuisson en sauté (idem poêlée).
Cuisson rôtie au four avec beurre doux : ★★★
Cuisson rôtie au four avec beurre salé : ★★★
Cuisson rôtie au four avec huile végétale : ★★★
Cuisson rôtie au four avec margarine végétale non salée : ★★★
Cuisson rôtie au four avec margarine végétale salée : ★★★
Cuisson rôtie au four avec saindoux ou graisse d'oie ou de canard : ★★★
Cuisson rôtie au four sans matière grasse ajoutée : ★★★
Cuisson vapeur : ★★★
Grillée : ★★★
Poêlée avec beurre doux : ★★★
Poêlée avec beurre salé : ★★★
Poêlée avec huile végétale : ★★★
Poêlée avec margarine végétale non salée : ★★★
Poêlée avec margarine végétale salée : ★★★
Poêlée avec saindoux ou graisse d'oie ou de canard : ★★★
Poêlée sans matière grasse : ★★★
Surgelée : ★★★
Remarque : pas d'huile d'arachide ni de beurre noisette.

Langue de bœuf : voir « Bœuf (viande de) ».

Langue de porc : voir « Porc (viande de) ».

Lapin : mammifère herbivore.
Conservé par le sel : ✶✶✶
Conservé sous vide : ✶✶✶
Consommation cru
Cuisson à la milanaise avec beurre doux : ✶
Cuisson à la milanaise avec beurre salé : ✶
Cuisson à la milanaise avec huile végétale : ✶
Cuisson à la milanaise avec margarine végétale non salée : ✶
Cuisson à la milanaise avec margarine végétale salée : ✶
Cuisson à la milanaise avec saindoux ou graisse d'oie ou de canard : ✶
Cuisson à la milanaise sans matière grasse : ✶
Cuisson à l'étouffée avec beurre doux : ✶✶✶
Cuisson à l'étouffée avec beurre salé : ✶✶✶
Cuisson à l'étouffée avec huile végétale : ✶✶✶
Cuisson à l'étouffée avec margarine végétale non salée : ✶✶✶
Cuisson à l'étouffée avec margarine végétale salée : ✶✶✶
Cuisson à l'étouffée avec saindoux ou graisse d'oie ou de canard : ✶✶✶
Cuisson à l'étouffée sans matière grasse : ✶✶✶
Cuisson au court bouillon : ✶✶✶
Cuisson en braisé avec beurre doux : ✶✶✶
Cuisson en braisé avec beurre salé : ✶✶✶
Cuisson en braisé avec huile végétale : ✶✶✶
Cuisson en braisé avec margarine végétale non salée : ✶✶✶
Cuisson en braisé avec margarine végétale salée : ✶✶✶
Cuisson en braisé avec saindoux ou graisse d'oie ou de canard : ✶✶✶
Cuisson en braisé sans matière grasse : ✶✶✶
Cuisson en friture : ✶✶✶
Cuisson en meunière avec beurre doux : ✶✶✶
Cuisson en meunière avec beurre salé : ✶✶✶
Cuisson en meunière avec huile végétale : ✶✶✶
Cuisson en meunière avec margarine végétale non salée : ✶✶✶
Cuisson en meunière avec margarine végétale salée : ✶✶✶
Cuisson en meunière avec saindoux ou graisse d'oie ou de canard : ✶✶✶
Cuisson en meunière sans matière grasse : ✶✶✶

Lapin - Lapin de garenne

Cuisson en papillote : ★★★
Cuisson en ragoût avec beurre doux : ★★★
Cuisson en ragoût avec beurre salé : ★★★
Cuisson en ragoût avec huile végétale : ★★★
Cuisson en ragoût avec margarine végétale non salée : ★★★
Cuisson en ragoût avec margarine végétale salée : ★★★
Cuisson en ragoût avec saindoux ou graisse d'oie ou de canard :
★★★
Cuisson en sauté (idem poêlé).
Cuisson rôti à la broche : ★★★
Cuisson rôti au four avec beurre doux : ★★★
Cuisson rôti au four avec beurre salé : ★★★
Cuisson rôti au four avec huile végétale : ★★★
Cuisson rôti au four avec margarine végétale non salée : ★★★
Cuisson rôti au four avec margarine végétale salée : ★★★
Cuisson rôti au four avec saindoux ou graisse d'oie ou de
canard : ★★★
Cuisson rôti au four sans matière grasse ajoutée : ★★★
Cuisson vapeur : ★★★
Grillé : ★★★
Pierrade : ★★★
Poêlé avec beurre doux : ★★★
Poêlé avec beurre salé : ★★★
Poêlé avec huile végétale : ★★★
Poêlé avec margarine végétale non salée : ★★★
Poêlé avec margarine végétale salée : ★★★
Poêlé avec saindoux ou graisse d'oie ou de canard : ★★★
Poêlé sans matière grasse : ★★★
Salé et fumé : ★
Séché : ★★★
Surgelé : ★★★

Remarque : pas d'huile d'arachide ni de beurre noisette.

Lapin de garenne : lapin sauvage. Gibier.
Conservé par le sel : ★★★
Conservé sous vide : ★★★
Consommation cru
Cuisson à la milanaise avec beurre doux : ★
Cuisson à la milanaise avec beurre salé : ★

Cuisson à la milanaise avec huile végétale : ★
Cuisson à la milanaise avec margarine végétale non salée : ★
Cuisson à la milanaise avec margarine végétale salée : ★
Cuisson à la milanaise avec saindoux ou graisse d'oie ou de canard : ★
Cuisson à la milanaise sans matière grasse : ★
Cuisson à l'étouffée avec beurre doux : ★★★
Cuisson à l'étouffée avec beurre salé : ★★★
Cuisson à l'étouffée avec huile végétale : ★★★
Cuisson à l'étouffée avec margarine végétale non salée : ★★★
Cuisson à l'étouffée avec margarine végétale salée : ★★★
Cuisson à l'étouffée avec saindoux ou graisse d'oie ou de canard : ★★★
Cuisson à l'étouffée sans matière grasse : ★★★
Cuisson au court bouillon : ★★★
Cuisson en braisé avec beurre doux : ★★★
Cuisson en braisé avec beurre salé : ★★★
Cuisson en braisé avec huile végétale : ★★★
Cuisson en braisé avec margarine végétale non salée : ★★★
Cuisson en braisé avec margarine végétale salée : ★★★
Cuisson en braisé avec saindoux ou graisse d'oie ou de canard : ★★★
Cuisson en braisé sans matière grasse : ★★★
Cuisson en friture : ★★★
Cuisson en meunière avec beurre doux : ★★★
Cuisson en meunière avec beurre salé : ★★★
Cuisson en meunière avec huile végétale : ★★★
Cuisson en meunière avec margarine végétale non salée : ★★★
Cuisson en meunière avec margarine végétale salée : ★★★
Cuisson en meunière avec saindoux ou graisse d'oie ou de canard : ★★★
Cuisson en meunière sans matière grasse : ★★★
Cuisson en papillote : ★★★
Cuisson en ragoût avec beurre doux : ★★★
Cuisson en ragoût avec beurre salé : ★★★
Cuisson en ragoût avec huile végétale : ★★★
Cuisson en ragoût avec margarine végétale non salée : ★★★
Cuisson en ragoût avec margarine végétale salée : ★★★
Cuisson en ragoût avec saindoux ou graisse d'oie ou de canard : ★★★

Lapin de garenne - Lépiote

Cuisson en sauté (idem poêlé).
Cuisson rôti à la broche : ★★★
Cuisson rôti au four avec beurre doux : ★★★
Cuisson rôti au four avec beurre salé : ★★★
Cuisson rôti au four avec huile végétale : ★★★
Cuisson rôti au four avec margarine végétale non salée : ★★★
Cuisson rôti au four avec margarine végétale salée : ★★★
Cuisson rôti au four avec saindoux ou graisse d'oie ou de canard : ★★★
Cuisson rôti au four sans matière grasse ajoutée : ★★★
Cuisson vapeur : ★★★
Faisandé
Grillé : ★★★
Pierrade : ★★★
Poêlé avec beurre doux : ★★★
Poêlé avec beurre salé : ★★★
Poêlé avec huile végétale : ★★★
Poêlé avec margarine végétale non salée : ★★★
Poêlé avec margarine végétale salée : ★★★
Poêlé avec saindoux ou graisse d'oie ou de canard : ★★★
Poêlé sans matière grasse : ★★★
Salé et fumé : ★
Séché : ★★★
Surgelé : ★★★
Remarque : pas d'huile d'arachide ni de beurre noisette.

Lard : voir « Porc (viande de) ».

Lard de poitrine fumé : voir « Porc (viande de) » section *Salée et fumée.*

Lard de poitrine nature : voir « Porc (viande de) ».

Lardon fumé : voir « Porc (viande de) » section *Salée et fumée.*

Lardon nature : voir « Porc (viande de) ».

Lépiote : voir « Champignon ».

Lieu (noir) : voir « Colin ».

Lièvre : voir « Lapin de garenne ».

Limande : poisson plat marin à chair blanche.
Conservée par le sel : ★★★
Conservée sous vide : ★★★
Consommation crue
Cuisson à la milanaise avec beurre doux : ★
Cuisson à la milanaise avec beurre salé : ★
Cuisson à la milanaise avec huile végétale : ★
Cuisson à la milanaise avec margarine végétale non salée : ★
Cuisson à la milanaise avec margarine végétale salée : ★
Cuisson à la milanaise avec saindoux ou graisse d'oie ou de canard : ★
Cuisson à la milanaise sans matière grasse : ★
Cuisson à l'étouffée avec beurre doux : ★★★
Cuisson à l'étouffée avec beurre salé : ★★★
Cuisson à l'étouffée avec huile végétale : ★★★
Cuisson à l'étouffée avec margarine végétale non salée : ★★★
Cuisson à l'étouffée avec margarine végétale salée : ★★★
Cuisson à l'étouffée avec saindoux ou graisse d'oie ou de canard : ★★★
Cuisson à l'étouffée sans matière grasse : ★★★
Cuisson au court bouillon : ★★★
Cuisson en braisé avec beurre doux : ★★★
Cuisson en braisé avec beurre salé : ★★★
Cuisson en braisé avec huile végétale : ★★★
Cuisson en braisé avec margarine végétale non salée : ★★★
Cuisson en braisé avec margarine végétale salée : ★★★
Cuisson en braisé avec saindoux ou graisse d'oie ou de canard : ★★★
Cuisson en braisé sans matière grasse : ★★★
Cuisson en friture : ★★★
Cuisson en meunière avec beurre doux : ★★★
Cuisson en meunière avec beurre salé : ★★★
Cuisson en meunière avec huile végétale : ★★★
Cuisson en meunière avec margarine végétale non salée : ★★★
Cuisson en meunière avec margarine végétale salée : ★★★

Limande - Lingue

Cuisson en meunière avec saindoux ou graisse d'oie ou de canard : ★★★
Cuisson en meunière sans matière grasse : ★★★
Cuisson en papillote : ★★★
Cuisson en sauté (idem poêlée).
Cuisson rôtie au four avec beurre doux : ★★★
Cuisson rôtie au four avec beurre salé : ★★★
Cuisson rôtie au four avec huile végétale : ★★★
Cuisson rôtie au four avec margarine végétale non salée : ★★★
Cuisson rôtie au four avec margarine végétale salée : ★★★
Cuisson rôtie au four avec saindoux ou graisse d'oie ou de canard : ★★★
Cuisson rôtie au four sans matière grasse ajoutée : ★★★
Cuisson vapeur : ★★★
Grillée : ★★★
Pierrade : ★★★
Poêlée avec beurre doux : ★★★
Poêlée avec beurre salé : ★★★
Poêlée avec huile végétale : ★★★
Poêlée avec margarine végétale non salée : ★★★
Poêlée avec margarine végétale salée : ★★★
Poêlée avec saindoux ou graisse d'oie ou de canard : ★★★
Poêlée sans matière grasse : ★★★
Salée et fumée : ★
Séchée : ★★★
Surgelée : ★★★
Remarque : pas d'huile d'arachide ni de beurre noisette.

Lingue : poisson marin à chair blanche.
Conservée par le sel : ★★★
Conservée sous vide : ★★★
Consommation crue
Cuisson à la milanaise avec beurre doux : ★
Cuisson à la milanaise avec beurre salé : ★
Cuisson à la milanaise avec huile végétale : ★
Cuisson à la milanaise avec margarine végétale non salée : ★
Cuisson à la milanaise avec margarine végétale salée : ★
Cuisson à la milanaise avec saindoux ou graisse d'oie ou de canard : ★

Cuisson à la milanaise sans matière grasse : ★
Cuisson à l'étouffée avec beurre doux : ★★★
Cuisson à l'étouffée avec beurre salé : ★★★
Cuisson à l'étouffée avec huile végétale : ★★★
Cuisson à l'étouffée avec margarine végétale non salée : ★★★
Cuisson à l'étouffée avec margarine végétale salée : ★★★
Cuisson à l'étouffée avec saindoux ou graisse d'oie ou de canard : ★★★
Cuisson à l'étouffée sans matière grasse : ★★★
Cuisson au court bouillon : ★★★
Cuisson en braisé avec beurre doux : ★★★
Cuisson en braisé avec beurre salé : ★★★
Cuisson en braisé avec huile végétale : ★★★
Cuisson en braisé avec margarine végétale non salée : ★★★
Cuisson en braisé avec margarine végétale salée : ★★★
Cuisson en braisé avec saindoux ou graisse d'oie ou de canard : ★★★
Cuisson en braisé sans matière grasse : ★★★
Cuisson en friture : ★★★
Cuisson en meunière avec beurre doux : ★★★
Cuisson en meunière avec beurre salé : ★★★
Cuisson en meunière avec huile végétale : ★★★
Cuisson en meunière avec margarine végétale non salée : ★★★
Cuisson en meunière avec margarine végétale salée : ★★★
Cuisson en meunière avec saindoux ou graisse d'oie ou de canard : ★★★
Cuisson en meunière sans matière grasse : ★★★
Cuisson en papillote : ★★★
Cuisson en sauté (idem poêlée).
Cuisson rôtie au four avec beurre doux : ★★★
Cuisson rôtie au four avec beurre salé : ★★★
Cuisson rôtie au four avec huile végétale : ★★★
Cuisson rôtie au four avec margarine végétale non salée : ★★★
Cuisson rôtie au four avec margarine végétale salée : ★★★
Cuisson rôtie au four avec saindoux ou graisse d'oie ou de canard : ★★★
Cuisson rôtie au four sans matière grasse ajoutée : ★★★
Cuisson vapeur : ★★★
Grillée : ★★★
Pierrade : ★★★

Poêlée avec beurre doux : ★★★
Poêlée avec beurre salé : ★★★
Poêlée avec huile végétale : ★★★
Poêlée avec margarine végétale non salée : ★★★
Poêlée avec margarine végétale salée : ★★★
Poêlée avec saindoux ou graisse d'oie ou de canard : ★★★
Poêlée sans matière grasse : ★★★
Salée et fumée : ★
Séchée : ★★★
Surgelée : ★★★
Remarque : pas d'huile d'arachide ni de beurre noisette.

Litchi : fruit du lychee. Fruit exotique.
A l'anglaise : ★★★
Au sirop : ★★★
Au sirop léger : ★★★
Confit : ★★★
Conserve au naturel : ★★★
Conservé dans l'alcool
Conservé sous vide : ★★★
Consommation cru : ★★★
En beignet : ★★★
En compote (avec sucre ajouté) : ★★★
En compote sans sucre ajouté : ★★★
En confiture : ★★★
En confiture allégée en sucre : ★★★
En confiture sans sucre : ★★★
Flambé (litchi poché) : ★★
Fraîchement récolté : ★★★
Poché sans sucre : ★★★
Surgelé : ★★★

Littorine : voir « Bigorneau ».

Loche : petit poisson d'eau douce à chair blanche.
Conservée par le sel : ★★★
Conservée sous vide : ★★★
Consommation crue
Cuisson à la milanaise avec beurre doux : ★

Cuisson à la milanaise avec beurre salé : ★
Cuisson à la milanaise avec huile végétale : ★
Cuisson à la milanaise avec margarine végétale non salée : ★
Cuisson à la milanaise avec margarine végétale salée : ★
Cuisson à la milanaise avec saindoux ou graisse d'oie ou de canard : ★
Cuisson à la milanaise sans matière grasse : ★
Cuisson en beignet : ★★★
Cuisson en friture : ★★★
Cuisson en meunière avec beurre doux : ★★★
Cuisson en meunière avec beurre salé : ★★★
Cuisson en meunière avec huile végétale : ★★★
Cuisson en meunière avec margarine végétale non salée : ★★★
Cuisson en meunière avec margarine végétale salée : ★★★
Cuisson en meunière avec saindoux ou graisse d'oie ou de canard : ★★★
Cuisson en meunière sans matière grasse : ★★★
Cuisson en sauté (idem poêlée).
Pierrade : ★★★
Poêlée avec beurre doux : ★★★
Poêlée avec beurre salé : ★★★
Poêlée avec huile végétale : ★★★
Poêlée avec margarine végétale non salée : ★★★
Poêlée avec margarine végétale salée : ★★★
Poêlée avec saindoux ou graisse d'oie ou de canard : ★★★
Poêlée sans matière grasse : ★★★
Salée et fumée : ★
Séchée : ★★★
Surgelée : ★★★
Remarque : pas d'huile d'arachide ni de beurre noisette.

Loche marin : poisson marin à chair blanche.
Conservée par le sel : ★★★
Conservée sous vide : ★★★
Consommation crue
Cuisson à la milanaise avec beurre doux : ★
Cuisson à la milanaise avec beurre salé : ★
Cuisson à la milanaise avec huile végétale : ★
Cuisson à la milanaise avec margarine végétale non salée : ★

Loche marin - Longane

Cuisson à la milanaise avec margarine végétale salée : ★
Cuisson à la milanaise avec saindoux ou graisse d'oie ou de canard : ★
Cuisson à la milanaise sans matière grasse : ★
Cuisson en beignet : ★★★
Cuisson en friture : ★★★
Cuisson en meunière avec beurre doux : ★★★
Cuisson en meunière avec beurre salé : ★★★
Cuisson en meunière avec huile végétale : ★★★
Cuisson en meunière avec margarine végétale non salée : ★★★
Cuisson en meunière avec margarine végétale salée : ★★★
Cuisson en meunière avec saindoux ou graisse d'oie ou de canard : ★★★
Cuisson en meunière sans matière grasse : ★★★
Cuisson en sauté (idem poêlée).
Pierrade : ★★★
Poêlée avec beurre doux : ★★★
Poêlée avec beurre salé : ★★★
Poêlée avec huile végétale : ★★★
Poêlée avec margarine végétale non salée : ★★★
Poêlée avec margarine végétale salée : ★★★
Poêlée avec saindoux ou graisse d'oie ou de canard : ★★★
Poêlée sans matière grasse : ★★★
Salée et fumée : ★
Séchée : ★★★
Surgelée : ★★★
Remarque : pas d'huile d'arachide ni de beurre noisette.

Longane : fruit du longanier. Fruit exotique.
A l'anglaise : ★★
Au sirop : ★★
Au sirop léger : ★★
Confite : ★★
Conserve au naturel : ★★
Conservée dans l'alcool
Conservée sous vide : ★★
Consommation crue : ★★
En beignet : ★★
En compote (avec sucre ajouté) : ★★

En compote sans sucre ajouté : ★★
En confiture : ★★
En confiture allégée en sucre : ★★
En confiture sans sucre : ★★
Fraîchement récoltée : ★★
Pochée sans sucre : ★★
Séchée : ★★
Surgelée : ★★

Longe de porc : voir « Porc (viande de) ».

Longe de veau : voir « Veau (viande de) ».

Lotte : poisson marin ou d'eau douce à chair blanche.
Conservée par le sel : ★★★
Conservée sous vide : ★★★
Consommation crue
Cuisson à la milanaise avec beurre doux : ★
Cuisson à la milanaise avec beurre salé : ★
Cuisson à la milanaise avec huile végétale : ★
Cuisson à la milanaise avec margarine végétale non salée : ★
Cuisson à la milanaise avec margarine végétale salée : ★
Cuisson à la milanaise avec saindoux ou graisse d'oie ou de canard : ★
Cuisson à la milanaise sans matière grasse : ★
Cuisson à l'étouffée avec beurre doux : ★★★
Cuisson à l'étouffée avec beurre salé : ★★★
Cuisson à l'étouffée avec huile végétale : ★★★
Cuisson à l'étouffée avec margarine végétale non salée : ★★★
Cuisson à l'étouffée avec margarine végétale salée : ★★★
Cuisson à l'étouffée avec saindoux ou graisse d'oie ou de canard : ★★★
Cuisson à l'étouffée sans matière grasse : ★★★
Cuisson au court bouillon : ★★★
Cuisson en braisé avec beurre doux : ★★★
Cuisson en braisé avec beurre salé : ★★★
Cuisson en braisé avec huile végétale : ★★★
Cuisson en braisé avec margarine végétale non salée : ★★★
Cuisson en braisé avec margarine végétale salée : ★★★

Lotte

Cuisson en braisé avec saindoux ou graisse d'oie ou de canard : ★★★

Cuisson en braisé sans matière grasse : ★★★

Cuisson en friture : ★★★

Cuisson en meunière avec beurre doux : ★★★

Cuisson en meunière avec beurre salé : ★★★

Cuisson en meunière avec huile végétale : ★★★

Cuisson en meunière avec margarine végétale non salée : ★★★

Cuisson en meunière avec margarine végétale salée : ★★★

Cuisson en meunière avec saindoux ou graisse d'oie ou de canard : ★★★

Cuisson en meunière sans matière grasse : ★★★

Cuisson en papillote : ★★★

Cuisson en ragoût avec beurre doux : ★★★

Cuisson en ragoût avec beurre salé : ★★★

Cuisson en ragoût avec huile végétale : ★★★

Cuisson en ragoût avec margarine végétale non salée : ★★★

Cuisson en ragoût avec margarine végétale salée : ★★★

Cuisson en ragoût avec saindoux ou graisse d'oie ou de canard : ★★★

Cuisson en sauté (idem poêlée).

Cuisson rôtie à la broche : ★★★

Cuisson rôtie au four avec beurre doux : ★★★

Cuisson rôtie au four avec beurre salé : ★★★

Cuisson rôtie au four avec huile végétale : ★★★

Cuisson rôtie au four avec margarine végétale non salée : ★★★

Cuisson rôtie au four avec margarine végétale salée : ★★★

Cuisson rôtie au four avec saindoux ou graisse d'oie ou de canard : ★★★

Cuisson rôtie au four sans matière grasse ajoutée : ★★★

Cuisson vapeur : ★★★

Grillée : ★★★

Pierrade : ★★★

Poêlée avec beurre doux : ★★★

Poêlée avec beurre salé : ★★★

Poêlée avec huile végétale : ★★★

Poêlée avec margarine végétale non salée : ★★★

Poêlée avec margarine végétale salée : ★★★

Poêlée avec saindoux ou graisse d'oie ou de canard : ★★★

Poêlée sans matière grasse : ★★★

Salée et fumée : ★
Séchée : ★★★
Surgelée : ★★★
Remarque : pas d'huile d'arachide ni de beurre noisette.

ℳ

Macédoine : mélange de légumes verts coupés en morceaux.
Conserve en saumure (eau salée) : ★★★
Conservée sous vide : ★★★
Consommation crue
Cuisson à l'étouffée avec beurre doux : ★★★
Cuisson à l'étouffée avec beurre salé : ★★★
Cuisson à l'étouffée avec huile végétale : ★★★
Cuisson à l'étouffée avec margarine végétale non salée : ★★★
Cuisson à l'étouffée avec margarine végétale salée : ★★★
Cuisson à l'étouffée avec saindoux ou graisse d'oie ou de canard : ★★★
Cuisson à l'étouffée sans matière grasse : ★★★
Cuisson au court bouillon : ★★★
Cuisson en beignet : ★★★
Cuisson en braisé avec beurre doux : ★★★
Cuisson en braisé avec beurre salé : ★★★
Cuisson en braisé avec huile végétale : ★★★
Cuisson en braisé avec margarine végétale non salée : ★★★
Cuisson en braisé avec margarine végétale salée : ★★★
Cuisson en braisé avec saindoux ou graisse d'oie ou de canard : ★★★
Cuisson en braisé sans matière grasse : ★★★
Cuisson en papillote : ★★★
Cuisson en sauté (idem poêlée).
Cuisson vapeur : ★★★
Poêlée avec beurre doux : ★★★
Poêlée avec beurre salé : ★★★
Poêlée avec huile végétale : ★★★

Macédoine - Maigre

Poêlée avec margarine végétale non salée : ★★★
Poêlée avec margarine végétale salée : ★★★
Poêlée avec saindoux ou graisse d'oie ou de canard : ★★★
Poêlée sans matière grasse : ★★★
Potage crème : ★★★
Potage nature sans matière grasse ajoutée : ★★★
Potage velouté : ★★★
Surgelée : ★★★
Remarque : pas d'huile d'arachide ni de beurre noisette.

Macreuse : voir « Bœuf (viande de) ».

Magret : voir « Canard (viande de) ».

Maigre : poisson marin à chair blanche.
Conservé par le sel : ★★★
Conservé sous vide : ★★★
Consommation cru
Cuisson à la milanaise avec beurre doux : ★
Cuisson à la milanaise avec beurre salé : ★
Cuisson à la milanaise avec huile végétale : ★
Cuisson à la milanaise avec margarine végétale non salée : ★
Cuisson à la milanaise avec margarine végétale salée : ★
Cuisson à la milanaise avec saindoux ou graisse d'oie ou de canard : ★
Cuisson à la milanaise sans matière grasse : ★
Cuisson à l'étouffée avec beurre doux : ★★★
Cuisson à l'étouffée avec beurre salé : ★★★
Cuisson à l'étouffée avec huile végétale : ★★★
Cuisson à l'étouffée avec margarine végétale non salée : ★★★
Cuisson à l'étouffée avec margarine végétale salée : ★★★
Cuisson à l'étouffée avec saindoux ou graisse d'oie ou de canard : ★★★
Cuisson à l'étouffée sans matière grasse : ★★★
Cuisson au court bouillon : ★★★
Cuisson en braisé avec beurre doux : ★★★
Cuisson en braisé avec beurre salé : ★★★
Cuisson en braisé avec huile végétale : ★★★
Cuisson en braisé avec margarine végétale non salée : ★★★

Cuisson en braisé avec margarine végétale salée : ★★★
Cuisson en braisé avec saindoux ou graisse d'oie ou de canard :
★★★
Cuisson en braisé sans matière grasse : ★★★
Cuisson en friture : ★★★
Cuisson en meunière avec beurre doux : ★★★
Cuisson en meunière avec beurre salé : ★★★
Cuisson en meunière avec huile végétale : ★★★
Cuisson en meunière avec margarine végétale non salée : ★★★
Cuisson en meunière avec margarine végétale salée : ★★★
Cuisson en meunière avec saindoux ou graisse d'oie ou de canard : ★★★
Cuisson en meunière sans matière grasse : ★★★
Cuisson en papillote : ★★★
Cuisson en sauté (idem poêlé).
Cuisson rôti à la broche : ★★★
Cuisson rôti au four avec beurre doux : ★★★
Cuisson rôti au four avec beurre salé : ★★★
Cuisson rôti au four avec huile végétale : ★★★
Cuisson rôti au four avec margarine végétale non salée : ★★★
Cuisson rôti au four avec margarine végétale salée : ★★★
Cuisson rôti au four avec saindoux ou graisse d'oie ou de canard : ★★★
Cuisson rôti au four sans matière grasse ajoutée : ★★★
Cuisson vapeur : ★★★
Grillé : ★★★
Pierrade : ★★★
Poêlé avec beurre doux : ★★★
Poêlé avec beurre salé : ★★★
Poêlé avec huile végétale : ★★★
Poêlé avec margarine végétale non salée : ★★★
Poêlé avec margarine végétale salée : ★★★
Poêlé avec saindoux ou graisse d'oie ou de canard : ★★★
Poêlé sans matière grasse : ★★★
Salé et fumé : ★
Séché : ★★★
Surgelé : ★★★
Remarque : pas d'huile d'arachide ni de beurre noisette.

211

Mandarine : fruit du mandarinier. Agrume.
A l'anglaise : ★★★
Au sirop : ★★★
Au sirop léger : ★★★
Confite : ★★★
Conserve au naturel : ★★★
Conservée dans l'alcool
Conservée sous vide : ★★★
Consommation crue : ★★★
En beignet : ★★★
En compote (avec sucre ajouté) : ★★★
En compote sans sucre ajouté : ★★★
En confiture : ★★★
En confiture allégée en sucre : ★★★
En confiture sans sucre : ★★★
Fraîchement récoltée : ★★★
Pochée sans sucre : ★★★
Séchée : ★★★★
Surgelée : ★★★

Mangoustan : fruit du mangoustanier. Fruit exotique.
A l'anglaise : ★★
Au sirop : ★★
Au sirop léger : ★★
Confit : ★★
Conserve au naturel : ★★
Conservé dans l'alcool
Conservé sous vide : ★★
Consommation cru : ★★
En beignet : ★★
En compote (avec sucre ajouté) : ★★
En compote sans sucre ajouté : ★★
En confiture : ★★
En confiture allégée en sucre : ★★
En confiture sans sucre : ★★
Fraîchement récolté : ★★
Poché sans sucre : ★★
Séché : ★★
Surgelé : ★★

Mangue : fruit du manguier. Fruit exotique.
A l'anglaise : ✶✶
Au sirop : ✶✶
Au sirop léger : ✶✶
Confite : ✶✶
Conserve au naturel : ✶✶
Conservée dans l'alcool
Conservée sous vide : ✶✶
Consommation crue : ✶✶
En beignet : ✶✶
En compote (avec sucre ajouté) : ✶✶
En compote sans sucre ajouté : ✶✶
En confiture : ✶✶
En confiture allégée en sucre : ✶✶
En confiture sans sucre : ✶✶
Fraîchement récoltée : ✶✶
Pochée sans sucre : ✶✶
Séchée : ✶✶
Surgelée : ✶✶

Maquereau : poisson gras marin.
Conservé par le sel : ✶✶✶✶
Conservé sous vide : ✶✶✶✶
Consommation cru
Cuisson à la milanaise avec beurre doux : ✶
Cuisson à la milanaise avec beurre salé : ✶
Cuisson à la milanaise avec huile végétale : ✶
Cuisson à la milanaise avec margarine végétale non salée : ✶
Cuisson à la milanaise avec margarine végétale salée : ✶
Cuisson à la milanaise avec saindoux ou graisse d'oie ou de canard : ✶
Cuisson à la milanaise sans matière grasse : ✶
Cuisson à l'étouffée avec beurre doux : ✶✶✶✶
Cuisson à l'étouffée avec beurre salé : ✶✶✶✶
Cuisson à l'étouffée avec huile végétale : ✶✶✶✶
Cuisson à l'étouffée avec margarine végétale non salée : ✶✶✶✶
Cuisson à l'étouffée avec margarine végétale salée : ✶✶✶✶
Cuisson à l'étouffée avec saindoux ou graisse d'oie ou de canard : ✶✶✶✶

Maquereau

Cuisson à l'étouffée sans matière grasse : ★★★★
Cuisson au court bouillon : ★★★★
Cuisson en braisé avec beurre doux : ★★★★
Cuisson en braisé avec beurre salé : ★★★★
Cuisson en braisé avec huile végétale : ★★★★
Cuisson en braisé avec margarine végétale non salée : ★★★★
Cuisson en braisé avec margarine végétale salée : ★★★★
Cuisson en braisé avec saindoux ou graisse d'oie ou de canard : ★★★★
Cuisson en braisé sans matière grasse : ★★★★
Cuisson en friture : ★★★★
Cuisson en meunière avec beurre doux : ★★★★
Cuisson en meunière avec beurre salé : ★★★★
Cuisson en meunière avec huile végétale : ★★★★
Cuisson en meunière avec margarine végétale non salée : ★★★★
Cuisson en meunière avec margarine végétale salée : ★★★★
Cuisson en meunière avec saindoux ou graisse d'oie ou de canard : ★★★★
Cuisson en meunière sans matière grasse : ★★★★
Cuisson en papillote : ★★★★
Cuisson en sauté (idem poêlé).
Cuisson rôti à la broche : ★★★ ★
Cuisson rôti au four avec beurre doux : ★★★★
Cuisson rôti au four avec beurre salé : ★★★★
Cuisson rôti au four avec huile végétale : ★★★★
Cuisson rôti au four avec margarine végétale non salée : ★★★★
Cuisson rôti au four avec margarine végétale salée : ★★★★
Cuisson rôti au four avec saindoux ou graisse d'oie ou de canard : ★★★★
Cuisson rôti au four sans matière grasse ajoutée : ★★★★
Cuisson vapeur : ★★★★
Grillé : ★★★ ★
Pierrade : ★★★★
Poêlé avec beurre doux : ★★★★
Poêlé avec beurre salé : ★★★★
Poêlé avec huile végétale : ★★★★
Poêlé avec margarine végétale non salée : ★★★★
Poêlé avec margarine végétale salée : ★★★★

Poêlé avec saindoux ou graisse d'oie ou de canard : ★★★★
Poêlé sans matière grasse : ★★★★
Salé et fumé : ★
Séché : ★★★★
Surgelé : ★★★★
Remarque : pas d'huile d'arachide ni de beurre noisette.

Marron : voir « Châtaigne » section *Confite*.

Mélisse : plante aromatique condimentaire.

Melon : fruit issu de la famille des cucurbitacées.
A l'anglaise : ★★★
Au sirop : ★★★
Au sirop léger : ★★★
Confit : ★★★
Conserve au naturel : ★★★
Conservé dans l'alcool
Conservé sous vide : ★★★
Consommation cru : ★★★
En beignet : ★★★
En compote (avec sucre ajouté) : ★★★
En compote sans sucre ajouté : ★★★
En confiture : ★★★
En confiture allégée en sucre : ★★★
En confiture sans sucre : ★★★
Fraîchement récolté : ★★★
Poché sans sucre : ★★★
Séché : ★★★★
Surgelé : ★★★

Melon d'eau : voir « Pastèque ».

Menthe : plante aromatique condimentaire.

Merlan(1) : poisson marin à chair blanche.
Conservé par le sel : ★★★
Conservé sous vide : ★★★
Consommation cru

Merlan

Cuisson à la milanaise avec beurre doux : ★
Cuisson à la milanaise avec beurre salé : ★
Cuisson à la milanaise avec huile végétale : ★
Cuisson à la milanaise avec margarine végétale non salée : ★
Cuisson à la milanaise avec margarine végétale salée : ★
Cuisson à la milanaise avec saindoux ou graisse d'oie ou de canard : ★
Cuisson à la milanaise sans matière grasse : ★
Cuisson à l'étouffée avec beurre doux : ★★★
Cuisson à l'étouffée avec beurre salé : ★★★
Cuisson à l'étouffée avec huile végétale : ★★★
Cuisson à l'étouffée avec margarine végétale non salée : ★★★
Cuisson à l'étouffée avec margarine végétale salée : ★★★
Cuisson à l'étouffée avec saindoux ou graisse d'oie ou de canard : ★★★
Cuisson à l'étouffée sans matière grasse : ★★★
Cuisson au court bouillon : ★★★
Cuisson en braisé avec beurre doux : ★★★
Cuisson en braisé avec beurre salé : ★★★
Cuisson en braisé avec huile végétale : ★★★
Cuisson en braisé avec margarine végétale non salée : ★★★
Cuisson en braisé avec margarine végétale salée : ★★★
Cuisson en braisé avec saindoux ou graisse d'oie ou de canard : ★★★
Cuisson en braisé sans matière grasse : ★★★
Cuisson en friture : ★★★
Cuisson en meunière avec beurre doux : ★★★
Cuisson en meunière avec beurre salé : ★★★
Cuisson en meunière avec huile végétale : ★★★
Cuisson en meunière avec margarine végétale non salée : ★★★
Cuisson en meunière avec margarine végétale salée : ★★★
Cuisson en meunière avec saindoux ou graisse d'oie ou de canard : ★★★
Cuisson en meunière sans matière grasse : ★★★
Cuisson en papillote : ★★★
Cuisson en sauté (idem poêlé).
Cuisson rôti à la broche : ★★★
Cuisson rôti au four avec beurre doux : ★★★
Cuisson rôti au four avec beurre salé : ★★★
Cuisson rôti au four avec huile végétale : ★★★

Cuisson rôti au four avec margarine végétale non salée : ★★★
Cuisson rôti au four avec margarine végétale salée : ★★★
Cuisson rôti au four avec saindoux ou graisse d'oie ou de canard : ★★★
Cuisson rôti au four sans matière grasse ajoutée : ★★★
Cuisson vapeur : ★★★
Grillé : ★★★
Pierrade : ★★★
Poêlé avec beurre doux : ★★★
Poêlé avec beurre salé : ★★★
Poêlé avec huile végétale : ★★★
Poêlé avec margarine végétale non salée : ★★★
Poêlé avec margarine végétale salée : ★★★
Poêlé avec saindoux ou graisse d'oie ou de canard : ★★★
Poêlé sans matière grasse : ★★★
Salé et fumé : ★
Séché : ★★★
Surgelé : ★★★
Remarque : pas d'huile d'arachide ni de beurre noisette.

Merlan(2) : voir « Bœuf (viande de) ».

Merlu : voir « Colin ».

Mérou : poisson marin des eaux chaudes à chair blanche.
Conservé par le sel : ★★★
Conservé sous vide : ★★★
Consommation cru
Cuisson à la milanaise avec beurre doux : ★
Cuisson à la milanaise avec beurre salé : ★
Cuisson à la milanaise avec huile végétale : ★
Cuisson à la milanaise avec margarine végétale non salée : ★
Cuisson à la milanaise avec margarine végétale salée : ★
Cuisson à la milanaise avec saindoux ou graisse d'oie ou de canard : ★
Cuisson à la milanaise sans matière grasse : ★
Cuisson à l'étouffée avec beurre doux : ★★★
Cuisson à l'étouffée avec beurre salé : ★★★
Cuisson à l'étouffée avec huile végétale : ★★★

Mérou

Cuisson à l'étouffée avec margarine végétale non salée : ★★★
Cuisson à l'étouffée avec margarine végétale salée : ★★★
Cuisson à l'étouffée avec saindoux ou graisse d'oie ou de canard : ★★★
Cuisson à l'étouffée sans matière grasse : ★★★
Cuisson au court bouillon : ★★★
Cuisson en braisé avec beurre doux : ★★★
Cuisson en braisé avec beurre salé : ★★★
Cuisson en braisé avec huile végétale : ★★★
Cuisson en braisé avec margarine végétale non salée : ★★★
Cuisson en braisé avec margarine végétale salée : ★★★
Cuisson en braisé avec saindoux ou graisse d'oie ou de canard : ★★★
Cuisson en braisé sans matière grasse : ★★★
Cuisson en friture : ★★★
Cuisson en meunière avec beurre doux : ★★★
Cuisson en meunière avec beurre salé : ★★★
Cuisson en meunière avec huile végétale : ★★★
Cuisson en meunière avec margarine végétale non salée : ★★★
Cuisson en meunière avec margarine végétale salée : ★★★
Cuisson en meunière avec saindoux ou graisse d'oie ou de canard : ★★★
Cuisson en meunière sans matière grasse : ★★★
Cuisson en papillote : ★★★
Cuisson en sauté (idem poêlé).
Cuisson rôti à la broche : ★★★
Cuisson rôti au four avec beurre doux : ★★★
Cuisson rôti au four avec beurre salé : ★★★
Cuisson rôti au four avec huile végétale : ★★★
Cuisson rôti au four avec margarine végétale non salée : ★★★
Cuisson rôti au four avec margarine végétale salée : ★★★
Cuisson rôti au four avec saindoux ou graisse d'oie ou de canard : ★★★
Cuisson rôti au four sans matière grasse ajoutée : ★★★
Cuisson vapeur : ★★★
Grillé : ★★★
Pierrade : ★★★
Poêlé avec beurre doux : ★★★
Poêlé avec beurre salé : ★★★
Poêlé avec huile végétale : ★★★

Poêlé avec margarine végétale non salée : ★★★
Poêlé avec margarine végétale salée : ★★★
Poêlé avec saindoux ou graisse d'oie ou de canard : ★★★
Poêlé sans matière grasse : ★★★
Salé et fumé : ★
Séché : ★★★
Surgelé : ★★★
Remarque : pas d'huile d'arachide ni de beurre noisette.

Mirabelle : petite prune jaune.
A l'anglaise : ★★★
Au sirop : ★★★
Au sirop léger : ★★★
Confite : ★★★
Conserve au naturel : ★★★
Conservée dans l'alcool
Conservée sous vide : ★★★
Consommation crue : ★★★
En beignet : ★★★
En compote (avec sucre ajouté) : ★★★
En compote sans sucre ajouté : ★★★
En confiture : ★★★
En confiture allégée en sucre : ★★★
En confiture sans sucre : ★★★
Fraîchement récoltée : ★★★
Pochée sans sucre : ★★★
Séchée : ★★★★
Surgelée : ★★★

Mombin : fruit du spondias. Fruit exotique.
A l'anglaise : ★★
Au sirop : ★★
Au sirop léger : ★★
Confit : ★★
Conserve au naturel : ★★
Conservé dans l'alcool
Conservé sous vide : ★★
Consommation cru : ★★
En beignet : ★★

Mombin - Moule

En compote (avec sucre ajouté) : ★★
En compote sans sucre ajouté : ★★
En confiture : ★★
En confiture allégée en sucre : ★★
En confiture sans sucre : ★★
Fraîchement récolté : ★★
Poché sans sucre : ★★
Séché : ★★
Surgelé : ★★

Monarde écarlate : plante dont les feuilles sont utilisées comme condiment aromatique.
Conservée sous vide : ★★★
Consommation crue : ★★★
Consommation cuite : ★★★
Déshydratée : ★★★
Fraîchement récoltée : ★★★
Surgelée : ★★★

Morille : voir « Champignon ».

Morue : voir « Cabillaud » section *Conservé par le sel.*

Motelle : voir « Loche marin ».

Moule : mollusque comestible.
A la marinière : ★★★
Conservée en saumure (eau salée) : ★★★
Conservée sous vide : ★★★
Consommation crue
Cuisson à la milanaise avec beurre doux : ★
Cuisson à la milanaise avec beurre salé : ★
Cuisson à la milanaise avec huile végétale : ★
Cuisson à la milanaise avec margarine végétale non salée : ★
Cuisson à la milanaise avec margarine végétale salée : ★
Cuisson à la milanaise avec saindoux ou graisse d'oie ou de canard : ★
Cuisson à la milanaise sans matière grasse : ★
Cuisson à l'étouffée avec beurre doux : ★★★
Cuisson à l'étouffée avec beurre salé : ★★★

Cuisson à l'étouffée avec huile végétale : ★★★
Cuisson à l'étouffée avec margarine végétale non salée : ★★★
Cuisson à l'étouffée avec margarine végétale salée : ★★★
Cuisson à l'étouffée avec saindoux ou graisse d'oie ou de canard : ★★★
Cuisson à l'étouffée sans matière grasse : ★★★
Cuisson au court bouillon : ★★★
Cuisson en braisé avec beurre doux : ★★★
Cuisson en braisé avec beurre salé : ★★★
Cuisson en braisé avec huile végétale : ★★★
Cuisson en braisé avec margarine végétale non salée : ★★★
Cuisson en braisé avec margarine végétale salée : ★★★
Cuisson en braisé avec saindoux ou graisse d'oie ou de canard : ★★★
Cuisson en braisé sans matière grasse : ★★★
Cuisson en friture : ★★★
Cuisson en meunière avec beurre doux : ★★★
Cuisson en meunière avec beurre salé : ★★★
Cuisson en meunière avec huile végétale : ★★★
Cuisson en meunière avec margarine végétale non salée : ★★★
Cuisson en meunière avec margarine végétale salée : ★★★
Cuisson en meunière avec saindoux ou graisse d'oie ou de canard : ★★★
Cuisson en meunière sans matière grasse : ★★★
Cuisson en papillote : ★★★
Cuisson en sauté (idem poêlée).
Cuisson vapeur : ★★★
Pierrade : ★★★
Poêlée avec beurre doux : ★★★
Poêlée avec beurre salé : ★★★
Poêlée avec huile végétale : ★★★
Poêlée avec margarine végétale non salée : ★★★
Poêlée avec margarine végétale salée : ★★★
Poêlée avec saindoux ou graisse d'oie ou de canard : ★★★
Poêlée sans matière grasse : ★★★
Salée et fumée : ★
Séchée : ★★★
Surgelée : ★★★
Remarque : pas d'huile d'arachide ni de beurre noisette.

Mouton - Mulet

Mouton : voir « Agneau (viande de) ».

Muge : voir « Mulet ».

Mulard : voir « Canard (viande de) ».

Mulberries : petite baie très semblable à la mûre mais plus allongée.
A l'anglaise : ★★★
Au sirop : ★★★
Au sirop léger : ★★★
Confite : ★★★
Conserve au naturel : ★★★
Conservée dans l'alcool
Conservée sous vide : ★★★
Consommation crue : ★★★
En beignet : ★★★
En compote (avec sucre ajouté) : ★★★
En compote sans sucre ajouté : ★★★
En confiture : ★★★
En confiture allégée en sucre : ★★★
En confiture sans sucre : ★★★
Fraîchement récoltée : ★★★
Pochée sans sucre : ★★★
Séchée : ★★★★
Surgelée : ★★★

Mulet : poisson marin et d'eau douce à chair blanche.
Conservé par le sel : ★★★
Conservé sous vide : ★★★
Consommation cru
Cuisson à la milanaise avec beurre doux : ★
Cuisson à la milanaise avec beurre salé : ★
Cuisson à la milanaise avec huile végétale : ★
Cuisson à la milanaise avec margarine végétale non salée : ★
Cuisson à la milanaise avec margarine végétale salée : ★
Cuisson à la milanaise avec saindoux ou graisse d'oie ou de canard : ★
Cuisson à la milanaise sans matière grasse : ★
Cuisson à l'étouffée avec beurre doux : ★★★

Cuisson à l'étouffée avec beurre salé : ★★★
Cuisson à l'étouffée avec huile végétale : ★★★
Cuisson à l'étouffée avec margarine végétale non salée : ★★★
Cuisson à l'étouffée avec margarine végétale salée : ★★★
Cuisson à l'étouffée avec saindoux ou graisse d'oie ou de canard : ★★★
Cuisson à l'étouffée sans matière grasse : ★★★
Cuisson au court bouillon : ★★★
Cuisson en braisé avec beurre doux : ★★★
Cuisson en braisé avec beurre salé : ★★★
Cuisson en braisé avec huile végétale : ★★★
Cuisson en braisé avec margarine végétale non salée : ★★★
Cuisson en braisé avec margarine végétale salée : ★★★
Cuisson en braisé avec saindoux ou graisse d'oie ou de canard : ★★★
Cuisson en braisé sans matière grasse : ★★★
Cuisson en friture : ★★★
Cuisson en meunière avec beurre doux : ★★★
Cuisson en meunière avec beurre salé : ★★★
Cuisson en meunière avec huile végétale : ★★★
Cuisson en meunière avec margarine végétale non salée : ★★★
Cuisson en meunière avec margarine végétale salée : ★★★
Cuisson en meunière avec saindoux ou graisse d'oie ou de canard : ★★★
Cuisson en meunière sans matière grasse : ★★★
Cuisson en papillote : ★★★
Cuisson en sauté (idem poêlé).
Cuisson rôti à la broche : ★★★
Cuisson rôti au four avec beurre doux : ★★★
Cuisson rôti au four avec beurre salé : ★★★
Cuisson rôti au four avec huile végétale : ★★★
Cuisson rôti au four avec margarine végétale non salée : ★★★
Cuisson rôti au four avec margarine végétale salée : ★★★
Cuisson rôti au four avec saindoux ou graisse d'oie ou de canard : ★★★
Cuisson rôti au four sans matière grasse ajoutée : ★★★
Cuisson vapeur : ★★★
Grillé : ★★★
Pierrade : ★★★
Poêlé avec beurre doux : ★★★

Poêlé avec beurre salé : ★★★
Poêlé avec huile végétale : ★★★
Poêlé avec margarine végétale non salée : ★★★
Poêlé avec margarine végétale salée : ★★★
Poêlé avec saindoux ou graisse d'oie ou de canard : ★★★
Poêlé sans matière grasse : ★★★
Salé et fumé : ★
Séché : ★★★
Surgelé : ★★★
Remarque : pas d'huile d'arachide ni de beurre noisette.

Mûre : fruit comestible de la ronce ou du mûrier.
A l'anglaise : ★★★
Au sirop : ★★★
Au sirop léger : ★★★
Confite : ★★★
Conserve au naturel : ★★★
Conservée dans l'alcool
Conservée sous vide : ★★★
Consommation crue : ★★★
En beignet : ★★★
En compote (avec sucre ajouté) : ★★★
En compote sans sucre ajouté : ★★★
En confiture : ★★★
En confiture allégée en sucre : ★★★
En confiture sans sucre : ★★★
Fraîchement récoltée : ★★★
Pochée sans sucre : ★★★
Séchée : ★★★★
Surgelée : ★★★

Mye : voir « Palourde ».

Myrtille : baie comestible noire.
A l'anglaise : ★★★
Au sirop : ★★★
Au sirop léger : ★★★
Confite : ★★★
Conserve au naturel : ★★★

Conservée dans l'alcool
Conservée sous vide : ★★★
Consommation crue : ★★★
En beignet : ★★★
En compote (avec sucre ajouté) : ★★★
En compote sans sucre ajouté : ★★★
En confiture : ★★★
En confiture allégée en sucre : ★★★
En confiture sans sucre : ★★★
Fraîchement récoltée : ★★★
Pochée sans sucre : ★★★
Séchée : ★★★★
Surgelée : ★★★

$\mathcal{N}$

Navet : plante potagère dont on consomme la racine comestible. Légume vert.
Conserve en saumure (eau salée) : ★★★
Conservé sous vide : ★★★
Consommation cru
Cuisson à l'étouffée avec beurre doux : ★★★
Cuisson à l'étouffée avec beurre salé : ★★★
Cuisson à l'étouffée avec huile végétale : ★★★
Cuisson à l'étouffée avec margarine végétale non salée : ★★★
Cuisson à l'étouffée avec margarine végétale salée : ★★★
Cuisson à l'étouffée avec saindoux ou graisse d'oie ou de canard : ★★★
Cuisson à l'étouffée sans matière grasse : ★★★
Cuisson au court bouillon : ★★★
Cuisson en braisé avec beurre doux : ★★★
Cuisson en braisé avec beurre salé : ★★★
Cuisson en braisé avec huile végétale : ★★★
Cuisson en braisé avec margarine végétale non salée : ★★★
Cuisson en braisé avec margarine végétale salée : ★★★

Navet - Nèfle

Cuisson en braisé avec saindoux ou graisse d'oie ou de canard :
★★★
Cuisson en braisé sans matière grasse : ★★★
Cuisson en friture : ★★★
Cuisson en papillote : ★★★
Cuisson en ragoût avec beurre doux : ★★★
Cuisson en ragoût avec beurre salé : ★★★
Cuisson en ragoût avec huile végétale : ★★★
Cuisson en ragoût avec margarine végétale non salée : ★★★
Cuisson en ragoût avec margarine végétale salée : ★★★
Cuisson en ragoût avec saindoux ou graisse d'oie ou de canard :
★★★
Cuisson en sauté (idem poêlé).
Cuisson vapeur : ★★★
Poêlé avec beurre doux : ★★★
Poêlé avec beurre salé : ★★★
Poêlé avec huile végétale : ★★★
Poêlé avec margarine végétale non salée : ★★★
Poêlé avec margarine végétale salée : ★★★
Poêlé avec saindoux ou graisse d'oie ou de canard : ★★★
Poêlé sans matière grasse : ★★★
Potage crème : ★★★
Potage nature sans matière grasse ajoutée : ★★★
Potage velouté : ★★★
Surgelé : ★★★
Remarque : pas d'huile d'arachide ni de beurre noisette.

Nectarine : voir « Pêche ».

Nèfle : fruit du néflier qui se consomme blet.
A l'anglaise : ★★★
Au sirop : ★★★
Au sirop léger : ★★★
Confite : ★★★
Conserve au naturel : ★★★
Conservée dans l'alcool
Conservée sous vide : ★★★
Consommation crue : ★★★
En beignet : ★★★

En compote (avec sucre ajouté) : ★★★
En compote sans sucre ajouté : ★★★
En confiture : ★★★
En confiture allégée en sucre : ★★★
En confiture sans sucre : ★★★
Fraîchement récoltée : ★★★
Pochée sans sucre : ★★★
Séchée : ★★★★
Surgelée : ★★★

Noix de bœuf : voir « Bœuf (viande de) ».

Noix de coco : fruit du palmier. Fruit exotique.
Confite : ★★★
Conservée sous vide : ★★★
Consommation crue : ★★★
Fraîchement récoltée : ★★★
Râpée : ★★★
Séchée : ★★★
Surgelée : ★★★

Noix d'épaule : voir « Porc (viande de) » section *Conservée sous vide.*

Noix de veau : voir « Veau (viande de) ».

Nuggets de poulet : voir « Poulet » section *Cuisson en friture.*

O

Oca du Pérou : plante potagère dont on consomme les tubercules. Légume vert.
Conserve en saumure (eau salée) : ★★★
Conservée sous vide : ★★★
Consommation cru : ★★★
Cuisson à l'étouffée avec beurre doux : ★★★

Oca du Pérou

Cuisson à l'étouffée avec beurre salé : ★★★
Cuisson à l'étouffée avec huile végétale : ★★★
Cuisson à l'étouffée avec margarine végétale non salée : ★★★
Cuisson à l'étouffée avec margarine végétale salée : ★★★
Cuisson à l'étouffée avec saindoux ou graisse d'oie ou de canard : ★★★
Cuisson à l'étouffée sans matière grasse : ★★★
Cuisson au court bouillon : ★★★
Cuisson en braisé avec beurre doux : ★★★
Cuisson en braisé avec beurre salé : ★★★
Cuisson en braisé avec huile végétale : ★★★
Cuisson en braisé avec margarine végétale non salée : ★★★
Cuisson en braisé avec margarine végétale salée : ★★★
Cuisson en braisé avec saindoux ou graisse d'oie ou de canard : ★★★
Cuisson en braisé sans matière grasse : ★★★
Cuisson en friture : ★★★
Cuisson en papillote : ★★★
Cuisson en ragoût avec beurre doux : ★★★
Cuisson en ragoût avec beurre salé : ★★★
Cuisson en ragoût avec huile végétale : ★★★
Cuisson en ragoût avec margarine végétale non salée : ★★★
Cuisson en ragoût avec margarine végétale salée : ★★★
Cuisson en ragoût avec saindoux ou graisse d'oie ou de canard : ★★★
Cuisson en sauté (idem poêlé).
Cuisson vapeur : ★★★
Poêlé avec beurre doux : ★★★
Poêlé avec beurre salé : ★★★
Poêlé avec huile végétale : ★★★
Poêlé avec margarine végétale non salée : ★★★
Poêlé avec margarine végétale salée : ★★★
Poêlé avec saindoux ou graisse d'oie ou de canard : ★★★
Poêlé sans matière grasse : ★★★
Potage crème : ★★★
Potage nature sans matière grasse ajoutée : ★★★
Potage velouté : ★★★
Surgelé : ★★★

Remarque : pas d'huile d'arachide ni de beurre noisette.

Œuf : produit comestible de la ponte de la poule ou de la cane, perdrix, pintade, etc.

A la coque : ★★★
Au plat avec beurre doux : ★★★
Au plat avec beurre salé : ★★★
Au plat avec huile végétale : ★★★
Au plat avec margarine végétale non salée : ★★★
Au plat avec margarine végétale salée : ★★★
Au plat avec saindoux ou graisse d'oie ou de canard : ★★★
Au plat sans matière grasse : ★★★
Cocotte : ★★★
Conserve en saumure (eau salée) : ★★★
Conservé sous vide : ★★★
Consommation cru
Cuisson en friture : ★★★
Cuisson poché : ★★★
Dur : ★★★
En brouillade avec beurre doux : ★★★
En brouillade avec beurre salé : ★★★
En brouillade avec huile végétale : ★★★
En brouillade avec margarine végétale non salée : ★★★
En brouillade avec margarine végétale salée : ★★★
En brouillade avec saindoux ou graisse d'oie ou de canard : ★★★
En brouillade sans matière grasse : ★★★
En omelette avec beurre doux : ★★★
En omelette avec beurre salé : ★★★
En omelette avec huile végétale : ★★★
En omelette avec margarine végétale non salée : ★★★
En omelette avec margarine végétale salée : ★★★
En omelette avec saindoux ou graisse d'oie ou de canard : ★★★
En omelette sans matière grasse : ★★★
Mimosa : ★★★
Mollet : ★★★

Remarque : pas d'huile d'arachide ni de beurre noisette. Pas d'œuf de cane.

Oie

Oie : oiseau palmipède massif. Volaille.
Conservée par le sel : ★★★
Conservée sous vide : ★★★
Consommation crue
Cuisson à la milanaise avec beurre doux : ★
Cuisson à la milanaise avec beurre salé : ★
Cuisson à la milanaise avec huile végétale : ★
Cuisson à la milanaise avec margarine végétale non salée : ★
Cuisson à la milanaise avec margarine végétale salée : ★
Cuisson à la milanaise avec saindoux ou graisse d'oie ou de canard : ★
Cuisson à la milanaise sans matière grasse : ★
Cuisson à l'étouffée avec beurre doux : ★★★
Cuisson à l'étouffée avec beurre salé : ★★★
Cuisson à l'étouffée avec huile végétale : ★★★
Cuisson à l'étouffée avec margarine végétale non salée : ★★★
Cuisson à l'étouffée avec margarine végétale salée : ★★★
Cuisson à l'étouffée avec saindoux ou graisse d'oie ou de canard : ★★★
Cuisson à l'étouffée sans matière grasse : ★★★
Cuisson au court bouillon : ★★★
Cuisson en braisé avec beurre doux : ★★★
Cuisson en braisé avec beurre salé : ★★★
Cuisson en braisé avec huile végétale : ★★★
Cuisson en braisé avec margarine végétale non salée : ★★★
Cuisson en braisé avec margarine végétale salée : ★★★
Cuisson en braisé avec saindoux ou graisse d'oie ou de canard : ★★★
Cuisson en braisé sans matière grasse : ★★★
Cuisson en friture : ★★★
Cuisson en meunière avec beurre doux : ★★★
Cuisson en meunière avec beurre salé : ★★★
Cuisson en meunière avec huile végétale : ★★★
Cuisson en meunière avec margarine végétale non salée : ★★★
Cuisson en meunière avec margarine végétale salée : ★★★
Cuisson en meunière avec saindoux ou graisse d'oie ou de canard : ★★★
Cuisson en meunière sans matière grasse : ★★★
Cuisson en papillote : ★★★
Cuisson en ragoût avec beurre doux : ★★★

Cuisson en ragoût avec beurre salé : ★★★
Cuisson en ragoût avec huile végétale : ★★★
Cuisson en ragoût avec margarine végétale non salée : ★★★
Cuisson en ragoût avec margarine végétale salée : ★★★
Cuisson en ragoût avec saindoux ou graisse d'oie ou de canard : ★★★
Cuisson en sauté (idem poêlée).
Cuisson rôtie à la broche : ★★★
Cuisson rôtie au four avec beurre doux : ★★★
Cuisson rôtie au four avec beurre salé : ★★★
Cuisson rôtie au four avec huile végétale : ★★★
Cuisson rôtie au four avec margarine végétale non salée : ★★★
Cuisson rôtie au four avec margarine végétale salée : ★★★
Cuisson rôtie au four avec saindoux ou graisse d'oie ou de canard : ★★★
Cuisson rôtie au four sans matière grasse ajoutée : ★★★
Cuisson vapeur : ★★★
Grillée : ★★★
Pierrade : ★★★
Poêlée avec beurre doux : ★★★
Poêlée avec beurre salé : ★★★
Poêlée avec huile végétale : ★★★
Poêlée avec margarine végétale non salée : ★★★
Poêlée avec margarine végétale salée : ★★★
Poêlée avec saindoux ou graisse d'oie ou de canard : ★★★
Poêlée sans matière grasse : ★★★
Salée et fumée : ★
Séchée : ★★★
Surgelée : ★★★
Remarque : pas d'huile d'arachide ni de beurre noisette.

Oignon : plante potagère dont on consomme le bulbe. Légume vert.
Confit : ★★★
Conservé dans du vinaigre : ★★★
Conserve en saumure (eau salée) : ★★★
Conservé sous vide : ★★★
Consommation cru : ★★★
Cuisson à l'étouffée avec beurre doux : ★★★

Oignon

Cuisson à l'étouffée avec beurre salé : ★★★
Cuisson à l'étouffée avec huile végétale : ★★★
Cuisson à l'étouffée avec margarine végétale non salée : ★★★
Cuisson à l'étouffée avec margarine végétale salée : ★★★
Cuisson à l'étouffée avec saindoux ou graisse d'oie ou de canard : ★★★
Cuisson à l'étouffée sans matière grasse : ★★★
Cuisson au court bouillon : ★★★
Cuisson en braisé avec beurre doux : ★★★
Cuisson en braisé avec beurre salé : ★★★
Cuisson en braisé avec huile végétale : ★★★
Cuisson en braisé avec margarine végétale non salée : ★★★
Cuisson en braisé avec margarine végétale salée : ★★★
Cuisson en braisé avec saindoux ou graisse d'oie ou de canard : ★★★
Cuisson en braisé sans matière grasse : ★★★
Cuisson en friture : ★★★
Cuisson en papillote : ★★★
Cuisson en ragoût avec beurre doux : ★★★
Cuisson en ragoût avec beurre salé : ★★★
Cuisson en ragoût avec huile végétale : ★★★
Cuisson en ragoût avec margarine végétale non salée : ★★★
Cuisson en ragoût avec margarine végétale salée : ★★★
Cuisson en ragoût avec saindoux ou graisse d'oie ou de canard : ★★★
Cuisson en sauté (idem poêlé).
Cuisson vapeur : ★★★
Déshydraté : ★★★
Grillé : ★★★
Pierrade : ★★★
Poêlé avec beurre doux : ★★★
Poêlé avec beurre salé : ★★★
Poêlé avec huile végétale : ★★★
Poêlé avec margarine végétale non salée : ★★★
Poêlé avec margarine végétale salée : ★★★
Poêlé avec saindoux ou graisse d'oie ou de canard : ★★★
Poêlé sans matière grasse : ★★★
Potage crème : ★★★
Potage nature sans matière grasse ajoutée : ★★★
Potage velouté : ★★★

Surgelé : ★★★
Remarque : pas d'huile d'arachide ni de beurre noisette.

Olive : fruit de l'olivier.
Conservée dans du vinaigre : ★★★
Conserve en saumure (eau salée) : ★★★
Conservée sous vide : ★★★
Consommation crue
Cuisson à l'étouffée avec beurre doux : ★★★
Cuisson à l'étouffée avec beurre salé : ★★★
Cuisson à l'étouffée avec huile végétale : ★★★
Cuisson à l'étouffée avec margarine végétale non salée : ★★★
Cuisson à l'étouffée avec margarine végétale salée : ★★★
Cuisson à l'étouffée avec saindoux ou graisse d'oie ou de canard : ★★★
Cuisson à l'étouffée sans matière grasse : ★★★
Cuisson au court bouillon : ★★★
Cuisson en braisé avec beurre doux : ★★★
Cuisson en braisé avec beurre salé : ★★★
Cuisson en braisé avec huile végétale : ★★★
Cuisson en braisé avec margarine végétale non salée : ★★★
Cuisson en braisé avec margarine végétale salée : ★★★
Cuisson en braisé avec saindoux ou graisse d'oie ou de canard : ★★★
Cuisson en braisé sans matière grasse : ★★★
Cuisson en friture : ★★★
Cuisson en papillote : ★★★
Cuisson en ragoût avec beurre doux : ★★★
Cuisson en ragoût avec beurre salé : ★★★
Cuisson en ragoût avec huile végétale : ★★★
Cuisson en ragoût avec margarine végétale non salée : ★★★
Cuisson en ragoût avec margarine végétale salée : ★★★
Cuisson en ragoût avec saindoux ou graisse d'oie ou de canard : ★★★
Cuisson en sauté (idem poêlée).
Cuisson vapeur : ★★★
Poêlée avec beurre doux : ★★★
Poêlée avec beurre salé : ★★★
Poêlée avec huile végétale : ★★★

Poêlée avec margarine végétale non salée : ★★★
Poêlée avec margarine végétale salée : ★★★
Poêlée avec saindoux ou graisse d'oie ou de canard : ★★★
Poêlée sans matière grasse : ★★★
Potage crème : ★★★
Potage nature sans matière grasse ajoutée : ★★★
Potage velouté : ★★★
Surgelée : ★★★
Remarque : pas d'huile d'arachide ni de beurre noisette.

Omble : poisson gras d'eau douce.
Conservé par le sel : ★★★★
Conservé sous vide : ★★★★
Consommation cru
Cuisson à la milanaise avec beurre doux : ★
Cuisson à la milanaise avec beurre salé : ★
Cuisson à la milanaise avec huile végétale : ★
Cuisson à la milanaise avec margarine végétale non salée : ★
Cuisson à la milanaise avec margarine végétale salée : ★
Cuisson à la milanaise avec saindoux ou graisse d'oie ou de canard : ★
Cuisson à la milanaise sans matière grasse : ★
Cuisson à l'étouffée avec beurre doux : ★★★★
Cuisson à l'étouffée avec beurre salé : ★★★★
Cuisson à l'étouffée avec huile végétale : ★★★★
Cuisson à l'étouffée avec margarine végétale non salée : ★★★★
Cuisson à l'étouffée avec margarine végétale salée : ★★★★
Cuisson à l'étouffée avec saindoux ou graisse d'oie ou de canard : ★★★★
Cuisson à l'étouffée sans matière grasse : ★★★★
Cuisson au court bouillon : ★★★★
Cuisson en braisé avec beurre doux : ★★★★
Cuisson en braisé avec beurre salé : ★★★★
Cuisson en braisé avec huile végétale : ★★★★
Cuisson en braisé avec margarine végétale non salée : ★★★★
Cuisson en braisé avec margarine végétale salée : ★★★★
Cuisson en braisé avec saindoux ou graisse d'oie ou de canard : ★★★★

Cuisson en braisé sans matière grasse : ★★★★
Cuisson en friture : ★★★★
Cuisson en meunière avec beurre doux : ★★★★
Cuisson en meunière avec beurre salé : ★★★★
Cuisson en meunière avec huile végétale : ★★★★
Cuisson en meunière avec margarine végétale non salée : ★★★★
Cuisson en meunière avec margarine végétale salée : ★★★★
Cuisson en meunière avec saindoux ou graisse d'oie ou de canard : ★★★★
Cuisson en meunière sans matière grasse : ★★★★
Cuisson en papillote : ★★★★
Cuisson en sauté (idem poêlé).
Cuisson rôti à la broche : ★★★ ★
Cuisson rôti au four avec beurre doux : ★★★★
Cuisson rôti au four avec beurre salé : ★★★★
Cuisson rôti au four avec huile végétale : ★★★★
Cuisson rôti au four avec margarine végétale non salée : ★★★★
Cuisson rôti au four avec margarine végétale salée : ★★★★
Cuisson rôti au four avec saindoux ou graisse d'oie ou de canard : ★★★★
Cuisson rôti au four sans matière grasse ajoutée : ★★★★
Cuisson vapeur : ★★★★
Grillé : ★★★ ★
Pierrade : ★★★★
Poêlé avec beurre doux : ★★★★
Poêlé avec beurre salé : ★★★★
Poêlé avec huile végétale : ★★★★
Poêlé avec margarine végétale non salée : ★★★★
Poêlé avec margarine végétale salée : ★★★★
Poêlé avec saindoux ou graisse d'oie ou de canard : ★★★★
Poêlé sans matière grasse : ★★★★
Salé et fumé : ★
Séché : ★★★★
Surgelé : ★★★★
Remarque : pas d'huile d'arachide ni de beurre noisette.

Ombre

Ombre : poisson gras d'eau douce.
Conservé par le sel : ★★★★
Conservé sous vide : ★★★★
Consommation cru
Cuisson à la milanaise avec beurre doux : ★
Cuisson à la milanaise avec beurre salé : ★
Cuisson à la milanaise avec huile végétale : ★
Cuisson à la milanaise avec margarine végétale non salée : ★
Cuisson à la milanaise avec margarine végétale salée : ★
Cuisson à la milanaise avec saindoux ou graisse d'oie ou de canard : ★
Cuisson à la milanaise sans matière grasse : ★
Cuisson à l'étouffée avec beurre doux : ★★★★
Cuisson à l'étouffée avec beurre salé : ★★★★
Cuisson à l'étouffée avec huile végétale : ★★★★
Cuisson à l'étouffée avec margarine végétale non salée : ★★★★
Cuisson à l'étouffée avec margarine végétale salée : ★★★★
Cuisson à l'étouffée avec saindoux ou graisse d'oie ou de canard : ★★★★
Cuisson à l'étouffée sans matière grasse : ★★★★
Cuisson au court bouillon : ★★★★
Cuisson en braisé avec beurre doux : ★★★★
Cuisson en braisé avec beurre salé : ★★★★
Cuisson en braisé avec huile végétale : ★★★★
Cuisson en braisé avec margarine végétale non salée : ★★★★
Cuisson en braisé avec margarine végétale salée : ★★★★
Cuisson en braisé avec saindoux ou graisse d'oie ou de canard : ★★★★
Cuisson en braisé sans matière grasse : ★★★★
Cuisson en friture : ★★★★
Cuisson en meunière avec beurre doux : ★★★★
Cuisson en meunière avec beurre salé : ★★★★
Cuisson en meunière avec huile végétale : ★★★★
Cuisson en meunière avec margarine végétale non salée : ★★★★
Cuisson en meunière avec margarine végétale salée : ★★★★
Cuisson en meunière avec saindoux ou graisse d'oie ou de canard : ★★★★
Cuisson en meunière sans matière grasse : ★★★★

Cuisson en papillote : ★★★★
Cuisson en sauté (idem poêlé).
Cuisson rôti à la broche : ★★★ ★
Cuisson rôti au four avec beurre doux : ★★★★
Cuisson rôti au four avec beurre salé : ★★★★
Cuisson rôti au four avec huile végétale : ★★★★
Cuisson rôti au four avec margarine végétale non salée :
★★★★
Cuisson rôti au four avec margarine végétale salée : ★★★★
*Cuisson rôti au four avec saindoux ou graisse d'oie ou de
canard :* ★★★★
Cuisson rôti au four sans matière grasse ajoutée : ★★★★
Cuisson vapeur : ★★★★
Grillé : ★★★ ★
Pierrade : ★★★★
Poêlé avec beurre doux : ★★★★
Poêlé avec beurre salé : ★★★★
Poêlé avec huile végétale : ★★★★
Poêlé avec margarine végétale non salée : ★★★★
Poêlé avec margarine végétale salée : ★★★★
Poêlé avec saindoux ou graisse d'oie ou de canard : ★★★★
Poêlé sans matière grasse : ★★★★
Salé et fumé : ★
Séché : ★★★★
Surgelé : ★★★★
**Remarque : pas d'huile d'arachide ni de beurre
noisette.**

Ombrine : poisson marin à chair blanche.
Conservée par le sel : ★★★
Conservée sous vide : ★★★
Consommation crue
Cuisson à la milanaise avec beurre doux : ★
Cuisson à la milanaise avec beurre salé : ★
Cuisson à la milanaise avec huile végétale : ★
Cuisson à la milanaise avec margarine végétale non salée : ★
Cuisson à la milanaise avec margarine végétale salée : ★
*Cuisson à la milanaise avec saindoux ou graisse d'oie ou de
canard :* ★
Cuisson à la milanaise sans matière grasse : ★

237

Ombrine

Cuisson à l'étouffée avec beurre doux : ★★★
Cuisson à l'étouffée avec beurre salé : ★★★
Cuisson à l'étouffée avec huile végétale : ★★★
Cuisson à l'étouffée avec margarine végétale non salée : ★★★
Cuisson à l'étouffée avec margarine végétale salée : ★★★
Cuisson à l'étouffée avec saindoux ou graisse d'oie ou de canard : ★★★
Cuisson à l'étouffée sans matière grasse : ★★★
Cuisson au court bouillon : ★★★
Cuisson en braisé avec beurre doux : ★★★
Cuisson en braisé avec beurre salé : ★★★
Cuisson en braisé avec huile végétale : ★★★
Cuisson en braisé avec margarine végétale non salée : ★★★
Cuisson en braisé avec margarine végétale salée : ★★★
Cuisson en braisé avec saindoux ou graisse d'oie ou de canard : ★★★
Cuisson en braisé sans matière grasse : ★★★
Cuisson en friture : ★★★
Cuisson en meunière avec beurre doux : ★★★
Cuisson en meunière avec beurre salé : ★★★
Cuisson en meunière avec huile végétale : ★★★
Cuisson en meunière avec margarine végétale non salée : ★★★
Cuisson en meunière avec margarine végétale salée : ★★★
Cuisson en meunière avec saindoux ou graisse d'oie ou de canard : ★★★
Cuisson en meunière sans matière grasse : ★★★
Cuisson en papillote : ★★★
Cuisson en sauté (idem poêlée).
Cuisson rôtie à la broche : ★★★
Cuisson rôtie au four avec beurre doux : ★★★
Cuisson rôtie au four avec beurre salé : ★★★
Cuisson rôtie au four avec huile végétale : ★★★
Cuisson rôtie au four avec margarine végétale non salée : ★★★
Cuisson rôtie au four avec margarine végétale salée : ★★★
Cuisson rôtie au four avec saindoux ou graisse d'oie ou de canard : ★★★
Cuisson rôtie au four sans matière grasse ajoutée : ★★★
Cuisson vapeur : ★★★
Grillée : ★★★
Pierrade : ★★★

Poêlée avec beurre doux : ★★★
Poêlée avec beurre salé : ★★★
Poêlée avec huile végétale : ★★★
Poêlée avec margarine végétale non salée : ★★★
Poêlée avec margarine végétale salée : ★★★
Poêlée avec saindoux ou graisse d'oie ou de canard : ★★★
Poêlée sans matière grasse : ★★★
Salée et fumée : ★
Séchée : ★★★
Surgelée : ★★★
Remarque : pas d'huile d'arachide ni de beurre noisette.

Onglet : voir « Bœuf (viande de) ».

Orange : fruit de l'oranger. Agrume.
A l'anglaise : ★★★
Au sirop : ★★★
Au sirop léger : ★★★
Confite : ★★★
Conserve au naturel : ★★★
Conservée dans l'alcool
Conservée sous vide : ★★★
Consommation crue : ★★★
En beignet : ★★★
En compote (avec sucre ajouté) : ★★★
En compote sans sucre ajouté : ★★★
En confiture : ★★★
En confiture allégée en sucre : ★★★
En confiture sans sucre : ★★★
Fraîchement récoltée : ★★★
Pochée sans sucre : ★★★
Séchée : ★★★★
Surgelée : ★★★

Origan : plante aromatique condimentaire.
Conservé sous vide : ★★★
Consommation cru : ★★★
Consommation cuit : ★★★
Déshydraté : ★★★

Origan - Orphie

Fraîchement récolté : ★★★
Surgelé : ★★★

Ormeau : voir « Palourde ».

Oronge : voir « Champignon ».

Orphie : poisson gras marin à corps long et fin.
Conservée par le sel : ★★★★
Conservée sous vide : ★★★★
Consommation crue
Cuisson à la milanaise avec beurre doux : ★
Cuisson à la milanaise avec beurre salé : ★
Cuisson à la milanaise avec huile végétale : ★
Cuisson à la milanaise avec margarine végétale non salée : ★
Cuisson à la milanaise avec margarine végétale salée : ★
Cuisson à la milanaise avec saindoux ou graisse d'oie ou de canard : ★
Cuisson à la milanaise sans matière grasse : ★
Cuisson à l'étouffée avec beurre doux : ★★★★
Cuisson à l'étouffée avec beurre salé : ★★★★
Cuisson à l'étouffée avec huile végétale : ★★★★
Cuisson à l'étouffée avec margarine végétale non salée : ★★★★
Cuisson à l'étouffée avec margarine végétale salée : ★★★★
Cuisson à l'étouffée avec saindoux ou graisse d'oie ou de canard : ★★★★
Cuisson à l'étouffée sans matière grasse : ★★★★
Cuisson au court bouillon : ★★★★
Cuisson en braisé avec beurre doux : ★★★★
Cuisson en braisé avec beurre salé : ★★★★
Cuisson en braisé avec huile végétale : ★★★★
Cuisson en braisé avec margarine végétale non salée : ★★★★
Cuisson en braisé avec margarine végétale salée : ★★★★
Cuisson en braisé avec saindoux ou graisse d'oie ou de canard : ★★★★
Cuisson en braisé sans matière grasse : ★★★★
Cuisson en friture : ★★★★
Cuisson en meunière avec beurre doux : ★★★★
Cuisson en meunière avec beurre salé : ★★★★

Cuisson en meunière avec huile végétale : ★★★★
Cuisson en meunière avec margarine végétale non salée : ★★★★
Cuisson en meunière avec margarine végétale salée : ★★★★
Cuisson en meunière avec saindoux ou graisse d'oie ou de canard : ★★★★
Cuisson en meunière sans matière grasse : ★★★★
Cuisson en papillote : ★★★★
Cuisson en ragoût avec beurre doux : ★★★★
Cuisson en ragoût avec beurre salé : ★★★★
Cuisson en ragoût avec huile végétale : ★★★★
Cuisson en ragoût avec margarine végétale non salée : ★★★★
Cuisson en ragoût avec margarine végétale salée : ★★★★
Cuisson en ragoût avec saindoux ou graisse d'oie ou de canard : ★★★★
Cuisson en sauté (idem poêlée).
Cuisson rôtie au four avec beurre doux : ★★★★
Cuisson rôtie au four avec beurre salé : ★★★★
Cuisson rôtie au four avec huile végétale : ★★★★
Cuisson rôtie au four avec margarine végétale non salée : ★★★★
Cuisson rôtie au four avec margarine végétale salée : ★★★★
Cuisson rôtie au four avec saindoux ou graisse d'oie ou de canard : ★★★★
Cuisson rôtie au four sans matière grasse ajoutée : ★★★★
Cuisson vapeur : ★★★★
Grillée : ★★★★
Pierrade : ★★★★
Poêlée avec beurre doux : ★★★★
Poêlée avec beurre salé : ★★★★
Poêlée avec huile végétale : ★★★★
Poêlée avec margarine végétale non salée : ★★★★
Poêlée avec margarine végétale salée : ★★★★
Poêlée avec saindoux ou graisse d'oie ou de canard : ★★★★
Poêlée sans matière grasse : ★★★★
Salée et fumée : ★
Séchée : ★★★★
Surgelée : ★★★★
Remarque : pas d'huile d'arachide ni de beurre noisette

$$\mathcal{P}$$

Paleron de bœuf : voir « Bœuf (viande de) ».

Palette d'agneau : voir « Agneau (viande de) ».

Palette de porc : voir « Porc (viande de) ».

Palourde : mollusque comestible marin.
Conservée par le sel : ★★★★
Conservée sous vide : ★★★★
Consommation crue
Cuisson à la milanaise avec beurre doux : ★
Cuisson à la milanaise avec beurre salé : ★
Cuisson à la milanaise avec huile végétale : ★
Cuisson à la milanaise avec margarine végétale non salée : ★
Cuisson à la milanaise avec margarine végétale salée : ★
Cuisson à la milanaise avec saindoux ou graisse d'oie ou de canard : ★
Cuisson à la milanaise sans matière grasse : ★
Cuisson à l'étouffée avec beurre doux : ★★★★
Cuisson à l'étouffée avec beurre salé : ★★★★
Cuisson à l'étouffée avec huile végétale : ★★★★
Cuisson à l'étouffée avec margarine végétale non salée : ★★★★
Cuisson à l'étouffée avec margarine végétale salée : ★★★★
Cuisson à l'étouffée avec saindoux ou graisse d'oie ou de canard : ★★★★
Cuisson à l'étouffée sans matière grasse : ★★★★
Cuisson au beurre persillé : ★★★★
Cuisson au court bouillon : ★★★★
Cuisson en braisé avec beurre doux : ★★★★
Cuisson en braisé avec beurre salé : ★★★★
Cuisson en braisé avec huile végétale : ★★★★
Cuisson en braisé avec margarine végétale non salée : ★★★★
Cuisson en braisé avec margarine végétale salée : ★★★★

Cuisson en braisé avec saindoux ou graisse d'oie ou de canard :
★ ★ ★ ★
Cuisson en braisé sans matière grasse : ★ ★ ★ ★
Cuisson en friture : ★ ★ ★ ★
Cuisson en meunière avec beurre doux : ★ ★ ★ ★
Cuisson en meunière avec beurre salé : ★ ★ ★ ★
Cuisson en meunière avec huile végétale : ★ ★ ★ ★
Cuisson en meunière avec margarine végétale non salée :
★ ★ ★ ★
Cuisson en meunière avec margarine végétale salée : ★ ★ ★ ★
Cuisson en meunière avec saindoux ou graisse d'oie ou de
canard : ★ ★ ★ ★
Cuisson en meunière sans matière grasse : ★ ★ ★ ★
Cuisson en papillote : ★ ★ ★ ★
Cuisson en ragoût avec beurre doux : ★ ★ ★ ★
Cuisson en ragoût avec beurre salé : ★ ★ ★ ★
Cuisson en ragoût avec huile végétale : ★ ★ ★ ★
Cuisson en ragoût avec margarine végétale non salée : ★ ★ ★ ★
Cuisson en ragoût avec margarine végétale salée : ★ ★ ★ ★
Cuisson en ragoût avec saindoux ou graisse d'oie ou de canard :
★ ★ ★ ★
Cuisson en sauté (idem poêlée).
Cuisson vapeur : ★ ★ ★ ★
Grillée en brochette : ★ ★ ★ ★
Pierrade : ★ ★ ★ ★
Poêlée avec beurre doux : ★ ★ ★ ★
Poêlée avec beurre salé : ★ ★ ★ ★
Poêlée avec huile végétale : ★ ★ ★ ★
Poêlée avec margarine végétale non salée : ★ ★ ★ ★
Poêlée avec margarine végétale salée : ★ ★ ★ ★
Poêlée avec saindoux ou graisse d'oie ou de canard : ★ ★ ★ ★
Poêlée sans matière grasse : ★ ★ ★ ★
Séchée : ★ ★ ★ ★
Surgelée : ★ ★ ★ ★
Remarque : pas d'huile d'arachide ni de beurre noisette.

Pamplemousse : fruit comestible du pamplemoussier.
Agrume.
A l'anglaise : ★ ★ ★

Pamplemousse - Panais

Au sirop : ★★★
Au sirop léger : ★★★
Confit : ★★★
Conserve au naturel : ★★★
Conservé dans l'alcool
Conservé sous vide : ★★★
Consommation cru : ★★★
En beignet : ★★★
En compote (avec sucre ajouté) : ★★★
En compote sans sucre ajouté : ★★★
En confiture : ★★★
En confiture allégée en sucre : ★★★
En confiture sans sucre : ★★★
Fraîchement récolté : ★★★
Poché sans sucre : ★★★
Séché : ★★★★
Surgelé : ★★★

Panais : plante potagère cultivée pour sa racine comestible. Légume vert.
Conserve en saumure (eau salée) : ★★★
Conservé sous vide : ★★★
Consommation cru : ★★★
Cuisson à l'étouffée avec beurre doux : ★★★
Cuisson à l'étouffée avec beurre salé : ★★★
Cuisson à l'étouffée avec huile végétale : ★★★
Cuisson à l'étouffée avec margarine végétale non salée : ★★★
Cuisson à l'étouffée avec margarine végétale salée : ★★★
Cuisson à l'étouffée avec saindoux ou graisse d'oie ou de canard : ★★★
Cuisson à l'étouffée sans matière grasse : ★★★
Cuisson au court bouillon : ★★★
Cuisson en braisé avec beurre doux : ★★★
Cuisson en braisé avec beurre salé : ★★★
Cuisson en braisé avec huile végétale : ★★★
Cuisson en braisé avec margarine végétale non salée : ★★★
Cuisson en braisé avec margarine végétale salée : ★★★
Cuisson en braisé avec saindoux ou graisse d'oie ou de canard : ★★★
Cuisson en braisé sans matière grasse : ★★★

Cuisson en friture : ★★★
Cuisson en papillote : ★★★
Cuisson en ragoût avec beurre doux : ★★★
Cuisson en ragoût avec beurre salé : ★★★
Cuisson en ragoût avec huile végétale : ★★★
Cuisson en ragoût avec margarine végétale non salée : ★★★
Cuisson en ragoût avec margarine végétale salée : ★★★
Cuisson en ragoût avec saindoux ou graisse d'oie ou de canard :
★★★
Cuisson en sauté (idem poêlé).
Cuisson vapeur : ★★★
Poêlé avec beurre doux : ★★★
Poêlé avec beurre salé : ★★★
Poêlé avec huile végétale : ★★★
Poêlé avec margarine végétale non salée : ★★★
Poêlé avec margarine végétale salée : ★★★
Poêlé avec saindoux ou graisse d'oie ou de canard : ★★★
Poêlé sans matière grasse : ★★★
Potage crème : ★★★
Potage nature sans matière grasse ajoutée : ★★★
Potage velouté : ★★★
Surgelé : ★★★
Remarque : pas d'huile d'arachide ni de beurre noisette.

Panga : voir « Poisson-chat ».

Papaye : fruit du papayer. Fruit exotique.
A l'anglaise : ★★
Au sirop : ★★
Au sirop léger : ★★
Confite : ★★
Conserve au naturel : ★★
Conservée dans l'alcool
Conservée sous vide : ★★
Consommation crue : ★★
En beignet : ★★
En compote (avec sucre ajouté) : ★★
En compote sans sucre ajouté : ★★
En confiture : ★★

Papaye - Patate douce

En confiture allégée en sucre : ★★
En confiture sans sucre : ★★
Fraîchement récoltée : ★★
Pochée sans sucre : ★★
Séchée : ★★
Surgelée : ★★

Pastèque : gros fruit à pulpe rouge très juteuse.
A l'anglaise : ★★★
Au sirop : ★★★
Au sirop léger : ★★★
Confite : ★★★
Conserve au naturel : ★★★
Conservée dans l'alcool
Conservée sous vide : ★★★
Consommation crue : ★★★
En beignet : ★★★
En compote (avec sucre ajouté) : ★★★
En compote sans sucre ajouté : ★★★
En confiture : ★★★
En confiture allégée en sucre : ★★★
En confiture sans sucre : ★★★
Fraîchement récoltée : ★★★
Pochée sans sucre : ★★★
Séchée : ★★★★
Surgelée : ★★★

Patate douce : tubercule comestible. Féculent.
Conservée sous vide : ★★★
Consommation crue
Cuisson à la milanaise avec beurre doux : ★
Cuisson à la milanaise avec beurre salé : ★
Cuisson à la milanaise avec huile végétale : ★
Cuisson à la milanaise avec margarine végétale non salée : ★
Cuisson à la milanaise avec margarine végétale salée : ★
Cuisson à la milanaise avec saindoux ou graisse d'oie ou de canard : ★
Cuisson à la milanaise sans matière grasse : ★
Cuisson à l'étouffée avec beurre doux : ★★★
Cuisson à l'étouffée avec beurre salé : ★★★

Cuisson à l'étouffée avec huile végétale : ★★★
Cuisson à l'étouffée avec margarine végétale non salée : ★★★
Cuisson à l'étouffée avec margarine végétale salée : ★★★
Cuisson à l'étouffée avec saindoux ou graisse d'oie ou de canard : ★★★
Cuisson à l'étouffée sans matière grasse : ★★★
Cuisson au court bouillon : ★★★
Cuisson en beignet : ★★★
Cuisson en braisé avec beurre doux : ★★★
Cuisson en braisé avec beurre salé : ★★★
Cuisson en braisé avec huile végétale : ★★★
Cuisson en braisé avec margarine végétale non salée : ★★★
Cuisson en braisé avec margarine végétale salée : ★★★
Cuisson en braisé avec saindoux ou graisse d'oie ou de canard : ★★★
Cuisson en braisé sans matière grasse : ★★★
Cuisson en friture : ★★★
Cuisson en meunière avec beurre doux : ★★★
Cuisson en meunière avec beurre salé : ★★★
Cuisson en meunière avec huile végétale : ★★★
Cuisson en meunière avec margarine végétale non salée : ★★★
Cuisson en meunière avec margarine végétale salée : ★★★
Cuisson en meunière avec saindoux ou graisse d'oie ou de canard : ★★★
Cuisson en meunière sans matière grasse : ★★★
Cuisson en papillote : ★★★
Cuisson en ragoût avec beurre doux : ★★★
Cuisson en ragoût avec beurre salé : ★★★
Cuisson en ragoût avec huile végétale : ★★★
Cuisson en ragoût avec margarine végétale non salée : ★★★
Cuisson en ragoût avec margarine végétale salée : ★★★
Cuisson en ragoût avec saindoux ou graisse d'oie ou de canard : ★★★
Cuisson en sauté (idem poêlée).
Cuisson vapeur : ★★★
Poêlée avec beurre doux : ★★★
Poêlée avec beurre salé : ★★★
Poêlée avec huile végétale : ★★★
Poêlée avec margarine végétale non salée : ★★★
Poêlée avec margarine végétale salée : ★★★

Patate douce - Pêche

Poêlée avec saindoux ou graisse d'oie ou de canard : ★★★
Poêlée sans matière grasse : ★★★
Potage crème : ★★★
Potage nature sans matière grasse ajoutée : ★★★
Potage velouté : ★★★
Surgelée : ★★★
Remarque : pas d'huile d'arachide ni de beurre noisette.

Pâte d'abricot : voir « Abricot » section *Sec.*

Pâte de coing : voir « Coing » section *Sec.*

Pâte de datte : voir « Datte » section *Séchée.*

Pâte de figue : voir « Figue » section *Séchée.*

Pâte de goyave : voir « Goyave » section *En compote (avec sucre ajouté).*

Pâte de piment : voir « Piment » section *séché.*

Pâtisson : voir « Courgette ».

Pêche : fruit comestible du pêcher.
A l'anglaise : ★★★
Au sirop : ★★★
Au sirop léger : ★★★
Confite : ★★★
Conserve au naturel : ★★★
Conservée dans l'alcool
Conservée sous vide : ★★★
Consommation crue : ★★★
En beignet : ★★★
En compote (avec sucre ajouté) : ★★★
En compote sans sucre ajouté : ★★★
En confiture : ★★★
En confiture allégée en sucre : ★★★
En confiture sans sucre : ★★★
Flambée (pêche pochée) : ★★

Fraîchement récoltée : ★★★
Pochée sans sucre : ★★★
Séchée : ★★★★
Surgelée : ★★★

Perche : poisson d'eau douce à chair blanche.
Conservée par le sel : ★★★
Conservée sous vide : ★★★
Consommation crue
Cuisson à la milanaise avec beurre doux : ★
Cuisson à la milanaise avec beurre salé : ★
Cuisson à la milanaise avec huile végétale : ★
Cuisson à la milanaise avec margarine végétale non salée : ★
Cuisson à la milanaise avec margarine végétale salée : ★
Cuisson à la milanaise avec saindoux ou graisse d'oie ou de canard : ★
Cuisson à la milanaise sans matière grasse : ★
Cuisson à l'étouffée avec beurre doux : ★★★
Cuisson à l'étouffée avec beurre salé : ★★★
Cuisson à l'étouffée avec huile végétale : ★★★
Cuisson à l'étouffée avec margarine végétale non salée : ★★★
Cuisson à l'étouffée avec margarine végétale salée : ★★★
Cuisson à l'étouffée avec saindoux ou graisse d'oie ou de canard : ★★★
Cuisson à l'étouffée sans matière grasse : ★★★
Cuisson au court bouillon : ★★★
Cuisson en braisé avec beurre doux : ★★★
Cuisson en braisé avec beurre salé : ★★★
Cuisson en braisé avec huile végétale : ★★★
Cuisson en braisé avec margarine végétale non salée : ★★★
Cuisson en braisé avec margarine végétale salée : ★★★
Cuisson en braisé avec saindoux ou graisse d'oie ou de canard : ★★★
Cuisson en braisé sans matière grasse : ★★★
Cuisson en friture : ★★★
Cuisson en meunière avec beurre doux : ★★★
Cuisson en meunière avec beurre salé : ★★★
Cuisson en meunière avec huile végétale : ★★★
Cuisson en meunière avec margarine végétale non salée : ★★★
Cuisson en meunière avec margarine végétale salée : ★★★

Cuisson en meunière avec saindoux ou graisse d'oie ou de canard : ★★★
Cuisson en meunière sans matière grasse : ★★★
Cuisson en papillote : ★★★
Cuisson en sauté (idem poêlée).
Cuisson rôtie au four avec beurre doux : ★★★
Cuisson rôtie au four avec beurre salé : ★★★
Cuisson rôtie au four avec huile végétale : ★★★
Cuisson rôtie au four avec margarine végétale non salée : ★★★
Cuisson rôtie au four avec margarine végétale salée : ★★★
Cuisson rôtie au four avec saindoux ou graisse d'oie ou de canard : ★★★
Cuisson rôtie au four sans matière grasse ajoutée : ★★★
Cuisson vapeur : ★★★
Grillée : ★★★
Pierrade : ★★★
Poêlée avec beurre doux : ★★★
Poêlée avec beurre salé : ★★★
Poêlée avec huile végétale : ★★★
Poêlée avec margarine végétale non salée : ★★★
Poêlée avec margarine végétale salée : ★★★
Poêlée avec saindoux ou graisse d'oie ou de canard : ★★★
Poêlée sans matière grasse : ★★★
Salée et fumée : ★
Séchée : ★★★
Surgelée : ★★★
Remarque : pas d'huile d'arachide ni de beurre noisette.

Perdrix : volatile comestible et très apprécié. Gibier.
Conservée par le sel : ★★★
Conservée sous vide : ★★★
Consommation crue
Cuisson à la milanaise avec beurre doux : ★
Cuisson à la milanaise avec beurre salé : ★
Cuisson à la milanaise avec huile végétale : ★
Cuisson à la milanaise avec margarine végétale non salée : ★
Cuisson à la milanaise avec margarine végétale salée : ★
Cuisson à la milanaise avec saindoux ou graisse d'oie ou de canard : ★

Cuisson à la milanaise sans matière grasse : ★

Cuisson à l'étouffée avec beurre doux : ★★★

Cuisson à l'étouffée avec beurre salé : ★★★

Cuisson à l'étouffée avec huile végétale : ★★★

Cuisson à l'étouffée avec margarine végétale non salée : ★★★

Cuisson à l'étouffée avec margarine végétale salée : ★★★

Cuisson à l'étouffée avec saindoux ou graisse d'oie ou de canard : ★★★

Cuisson à l'étouffée sans matière grasse : ★★★

Cuisson au court bouillon : ★★★

Cuisson en braisé avec beurre doux : ★★★

Cuisson en braisé avec beurre salé : ★★★

Cuisson en braisé avec huile végétale : ★★★

Cuisson en braisé avec margarine végétale non salée : ★★★

Cuisson en braisé avec margarine végétale salée : ★★★

Cuisson en braisé avec saindoux ou graisse d'oie ou de canard : ★★★

Cuisson en braisé sans matière grasse : ★★★

Cuisson en friture : ★★★

Cuisson en meunière avec beurre doux : ★★★

Cuisson en meunière avec beurre salé : ★★★

Cuisson en meunière avec huile végétale : ★★★

Cuisson en meunière avec margarine végétale non salée : ★★★

Cuisson en meunière avec margarine végétale salée : ★★★

Cuisson en meunière avec saindoux ou graisse d'oie ou de canard : ★★★

Cuisson en meunière sans matière grasse : ★★★

Cuisson en papillote : ★★★

Cuisson en ragoût avec beurre doux : ★★★

Cuisson en ragoût avec beurre salé : ★★★

Cuisson en ragoût avec huile végétale : ★★★

Cuisson en ragoût avec margarine végétale non salée : ★★★

Cuisson en ragoût avec margarine végétale salée : ★★★

Cuisson en ragoût avec saindoux ou graisse d'oie ou de canard : ★★★

Cuisson en sauté (idem poêlée).

Cuisson rôtie à la broche : ★★★

Cuisson rôtie au four avec beurre doux : ★★★

Cuisson rôtie au four avec beurre salé : ★★★

Cuisson rôtie au four avec huile végétale : ★★★

Perdrix - Persil à grosse racine

Cuisson rôtie au four avec margarine végétale non salée : ★★★
Cuisson rôtie au four avec margarine végétale salée : ★★★
Cuisson rôtie au four avec saindoux ou graisse d'oie ou de canard : ★★★
Cuisson rôtie au four sans matière grasse ajoutée : ★★★
Cuisson vapeur : ★★★
Faisandée
Grillée : ★★★
Pierrade : ★★★
Poêlée avec beurre doux : ★★★
Poêlée avec beurre salé : ★★★
Poêlée avec huile végétale : ★★★
Poêlée avec margarine végétale non salée : ★★★
Poêlée avec margarine végétale salée : ★★★
Poêlée avec saindoux ou graisse d'oie ou de canard : ★★★
Poêlée sans matière grasse : ★★★
Salée et fumée : ★
Séchée : ★★★
Surgelée : ★★★
Remarque : pas d'huile d'arachide ni de beurre noisette.

Perlon : voir « Grondin ».

Persil : plante potagère utilisée comme condiment. Légume vert.
Conservé sous vide : ★★★★
Consommation cru : ★★★★
Consommation cuit : ★★★★
Déshydraté : ★★★★
Fraîchement récolté : ★★★★
Surgelé : ★★★★

Persil à grosse racine : plante potagère cultivée pour sa racine comestible. Légume vert.
Conserve en saumure (eau salée) : ★★★
Conservé sous vide : ★★★
Consommation cru : ★★★
Cuisson à l'étouffée avec beurre doux : ★★★
Cuisson à l'étouffée avec beurre salé : ★★★

Cuisson à l'étouffée avec huile végétale : ★★★
Cuisson à l'étouffée avec margarine végétale non salée : ★★★
Cuisson à l'étouffée avec margarine végétale salée : ★★★
Cuisson à l'étouffée avec saindoux ou graisse d'oie ou de canard : ★★★
Cuisson à l'étouffée sans matière grasse : ★★★
Cuisson au court bouillon : ★★★
Cuisson en braisé avec beurre doux : ★★★
Cuisson en braisé avec beurre salé : ★★★
Cuisson en braisé avec huile végétale : ★★★
Cuisson en braisé avec margarine végétale non salée : ★★★
Cuisson en braisé avec margarine végétale salée : ★★★
Cuisson en braisé avec saindoux ou graisse d'oie ou de canard : ★★★
Cuisson en braisé sans matière grasse : ★★★
Cuisson en friture : ★★★
Cuisson en papillote : ★★★
Cuisson en ragoût avec beurre doux : ★★★
Cuisson en ragoût avec beurre salé : ★★★
Cuisson en ragoût avec huile végétale : ★★★
Cuisson en ragoût avec margarine végétale non salée : ★★★
Cuisson en ragoût avec margarine végétale salée : ★★★
Cuisson en ragoût avec saindoux ou graisse d'oie ou de canard : ★★★
Cuisson en sauté (idem poêlé).
Cuisson vapeur : ★★★
Poêlé avec beurre doux : ★★★
Poêlé avec beurre salé : ★★★
Poêlé avec huile végétale : ★★★
Poêlé avec margarine végétale non salée : ★★★
Poêlé avec margarine végétale salée : ★★★
Poêlé avec saindoux ou graisse d'oie ou de canard : ★★★
Poêlé sans matière grasse : ★★★
Potage crème : ★★★
Potage nature sans matière grasse ajoutée : ★★★
Potage velouté : ★★★
Surgelé : ★★★
Remarque : pas d'huile d'arachide ni de beurre noisette.

Petit pois

Petit pois : graine ronde et verte du pois récoltée fraîche. Légume vert.
Conserve en saumure (eau salée) : ★★★
Conservé sous vide : ★★★
Consommation cru
Cuisson à l'étouffée avec beurre doux : ★★★
Cuisson à l'étouffée avec beurre salé : ★★★
Cuisson à l'étouffée avec huile végétale : ★★★
Cuisson à l'étouffée avec margarine végétale non salée : ★★★
Cuisson à l'étouffée avec margarine végétale salée : ★★★
Cuisson à l'étouffée avec saindoux ou graisse d'oie ou de canard : ★★★
Cuisson à l'étouffée sans matière grasse : ★★★
Cuisson au court bouillon : ★★★
Cuisson en braisé avec beurre doux : ★★★
Cuisson en braisé avec beurre salé : ★★★
Cuisson en braisé avec huile végétale : ★★★
Cuisson en braisé avec margarine végétale non salée : ★★★
Cuisson en braisé avec margarine végétale salée : ★★★
Cuisson en braisé avec saindoux ou graisse d'oie ou de canard : ★★★
Cuisson en braisé sans matière grasse : ★★★
Cuisson en papillote : ★★★
Cuisson en ragoût avec beurre doux : ★★★
Cuisson en ragoût avec beurre salé : ★★★
Cuisson en ragoût avec huile végétale : ★★★
Cuisson en ragoût avec margarine végétale non salée : ★★★
Cuisson en ragoût avec margarine végétale salée : ★★★
Cuisson en ragoût avec saindoux ou graisse d'oie ou de canard : ★★★
Cuisson vapeur : ★★★
Potage crème : ★★★
Potage nature sans matière grasse ajoutée : ★★★
Potage velouté : ★★★
Sec : voir « Pois cassés ».
Surgelé : ★★★
Remarque : pas d'huile d'arachide ni de beurre noisette.

Petit salé : voir « Porc (viande de) », section *Conservée par le sel.*

Pétoncle : voir « Palourde ».

Pézize : voir « Champignon ».

Pied-de-mouton : voir « Champignon ».

Pigeon : petit volatile comestible. Gibier.
Conservé par le sel : ✦✦✦
Conservé sous vide : ✦✦✦
Consommation cru
Cuisson à la milanaise avec beurre doux : ✦
Cuisson à la milanaise avec beurre salé : ✦
Cuisson à la milanaise avec huile végétale : ✦
Cuisson à la milanaise avec margarine végétale non salée : ✦
Cuisson à la milanaise avec margarine végétale salée : ✦
Cuisson à la milanaise avec saindoux ou graisse d'oie ou de canard : ✦
Cuisson à la milanaise sans matière grasse : ✦
Cuisson à l'étouffée avec beurre doux : ✦✦✦
Cuisson à l'étouffée avec beurre salé : ✦✦✦
Cuisson à l'étouffée avec huile végétale : ✦✦✦
Cuisson à l'étouffée avec margarine végétale non salée : ✦✦✦
Cuisson à l'étouffée avec margarine végétale salée : ✦✦✦
Cuisson à l'étouffée avec saindoux ou graisse d'oie ou de canard : ✦✦✦
Cuisson à l'étouffée sans matière grasse : ✦✦✦
Cuisson au court bouillon : ✦✦✦
Cuisson en braisé avec beurre doux : ✦✦✦
Cuisson en braisé avec beurre salé : ✦✦✦
Cuisson en braisé avec huile végétale : ✦✦✦
Cuisson en braisé avec margarine végétale non salée : ✦✦✦
Cuisson en braisé avec margarine végétale salée : ✦✦✦
Cuisson en braisé avec saindoux ou graisse d'oie ou de canard : ✦✦✦
Cuisson en braisé sans matière grasse : ✦✦✦
Cuisson en friture : ✦✦✦
Cuisson en meunière avec beurre doux : ✦✦✦

Pigeon

Cuisson en meunière avec beurre salé : ★★★
Cuisson en meunière avec huile végétale : ★★★
Cuisson en meunière avec margarine végétale non salée : ★★★
Cuisson en meunière avec margarine végétale salée : ★★★
Cuisson en meunière avec saindoux ou graisse d'oie ou de canard : ★★★
Cuisson en meunière sans matière grasse : ★★★
Cuisson en papillote : ★★★
Cuisson en ragoût avec beurre doux : ★★★
Cuisson en ragoût avec beurre salé : ★★★
Cuisson en ragoût avec huile végétale : ★★★
Cuisson en ragoût avec margarine végétale non salée : ★★★
Cuisson en ragoût avec margarine végétale salée : ★★★
Cuisson en ragoût avec saindoux ou graisse d'oie ou de canard : ★★★
Cuisson en sauté (idem poêlé).
Cuisson rôti à la broche : ★★★
Cuisson rôti au four avec beurre doux : ★★★
Cuisson rôti au four avec beurre salé : ★★★
Cuisson rôti au four avec huile végétale : ★★★
Cuisson rôti au four avec margarine végétale non salée : ★★★
Cuisson rôti au four avec margarine végétale salée : ★★★
Cuisson rôti au four avec saindoux ou graisse d'oie ou de canard : ★★★
Cuisson rôti au four sans matière grasse ajoutée : ★★★
Cuisson vapeur : ★★★
Faisandé
Grillé : ★★★
Pierrade : ★★★
Poêlé avec beurre doux : ★★★
Poêlé avec beurre salé : ★★★
Poêlé avec huile végétale : ★★★
Poêlé avec margarine végétale non salée : ★★★
Poêlé avec margarine végétale salée : ★★★
Poêlé avec saindoux ou graisse d'oie ou de canard : ★★★
Poêlé sans matière grasse : ★★★
Salé et fumé : ★
Séché : ★★★
Surgelé : ★★★

Remarque : pas d'huile d'arachide ni de beurre noisette.

Piment : plante potagère dont on consomme le fruit à la saveur plus ou moins brûlante. Légume vert.
Confit : ★★★
Conservé dans du vinaigre : ★★★
Conserve en saumure (eau salée) : ★★★
Conservé sous vide : ★★★
Consommation cru : ★★★
Cuisson à l'étouffée avec beurre doux : ★★★
Cuisson à l'étouffée avec beurre salé : ★★★
Cuisson à l'étouffée avec huile végétale : ★★★
Cuisson à l'étouffée avec margarine végétale non salée : ★★★
Cuisson à l'étouffée avec margarine végétale salée : ★★★
Cuisson à l'étouffée avec saindoux ou graisse d'oie ou de canard : ★★★
Cuisson à l'étouffée sans matière grasse : ★★★
Cuisson au court bouillon : ★★★
Cuisson en beignet : ★★★
Cuisson en braisé avec beurre doux : ★★★
Cuisson en braisé avec beurre salé : ★★★
Cuisson en braisé avec huile végétale : ★★★
Cuisson en braisé avec margarine végétale non salée : ★★★
Cuisson en braisé avec margarine végétale salée : ★★★
Cuisson en braisé avec saindoux ou graisse d'oie ou de canard : ★★★
Cuisson en braisé sans matière grasse : ★★★
Cuisson en friture : ★★★
Cuisson en papillote : ★★★
Cuisson en ragoût avec beurre doux : ★★★
Cuisson en ragoût avec beurre salé : ★★★
Cuisson en ragoût avec huile végétale : ★★★
Cuisson en ragoût avec margarine végétale non salée : ★★★
Cuisson en ragoût avec margarine végétale salée : ★★★
Cuisson en ragoût avec saindoux ou graisse d'oie ou de canard : ★★★
Cuisson en sauté (idem poêlé).
Cuisson vapeur : ★★★
Grillé : ★★★

Pierrade : ★★★
Poêlé avec beurre doux : ★★★
Poêlé avec beurre salé : ★★★
Poêlé avec huile végétale : ★★★
Poêlé avec margarine végétale non salée : ★★★
Poêlé avec margarine végétale salée : ★★★
Poêlé avec saindoux ou graisse d'oie ou de canard : ★★★
Poêlé sans matière grasse : ★★★
Séché : ★★★
Surgelé : ★★★
Remarque : pas d'huile d'arachide ni de beurre noisette.

Pimprenelle : plante aromatique condimentaire.
Conservée sous vide : ★★★★
Consommation crue : ★★★★
Consommation cuite : ★★★★
Déshydratée : ★★★★
Fraîchement récoltée : ★★★★
Surgelée : ★★★★

Pintade : volaille un peu plus petite que le poulet.
Conservée par le sel : ★★★
Conservée sous vide : ★★★
Consommation crue
Cuisson à la milanaise avec beurre doux : ★
Cuisson à la milanaise avec beurre salé : ★
Cuisson à la milanaise avec huile végétale : ★
Cuisson à la milanaise avec margarine végétale non salée : ★
Cuisson à la milanaise avec margarine végétale salée : ★
Cuisson à la milanaise avec saindoux ou graisse d'oie ou de canard : ★
Cuisson à la milanaise sans matière grasse : ★
Cuisson à l'étouffée avec beurre doux : ★★★
Cuisson à l'étouffée avec beurre salé : ★★★
Cuisson à l'étouffée avec huile végétale : ★★★
Cuisson à l'étouffée avec margarine végétale non salée : ★★★
Cuisson à l'étouffée avec margarine végétale salée : ★★★
Cuisson à l'étouffée avec saindoux ou graisse d'oie ou de canard : ★★★

Cuisson à l'étouffée sans matière grasse : ★★★
Cuisson au court bouillon : ★★★
Cuisson en braisé avec beurre doux : ★★★
Cuisson en braisé avec beurre salé : ★★★
Cuisson en braisé avec huile végétale : ★★★
Cuisson en braisé avec margarine végétale non salée : ★★★
Cuisson en braisé avec margarine végétale salée : ★★★
Cuisson en braisé avec saindoux ou graisse d'oie ou de canard : ★★★
Cuisson en braisé sans matière grasse : ★★★
Cuisson en friture : ★★★
Cuisson en meunière avec beurre doux : ★★★
Cuisson en meunière avec beurre salé : ★★★
Cuisson en meunière avec huile végétale : ★★★
Cuisson en meunière avec margarine végétale non salée : ★★★
Cuisson en meunière avec margarine végétale salée : ★★★
Cuisson en meunière avec saindoux ou graisse d'oie ou de canard : ★★★
Cuisson en meunière sans matière grasse : ★★★
Cuisson en papillote : ★★★
Cuisson en ragoût avec beurre doux : ★★★
Cuisson en ragoût avec beurre salé : ★★★
Cuisson en ragoût avec huile végétale : ★★★
Cuisson en ragoût avec margarine végétale non salée : ★★★
Cuisson en ragoût avec margarine végétale salée : ★★★
Cuisson en ragoût avec saindoux ou graisse d'oie ou de canard : ★★★
Cuisson en sauté (idem poêlée).
Cuisson rôtie à la broche : ★★★
Cuisson rôtie au four avec beurre doux : ★★★
Cuisson rôtie au four avec beurre salé : ★★★
Cuisson rôtie au four avec huile végétale : ★★★
Cuisson rôtie au four avec margarine végétale non salée : ★★★
Cuisson rôtie au four avec margarine végétale salée : ★★★
Cuisson rôtie au four avec saindoux ou graisse d'oie ou de canard : ★★★
Cuisson rôtie au four sans matière grasse ajoutée : ★★★
Cuisson vapeur : ★★★
Grillée : ★★★
Pierrade : ★★★

Poêlée avec beurre doux : ★★★
Poêlée avec beurre salé : ★★★
Poêlée avec huile végétale : ★★★
Poêlée avec margarine végétale non salée : ★★★
Poêlée avec margarine végétale salée : ★★★
Poêlée avec saindoux ou graisse d'oie ou de canard : ★★★
Poêlée sans matière grasse : ★★★
Salée et fumée : ★
Séchée : ★★★
Surgelée : ★★★
Remarque : pas d'huile d'arachide ni de beurre noisette.

Plaquemine : voir « Kaki ».

Plat de côte (de bœuf) : voir « Bœuf (viande de) ».

Pleurote : voir « Champignon ».

Plie : poisson plat à chair blanche.
Conservée par le sel : ★★★
Conservée sous vide : ★★★
Consommation crue
Cuisson à la milanaise avec beurre doux : ★
Cuisson à la milanaise avec beurre salé : ★
Cuisson à la milanaise avec huile végétale : ★
Cuisson à la milanaise avec margarine végétale non salée : ★
Cuisson à la milanaise avec margarine végétale salée : ★
Cuisson à la milanaise avec saindoux ou graisse d'oie ou de canard : ★
Cuisson à la milanaise sans matière grasse : ★
Cuisson à l'étouffée avec beurre doux : ★★★
Cuisson à l'étouffée avec beurre salé : ★★★
Cuisson à l'étouffée avec huile végétale : ★★★
Cuisson à l'étouffée avec margarine végétale non salée : ★★★
Cuisson à l'étouffée avec margarine végétale salée : ★★★
Cuisson à l'étouffée avec saindoux ou graisse d'oie ou de canard : ★★★
Cuisson à l'étouffée sans matière grasse : ★★★
Cuisson au court bouillon : ★★★

Cuisson en braisé avec beurre doux : ★★★
Cuisson en braisé avec beurre salé : ★★★
Cuisson en braisé avec huile végétale : ★★★
Cuisson en braisé avec margarine végétale non salée : ★★★
Cuisson en braisé avec margarine végétale salée : ★★★
Cuisson en braisé avec saindoux ou graisse d'oie ou de canard :
★★★
Cuisson en braisé sans matière grasse : ★★★
Cuisson en friture : ★★★
Cuisson en meunière avec beurre doux : ★★★
Cuisson en meunière avec beurre salé : ★★★
Cuisson en meunière avec huile végétale : ★★★
Cuisson en meunière avec margarine végétale non salée : ★★★
Cuisson en meunière avec margarine végétale salée : ★★★
Cuisson en meunière avec saindoux ou graisse d'oie ou de canard : ★★★
Cuisson en meunière sans matière grasse : ★★★
Cuisson en papillote : ★★★
Cuisson en sauté (idem poêlée).
Cuisson rôtie au four avec beurre doux : ★★★
Cuisson rôtie au four avec beurre salé : ★★★
Cuisson rôtie au four avec huile végétale : ★★★
Cuisson rôtie au four avec margarine végétale non salée : ★★★
Cuisson rôtie au four avec margarine végétale salée : ★★★
Cuisson rôtie au four avec saindoux ou graisse d'oie ou de canard : ★★★
Cuisson rôtie au four sans matière grasse ajoutée : ★★★
Cuisson vapeur : ★★★
Grillée : ★★★
Pierrade : ★★★
Poêlée avec beurre doux : ★★★
Poêlée avec beurre salé : ★★★
Poêlée avec huile végétale : ★★★
Poêlée avec margarine végétale non salée : ★★★
Poêlée avec margarine végétale salée : ★★★
Poêlée avec saindoux ou graisse d'oie ou de canard : ★★★
Poêlée sans matière grasse : ★★★
Salée et fumée : ★
Séchée : ★★★
Surgelée : ★★★

Poire - Poireau

Remarque : pas d'huile d'arachide ni de beurre noisette.

Poire : fruit du poirier.
A l'anglaise : ★★★
Au sirop : ★★★
Au sirop léger : ★★★
Confite : ★★★
Conserve au naturel : ★★★
Conservée dans l'alcool
Conservée sous vide : ★★★
Consommation crue : ★★★
En beignet : ★★★
En compote (avec sucre ajouté) : ★★★
En compote sans sucre ajouté : ★★★
En confiture : ★★★
En confiture allégée en sucre : ★★★
En confiture sans sucre : ★★★
Flambée (poire pochée) : ★★
Fraîchement récoltée : ★★★
Pochée sans sucre : ★★★
Séchée : ★★★★
Surgelée : ★★★

Poireau : plante potagère entièrement comestible. Légume vert.
Conserve en saumure (eau salée) : ★★★
Conservé sous vide : ★★★
Consommation cru
Cuisson à l'étouffée avec beurre doux : ★★★
Cuisson à l'étouffée avec beurre salé : ★★★
Cuisson à l'étouffée avec huile végétale : ★★★
Cuisson à l'étouffée avec margarine végétale non salée : ★★★
Cuisson à l'étouffée avec margarine végétale salée : ★★★
Cuisson à l'étouffée avec saindoux ou graisse d'oie ou de canard : ★★★
Cuisson à l'étouffée sans matière grasse : ★★★
Cuisson au court bouillon : ★★★
Cuisson en braisé avec beurre doux : ★★★
Cuisson en braisé avec beurre salé : ★★★
Cuisson en braisé avec huile végétale : ★★★

Cuisson en braisé avec margarine végétale non salée : ★★★
Cuisson en braisé avec margarine végétale salée : ★★★
Cuisson en braisé avec saindoux ou graisse d'oie ou de canard :
★★★
Cuisson en braisé sans matière grasse : ★★★
Cuisson en papillote : ★★★
Cuisson en ragoût avec beurre doux : ★★★
Cuisson en ragoût avec beurre salé : ★★★
Cuisson en ragoût avec huile végétale : ★★★
Cuisson en ragoût avec margarine végétale non salée : ★★★
Cuisson en ragoût avec margarine végétale salée : ★★★
Cuisson en ragoût avec saindoux ou graisse d'oie ou de canard :
★★★
Cuisson en sauté (idem poêlé).
Cuisson vapeur : ★★★
Poêlé avec beurre doux : ★★★
Poêlé avec beurre salé : ★★★
Poêlé avec huile végétale : ★★★
Poêlé avec margarine végétale non salée : ★★★
Poêlé avec margarine végétale salée : ★★★
Poêlé avec saindoux ou graisse d'oie ou de canard : ★★★
Poêlé sans matière grasse : ★★★
Potage crème : ★★★
Potage nature sans matière grasse ajoutée : ★★★
Potage velouté : ★★★
Surgelé : ★★★
Remarque : pas d'huile d'arachide ni de beurre noisette.

Poire de terre : plante potagère dont on consomme les tubercules. Féculent. Sans gluten.
Conservée sous vide : ★★★
Consommation crue
Cuisson à la milanaise avec beurre doux : ★
Cuisson à la milanaise avec beurre salé : ★
Cuisson à la milanaise avec huile végétale : ★
Cuisson à la milanaise avec margarine végétale non salée : ★
Cuisson à la milanaise avec margarine végétale salée : ★
Cuisson à la milanaise avec saindoux ou graisse d'oie ou de canard : ★

Cuisson à la milanaise sans matière grasse : ✦

Cuisson à l'étouffée avec beurre doux : ✦✦✦

Cuisson à l'étouffée avec beurre salé : ✦✦✦

Cuisson à l'étouffée avec huile végétale : ✦✦✦

Cuisson à l'étouffée avec margarine végétale non salée : ✦✦✦

Cuisson à l'étouffée avec margarine végétale salée : ✦✦✦

Cuisson à l'étouffée avec saindoux ou graisse d'oie ou de canard : ✦✦✦

Cuisson à l'étouffée sans matière grasse : ✦✦✦

Cuisson au court bouillon : ✦✦✦

Cuisson en beignet : ✦✦✦

Cuisson en braisé avec beurre doux : ✦✦✦

Cuisson en braisé avec beurre salé : ✦✦✦

Cuisson en braisé avec huile végétale : ✦✦✦

Cuisson en braisé avec margarine végétale non salée : ✦✦✦

Cuisson en braisé avec margarine végétale salée : ✦✦✦

Cuisson en braisé avec saindoux ou graisse d'oie ou de canard : ✦✦✦

Cuisson en braisé sans matière grasse : ✦✦✦

Cuisson en friture : ✦✦✦

Cuisson en meunière avec beurre doux : ✦✦✦

Cuisson en meunière avec beurre salé : ✦✦✦

Cuisson en meunière avec huile végétale : ✦✦✦

Cuisson en meunière avec margarine végétale non salée : ✦✦✦

Cuisson en meunière avec margarine végétale salée : ✦✦✦

Cuisson en meunière avec saindoux ou graisse d'oie ou de canard : ✦✦✦

Cuisson en meunière sans matière grasse : ✦✦✦

Cuisson en papillote : ✦✦✦

Cuisson en ragoût avec beurre doux : ✦✦✦

Cuisson en ragoût avec beurre salé : ✦✦✦

Cuisson en ragoût avec huile végétale : ✦✦✦

Cuisson en ragoût avec margarine végétale non salée : ✦✦✦

Cuisson en ragoût avec margarine végétale salée : ✦✦✦

Cuisson en ragoût avec saindoux ou graisse d'oie ou de canard : ✦✦✦

Cuisson en sauté (idem poêlée).

Cuisson vapeur : ✦✦✦

Poêlée avec beurre doux : ✦✦✦

Poêlée avec beurre salé : ✦✦✦

Poêlée avec huile végétale : ★★★
Poêlée avec margarine végétale non salée : ★★★
Poêlée avec margarine végétale salée : ★★★
Poêlée avec saindoux ou graisse d'oie ou de canard : ★★★
Poêlée sans matière grasse : ★★★
Potage crème : ★★★
Potage nature sans matière grasse ajoutée : ★★★
Potage velouté : ★★★
Surgelée : ★★★
Remarque : pas d'huile d'arachide ni de beurre noisette.

Poirée : voir « Bette ».

Pois-asperge : plante potagère dont on consomme les gousses et les graines. Légume vert.
Conserve en saumure (eau salée) : ★★★
Conservé sous vide : ★★★
Consommation cru
Cuisson à l'étouffée avec beurre doux : ★★★
Cuisson à l'étouffée avec beurre salé : ★★★
Cuisson à l'étouffée avec huile végétale : ★★★
Cuisson à l'étouffée avec margarine végétale non salée : ★★★
Cuisson à l'étouffée avec margarine végétale salée : ★★★
Cuisson à l'étouffée avec saindoux ou graisse d'oie ou de canard : ★★★
Cuisson à l'étouffée sans matière grasse : ★★★
Cuisson au court bouillon : ★★★
Cuisson en braisé avec beurre doux : ★★★
Cuisson en braisé avec beurre salé : ★★★
Cuisson en braisé avec huile végétale : ★★★
Cuisson en braisé avec margarine végétale non salée : ★★★
Cuisson en braisé avec margarine végétale salée : ★★★
Cuisson en braisé avec saindoux ou graisse d'oie ou de canard : ★★★
Cuisson en braisé sans matière grasse : ★★★
Cuisson en papillote : ★★★
Cuisson en sauté (idem poêlé).
Cuisson vapeur : ★★★
Poêlé avec beurre doux : ★★★

Pois-asperge - Pois cassés

Poêlé avec beurre salé : ★★★
Poêlé avec huile végétale : ★★★
Poêlé avec margarine végétale non salée : ★★★
Poêlé avec margarine végétale salée : ★★★
Poêlé avec saindoux ou graisse d'oie ou de canard : ★★★
Poêlé sans matière grasse : ★★★
Potage crème : ★★★
Potage nature sans matière grasse ajoutée : ★★★
Potage velouté : ★★★
Surgelé : ★★★
Remarque : pas d'huile d'arachide ni de beurre noisette.

Pois cassés : petits pois séchés et cassés.
Conservé sous vide : ★★★★
Consommation cru
Cuisson à l'étouffée avec beurre doux : ★★★★
Cuisson à l'étouffée avec beurre salé : ★★★★
Cuisson à l'étouffée avec huile végétale : ★★★★
Cuisson à l'étouffée avec margarine végétale non salée : ★★★★
Cuisson à l'étouffée avec margarine végétale salée : ★★★★
Cuisson à l'étouffée avec saindoux ou graisse d'oie ou de canard : ★★★★
Cuisson à l'étouffée sans matière grasse : ★★★★
Cuisson au court bouillon : ★★★★
Cuisson en braisé avec beurre doux : ★★★★
Cuisson en braisé avec beurre salé : ★★★★
Cuisson en braisé avec huile végétale : ★★★★
Cuisson en braisé avec margarine végétale non salée : ★★★★
Cuisson en braisé avec margarine végétale salée : ★★★★
Cuisson en braisé avec saindoux ou graisse d'oie ou de canard : ★★★★
Cuisson en braisé sans matière grasse : ★★★★
Cuisson en ragoût avec beurre doux : ★★★★
Cuisson en ragoût avec beurre salé : ★★★★
Cuisson en ragoût avec huile végétale : ★★★★
Cuisson en ragoût avec margarine végétale non salée : ★★★★
Cuisson en ragoût avec margarine végétale salée : ★★★★

Cuisson en ragoût avec saindoux ou graisse d'oie ou de canard :
★★★★
Potage crème : ★★★ ★
Potage nature sans matière grasse ajoutée : ★★★★
Potage velouté : ★★★★
Sec : ★★★★
Surgelé : ★★★★
Remarque : pas d'huile d'arachide ni de beurre noisette.

Pois chiche : gros pois gris-jaune. Féculent. Sans gluten.
Conservé sous vide : ★★★★
Consommation cru
Cuisson à l'étouffée avec beurre doux : ★★★★
Cuisson à l'étouffée avec beurre salé : ★★★★
Cuisson à l'étouffée avec huile végétale : ★★★★
Cuisson à l'étouffée avec margarine végétale non salée :
★★★★
Cuisson à l'étouffée avec margarine végétale salée : ★★★★
Cuisson à l'étouffée avec saindoux ou graisse d'oie ou de canard : ★★★★
Cuisson à l'étouffée sans matière grasse : ★★★★
Cuisson au court bouillon : ★★★★
Cuisson en braisé avec beurre doux : ★★★★
Cuisson en braisé avec beurre salé : ★★★★
Cuisson en braisé avec huile végétale : ★★★★
Cuisson en braisé avec margarine végétale non salée : ★★★★
Cuisson en braisé avec margarine végétale salée : ★★★★
Cuisson en braisé avec saindoux ou graisse d'oie ou de canard :
★★★★
Cuisson en braisé sans matière grasse : ★★★★
Cuisson en ragoût avec beurre doux : ★★★★
Cuisson en ragoût avec beurre salé : ★★★★
Cuisson en ragoût avec huile végétale : ★★★★
Cuisson en ragoût avec margarine végétale non salée : ★★★★
Cuisson en ragoût avec margarine végétale salée : ★★★★
Cuisson en ragoût avec saindoux ou graisse d'oie ou de canard :
★★★★
Potage crème : ★★★ ★
Potage nature sans matière grasse ajoutée : ★★★★

Pois chiche - Pois de bambara

Potage velouté : ★★★★
Sec : ★★★★
Surgelé : ★★★★
Remarque : pas d'huile d'arachide ni de beurre noisette.

Pois de bambara : pois de terre. Féculent. Sans gluten.
Conservé sous vide : ★★★★
Consommation cru
Cuisson à l'étouffée avec beurre doux : ★★★★
Cuisson à l'étouffée avec beurre salé : ★★★★
Cuisson à l'étouffée avec huile végétale : ★★★★
Cuisson à l'étouffée avec margarine végétale non salée : ★★★★
Cuisson à l'étouffée avec margarine végétale salée : ★★★★
Cuisson à l'étouffée avec saindoux ou graisse d'oie ou de canard : ★★★★
Cuisson à l'étouffée sans matière grasse : ★★★★
Cuisson au court bouillon : ★★★★
Cuisson en braisé avec beurre doux : ★★★★
Cuisson en braisé avec beurre salé : ★★★★
Cuisson en braisé avec huile végétale : ★★★★
Cuisson en braisé avec margarine végétale non salée : ★★★★
Cuisson en braisé avec margarine végétale salée : ★★★★
Cuisson en braisé avec saindoux ou graisse d'oie ou de canard : ★★★★
Cuisson en braisé sans matière grasse : ★★★★
Cuisson en ragoût avec beurre doux : ★★★★
Cuisson en ragoût avec beurre salé : ★★★★
Cuisson en ragoût avec huile végétale : ★★★★
Cuisson en ragoût avec margarine végétale non salée : ★★★★
Cuisson en ragoût avec margarine végétale salée : ★★★★
Cuisson en ragoût avec saindoux ou graisse d'oie ou de canard : ★★★★
Potage crème : ★★★ ★
Potage nature sans matière grasse ajoutée : ★★★★
Potage velouté : ★★★★
Sec : ★★★★
Surgelé : ★★★★

Remarque : pas d'huile d'arachide ni de beurre noisette.

Pois mange-tout : variété de pois dont on mange la gousse et les graines. Légume vert.
Conserve en saumure (eau salée) : ★★★
Conservé sous vide : ★★★
Consommation cru
Cuisson à l'étouffée avec beurre doux : ★★★
Cuisson à l'étouffée avec beurre salé : ★★★
Cuisson à l'étouffée avec huile végétale : ★★★
Cuisson à l'étouffée avec margarine végétale non salée : ★★★
Cuisson à l'étouffée avec margarine végétale salée : ★★★
Cuisson à l'étouffée avec saindoux ou graisse d'oie ou de canard : ★★★
Cuisson à l'étouffée sans matière grasse : ★★★
Cuisson au court bouillon : ★★★
Cuisson en braisé avec beurre doux : ★★★
Cuisson en braisé avec beurre salé : ★★★
Cuisson en braisé avec huile végétale : ★★★
Cuisson en braisé avec margarine végétale non salée : ★★★
Cuisson en braisé avec margarine végétale salée : ★★★
Cuisson en braisé avec saindoux ou graisse d'oie ou de canard : ★★★
Cuisson en braisé sans matière grasse : ★★★
Cuisson en friture : ★★★
Cuisson en papillote : ★★★
Cuisson en sauté (idem poêlé).
Cuisson vapeur : ★★★
Poêlé avec beurre doux : ★★★
Poêlé avec beurre salé : ★★★
Poêlé avec huile végétale : ★★★
Poêlé avec margarine végétale non salée : ★★★
Poêlé avec margarine végétale salée : ★★★
Poêlé avec saindoux ou graisse d'oie ou de canard : ★★★
Poêlé sans matière grasse : ★★★
Potage crème : ★★★
Potage nature sans matière grasse ajoutée : ★★★
Potage velouté : ★★★
Surgelé : ★★★

Poisson-chat

Poisson-chat : poisson d'eau douce à chair blanche.
Conservé par le sel : ★★★
Conservé sous vide : ★★★
Consommation cru
Cuisson à la milanaise avec beurre doux : ★
Cuisson à la milanaise avec beurre salé : ★
Cuisson à la milanaise avec huile végétale : ★
Cuisson à la milanaise avec margarine végétale non salée : ★
Cuisson à la milanaise avec margarine végétale salée : ★
Cuisson à la milanaise avec saindoux ou graisse d'oie ou de canard : ★
Cuisson à la milanaise sans matière grasse : ★
Cuisson à l'étouffée avec beurre doux : ★★★
Cuisson à l'étouffée avec beurre salé : ★★★
Cuisson à l'étouffée avec huile végétale : ★★★
Cuisson à l'étouffée avec margarine végétale non salée : ★★★
Cuisson à l'étouffée avec margarine végétale salée : ★★★
Cuisson à l'étouffée avec saindoux ou graisse d'oie ou de canard : ★★★
Cuisson à l'étouffée sans matière grasse : ★★★
Cuisson au court bouillon : ★★★
Cuisson en braisé avec beurre doux : ★★★
Cuisson en braisé avec beurre salé : ★★★
Cuisson en braisé avec huile végétale : ★★★
Cuisson en braisé avec margarine végétale non salée : ★★★
Cuisson en braisé avec margarine végétale salée : ★★★
Cuisson en braisé avec saindoux ou graisse d'oie ou de canard : ★★★
Cuisson en braisé sans matière grasse : ★★★
Cuisson en friture : ★★★
Cuisson en meunière avec beurre doux : ★★★
Cuisson en meunière avec beurre salé : ★★★
Cuisson en meunière avec huile végétale : ★★★
Cuisson en meunière avec margarine végétale non salée : ★★★
Cuisson en meunière avec margarine végétale salée : ★★★
Cuisson en meunière avec saindoux ou graisse d'oie ou de canard : ★★★

Cuisson en meunière sans matière grasse : ★★★
Cuisson en papillote : ★★★
Cuisson en ragoût avec beurre doux : ★★★
Cuisson en ragoût avec beurre salé : ★★★
Cuisson en ragoût avec huile végétale : ★★★
Cuisson en ragoût avec margarine végétale non salée : ★★★
Cuisson en ragoût avec margarine végétale salée : ★★★
Cuisson en ragoût avec saindoux ou graisse d'oie ou de canard : ★★★
Cuisson en sauté (idem poêlé).
Cuisson rôti à la broche : ★★★
Cuisson rôti au four avec beurre doux : ★★★
Cuisson rôti au four avec beurre salé : ★★★
Cuisson rôti au four avec huile végétale : ★★★
Cuisson rôti au four avec margarine végétale non salée : ★★★
Cuisson rôti au four avec margarine végétale salée : ★★★
Cuisson rôti au four avec saindoux ou graisse d'oie ou de canard : ★★★
Cuisson rôti au four sans matière grasse ajoutée : ★★★
Cuisson vapeur : ★★★
Grillé : ★★★
Pierrade : ★★★
Poêlé avec beurre doux : ★★★
Poêlé avec beurre salé : ★★★
Poêlé avec huile végétale : ★★★
Poêlé avec margarine végétale non salée : ★★★
Poêlé avec margarine végétale salée : ★★★
Poêlé avec saindoux ou graisse d'oie ou de canard : ★★★
Poêlé sans matière grasse : ★★★
Salé et fumé : ★
Séché : ★★★
Surgelé : ★★★
Remarque : pas d'huile d'arachide ni de beurre noisette.

Poisson gras : poisson à chair brune, riche en oméga 3 et en acides gras polyinsaturés : maquereau, sardine, thon, hareng, truite, omble, saumon, anchois, anguille, congre, etc.
Conservé par le sel : ★★★★
Conservé sous vide : ★★★★

Poisson gras

Cuisson à la milanaise avec beurre doux : ★
Cuisson à la milanaise avec beurre salé : ★
Cuisson à la milanaise avec huile végétale : ★
Cuisson à la milanaise avec margarine végétale non salée : ★
Cuisson à la milanaise avec margarine végétale salée : ★
Cuisson à la milanaise avec saindoux ou graisse d'oie ou de canard : ★
Cuisson à la milanaise sans matière grasse : ★
Cuisson à l'étouffée avec beurre doux : ★★★★
Cuisson à l'étouffée avec beurre salé : ★★★★
Cuisson à l'étouffée avec huile végétale : ★★★★
Cuisson à l'étouffée avec margarine végétale non salée : ★★★★
Cuisson à l'étouffée avec margarine végétale salée : ★★★★
Cuisson à l'étouffée avec saindoux ou graisse d'oie ou de canard : ★★★★
Cuisson à l'étouffée sans matière grasse : ★★★★
Cuisson au court bouillon : ★★★★
Cuisson en braisé avec beurre doux : ★★★★
Cuisson en braisé avec beurre salé : ★★★★
Cuisson en braisé avec huile végétale : ★★★★
Cuisson en braisé avec margarine végétale non salée : ★★★★
Cuisson en braisé avec margarine végétale salée : ★★★★
Cuisson en braisé avec saindoux ou graisse d'oie ou de canard : ★★★★
Cuisson en braisé sans matière grasse : ★★★★
Cuisson en friture : ★★★★
Cuisson en meunière avec beurre doux : ★★★★
Cuisson en meunière avec beurre salé : ★★★★
Cuisson en meunière avec huile végétale : ★★★★
Cuisson en meunière avec margarine végétale non salée : ★★★★
Cuisson en meunière avec margarine végétale salée : ★★★★
Cuisson en meunière avec saindoux ou graisse d'oie ou de canard : ★★★★
Cuisson en meunière sans matière grasse : ★★★★
Cuisson en papillote : ★★★★
Cuisson en ragoût avec beurre doux : ★★★★
Cuisson en ragoût avec beurre salé : ★★★★

Cuisson en ragoût avec huile végétale : ★★★★
Cuisson en ragoût avec margarine végétale non salée : ★★★★
Cuisson en ragoût avec margarine végétale salée : ★★★★
Cuisson en ragoût avec saindoux ou graisse d'oie ou de canard :
★★★★
Cuisson en sauté (idem poêlé).
Cuisson rôti à la broche : ★★★ ★
Cuisson rôti au four avec beurre doux : ★★★★
Cuisson rôti au four avec beurre salé : ★★★★
Cuisson rôti au four avec huile végétale : ★★★★
Cuisson rôti au four avec margarine végétale non salée :
★★★★
Cuisson rôti au four avec margarine végétale salée : ★★★★
Cuisson rôti au four avec saindoux ou graisse d'oie ou de
canard : ★★★★
Cuisson rôti au four sans matière grasse ajoutée : ★★★★
Cuisson vapeur : ★★★★
Grillé : ★★★ ★
Pierrade : ★★★★
Poêlé avec beurre doux : ★★★★
Poêlé avec beurre salé : ★★★★
Poêlé avec huile végétale : ★★★★
Poêlé avec margarine végétale non salée : ★★★★
Poêlé avec margarine végétale salée : ★★★★
Poêlé avec saindoux ou graisse d'oie ou de canard : ★★★★
Poêlé sans matière grasse : ★★★★
Salé et fumé : ★
Séché : ★★★★
Surgelé : ★★★★
**Remarque : pas d'huile d'arachide ni de beurre
noisette.**

Poisson maigre : poisson à chair blanche, moyennement riche
en acides gras polyinsaturés et en oméga 3 : sole, cabillaud, lieu,
grondin, carpe, gardon, brochet, sandre, etc.
Conservé par le sel : ★★★
Conservé sous vide : ★★★
Consommation cru
Cuisson à la milanaise avec beurre doux : ★
Cuisson à la milanaise avec beurre salé : ★

Poisson maigre

Cuisson à la milanaise avec huile végétale : ★
Cuisson à la milanaise avec margarine végétale non salée : ★
Cuisson à la milanaise avec margarine végétale salée : ★
Cuisson à la milanaise avec saindoux ou graisse d'oie ou de canard : ★
Cuisson à la milanaise sans matière grasse : ★
Cuisson à l'étouffée avec beurre doux : ★★★
Cuisson à l'étouffée avec beurre salé : ★★★
Cuisson à l'étouffée avec huile végétale : ★★★
Cuisson à l'étouffée avec margarine végétale non salée : ★★★
Cuisson à l'étouffée avec margarine végétale salée : ★★★
Cuisson à l'étouffée avec saindoux ou graisse d'oie ou de canard : ★★★
Cuisson à l'étouffée sans matière grasse : ★★★
Cuisson au court bouillon : ★★★
Cuisson en braisé avec beurre doux : ★★★
Cuisson en braisé avec beurre salé : ★★★
Cuisson en braisé avec huile végétale : ★★★
Cuisson en braisé avec margarine végétale non salée : ★★★
Cuisson en braisé avec margarine végétale salée : ★★★
Cuisson en braisé avec saindoux ou graisse d'oie ou de canard : ★★★
Cuisson en braisé sans matière grasse : ★★★
Cuisson en friture : ★★★
Cuisson en meunière avec beurre doux : ★★★
Cuisson en meunière avec beurre salé : ★★★
Cuisson en meunière avec huile végétale : ★★★
Cuisson en meunière avec margarine végétale non salée : ★★★
Cuisson en meunière avec margarine végétale salée : ★★★
Cuisson en meunière avec saindoux ou graisse d'oie ou de canard : ★★★
Cuisson en meunière sans matière grasse : ★★★
Cuisson en papillote : ★★★
Cuisson en ragoût avec beurre doux : ★★★
Cuisson en ragoût avec beurre salé : ★★★
Cuisson en ragoût avec huile végétale : ★★★
Cuisson en ragoût avec margarine végétale non salée : ★★★
Cuisson en ragoût avec margarine végétale salée : ★★★
Cuisson en ragoût avec saindoux ou graisse d'oie ou de canard : ★★★

Cuisson en sauté (idem poêlé).
Cuisson rôti à la broche : ★★★
Cuisson rôti au four avec beurre doux : ★★★
Cuisson rôti au four avec beurre salé : ★★★
Cuisson rôti au four avec huile végétale : ★★★
Cuisson rôti au four avec margarine végétale non salée : ★★★
Cuisson rôti au four avec margarine végétale salée : ★★★
Cuisson rôti au four avec saindoux ou graisse d'oie ou de canard : ★★★
Cuisson rôti au four sans matière grasse ajoutée : ★★★
Cuisson vapeur : ★★★
Grillé : ★★★
Pierrade : ★★★
Poêlé avec beurre doux : ★★★
Poêlé avec beurre salé : ★★★
Poêlé avec huile végétale : ★★★
Poêlé avec margarine végétale non salée : ★★★
Poêlé avec margarine végétale salée : ★★★
Poêlé avec saindoux ou graisse d'oie ou de canard : ★★★
Poêlé sans matière grasse : ★★★
Salé et fumé : ★
Séché : ★★★
Surgelé : ★★★
Remarque : pas d'huile d'arachide ni de beurre noisette.

Poitrine d'agneau : voir « Agneau (viande d') ».

Poitrine de bœuf : voir « Bœuf (viande de) ».

Poitrine de porc : voir « Porc (viande de) ».

Poitrine de veau : voir « Veau (viande de) ».

Poivron : piment doux. Légume vert.
Confit : ★★★★
Conservé dans du vinaigre : ★★★★
Conservé en saumure : ★★★★
Conservé sous vide : ★★★★
Consommation cru

Poivron

Cuisson à la milanaise avec beurre doux : ★
Cuisson à la milanaise avec beurre salé : ★
Cuisson à la milanaise avec huile végétale : ★
Cuisson à la milanaise avec margarine végétale non salée : ★
Cuisson à la milanaise avec margarine végétale salée : ★
Cuisson à la milanaise avec saindoux ou graisse d'oie ou de canard : ★
Cuisson à la milanaise sans matière grasse : ★
Cuisson à l'étouffée avec beurre doux : ★ ★ ★ ★
Cuisson à l'étouffée avec beurre salé : ★ ★ ★ ★
Cuisson à l'étouffée avec huile végétale : ★ ★ ★ ★
Cuisson à l'étouffée avec margarine végétale non salée : ★ ★ ★ ★
Cuisson à l'étouffée avec margarine végétale salée : ★ ★ ★ ★
Cuisson à l'étouffée avec saindoux ou graisse d'oie ou de canard : ★ ★ ★ ★
Cuisson à l'étouffée sans matière grasse : ★ ★ ★ ★
Cuisson au court bouillon : ★ ★ ★ ★
Cuisson en braisé avec beurre doux : ★ ★ ★ ★
Cuisson en braisé avec beurre salé : ★ ★ ★ ★
Cuisson en braisé avec huile végétale : ★ ★ ★ ★
Cuisson en braisé avec margarine végétale non salée : ★ ★ ★ ★
Cuisson en braisé avec margarine végétale salée : ★ ★ ★ ★
Cuisson en braisé avec saindoux ou graisse d'oie ou de canard : ★ ★ ★ ★
Cuisson en braisé sans matière grasse : ★ ★ ★ ★
Cuisson en friture : ★ ★ ★ ★
Cuisson en meunière avec beurre doux : ★ ★ ★ ★
Cuisson en meunière avec beurre salé : ★ ★ ★ ★
Cuisson en meunière avec huile végétale : ★ ★ ★ ★
Cuisson en meunière avec margarine végétale non salée : ★ ★ ★ ★
Cuisson en meunière avec margarine végétale salée : ★ ★ ★ ★
Cuisson en meunière avec saindoux ou graisse d'oie ou de canard : ★ ★ ★ ★
Cuisson en meunière sans matière grasse : ★ ★ ★ ★
Cuisson en papillote : ★ ★ ★ ★
Cuisson en sauté (idem poêlé).
Cuisson vapeur : ★ ★ ★ ★
Grillé : ★ ★ ★ ★

Pierrade : ★★★★
Poêlé avec beurre doux : ★★★★
Poêlé avec beurre salé : ★★★★
Poêlé avec huile végétale : ★★★★
Poêlé avec margarine végétale non salée : ★★★★
Poêlé avec margarine végétale salée : ★★★★
Poêlé avec saindoux ou graisse d'oie ou de canard : ★★★★
Poêlé sans matière grasse : ★★★★
Potage crème : ★★★★
Potage nature sans matière grasse ajoutée : ★★★★
Potage velouté : ★★★★
Séché : ★★★★
Surgelé : ★★★★
Remarque : pas d'huile d'arachide ni de beurre noisette.

Pomelo : voir « Pamplemousse ».

Pomme : fruit comestible du pommier.
A l'anglaise : ★★★
Au sirop : ★★★
Au sirop léger : ★★★
Confite : ★★★
Conserve au naturel : ★★★
Conservée dans l'alcool
Conservée sous vide : ★★★
Consommation crue : ★★★
En beignet : ★★★
En compote (avec sucre ajouté) : ★★★
En compote sans sucre ajouté : ★★★
En confiture : ★★★
En confiture allégée en sucre : ★★★
En confiture sans sucre : ★★★
Flambée (pomme pochée) : ★★
Fraîchement récoltée : ★★★
Pochée sans sucre : ★★★
Séchée : ★★★★
Surgelée : ★★★

Pomme de terre

Pomme de terre : plante potagère dont on consomme les tubercules. Féculent. Sans gluten.
Conservée sous vide : ★★★
Consommation crue
Cuisson à la milanaise avec beurre doux : ★
Cuisson à la milanaise avec beurre salé : ★
Cuisson à la milanaise avec huile végétale : ★
Cuisson à la milanaise avec margarine végétale non salée : ★
Cuisson à la milanaise avec margarine végétale salée : ★
Cuisson à la milanaise avec saindoux ou graisse d'oie ou de canard : ★
Cuisson à la milanaise sans matière grasse : ★
Cuisson à l'étouffée avec beurre doux : ★★★
Cuisson à l'étouffée avec beurre salé : ★★★
Cuisson à l'étouffée avec huile végétale : ★★★
Cuisson à l'étouffée avec margarine végétale non salée : ★★★
Cuisson à l'étouffée avec margarine végétale salée : ★★★
Cuisson à l'étouffée avec saindoux ou graisse d'oie ou de canard : ★★★
Cuisson à l'étouffée sans matière grasse : ★★★
Cuisson au court bouillon : ★★★
Cuisson en beignet : ★★★
Cuisson en braisé avec beurre doux : ★★★
Cuisson en braisé avec beurre salé : ★★★
Cuisson en braisé avec huile végétale : ★★★
Cuisson en braisé avec margarine végétale non salée : ★★★
Cuisson en braisé avec margarine végétale salée : ★★★
Cuisson en braisé avec saindoux ou graisse d'oie ou de canard : ★★★
Cuisson en braisé sans matière grasse : ★★★
Cuisson en friture : ★★★
Cuisson en meunière avec beurre doux : ★★★
Cuisson en meunière avec beurre salé : ★★★
Cuisson en meunière avec huile végétale : ★★★
Cuisson en meunière avec margarine végétale non salée : ★★★
Cuisson en meunière avec margarine végétale salée : ★★★
Cuisson en meunière avec saindoux ou graisse d'oie ou de canard : ★★★
Cuisson en meunière sans matière grasse : ★★★
Cuisson en papillote : ★★★

Cuisson en ragoût avec beurre doux : ★★★
Cuisson en ragoût avec beurre salé : ★★★
Cuisson en ragoût avec huile végétale : ★★★
Cuisson en ragoût avec margarine végétale non salée : ★★★
Cuisson en ragoût avec margarine végétale salée : ★★★
Cuisson en ragoût avec saindoux ou graisse d'oie ou de canard : ★★★
Cuisson en sauté (idem poêlée).
Cuisson vapeur : ★★★
Poêlée avec beurre doux : ★★★
Poêlée avec beurre salé : ★★★
Poêlée avec huile végétale : ★★★
Poêlée avec margarine végétale non salée : ★★★
Poêlée avec margarine végétale salée : ★★★
Poêlée avec saindoux ou graisse d'oie ou de canard : ★★★
Poêlée sans matière grasse : ★★★
Potage crème : ★★★
Potage nature sans matière grasse ajoutée : ★★★
Potage velouté : ★★★
Surgelée : ★★★
Remarque : pas d'huile d'arachide ni de beurre noisette.

Porc (viande de...) : représente les viandes non préparées ni transformées, nature, prêtes à être cuisinées provenant du cochon.
Conservée par le sel : ★★★
Conservée sous vide : ★★★
Consommation crue
Cuisson à la milanaise avec beurre doux : ★
Cuisson à la milanaise avec beurre salé : ★
Cuisson à la milanaise avec huile végétale : ★
Cuisson à la milanaise avec margarine végétale non salée : ★
Cuisson à la milanaise avec margarine végétale salée : ★
Cuisson à la milanaise avec saindoux ou graisse d'oie ou de canard : ★
Cuisson à la milanaise sans matière grasse : ★
Cuisson à l'étouffée avec beurre doux : ★★★
Cuisson à l'étouffée avec beurre salé : ★★★
Cuisson à l'étouffée avec huile végétale : ★★★

Porc (viande de)

Cuisson à l'étouffée avec margarine végétale non salée : ★★★
Cuisson à l'étouffée avec margarine végétale salée : ★★★
Cuisson à l'étouffée avec saindoux ou graisse d'oie ou de canard : ★★★
Cuisson à l'étouffée sans matière grasse : ★★★
Cuisson au court bouillon : ★★★
Cuisson en braisé avec beurre doux : ★★★
Cuisson en braisé avec beurre salé : ★★★
Cuisson en braisé avec huile végétale : ★★★
Cuisson en braisé avec margarine végétale non salée : ★★★
Cuisson en braisé avec margarine végétale salée : ★★★
Cuisson en braisé avec saindoux ou graisse d'oie ou de canard : ★★★
Cuisson en braisé sans matière grasse : ★★★
Cuisson en friture : ★★★
Cuisson en meunière avec beurre doux : ★★★
Cuisson en meunière avec beurre salé : ★★★
Cuisson en meunière avec huile végétale : ★★★
Cuisson en meunière avec margarine végétale non salée : ★★★
Cuisson en meunière avec margarine végétale salée : ★★★
Cuisson en meunière avec saindoux ou graisse d'oie ou de canard : ★★★
Cuisson en meunière sans matière grasse : ★★★
Cuisson en papillote : ★★★
Cuisson en ragoût avec beurre doux : ★★★
Cuisson en ragoût avec beurre salé : ★★★
Cuisson en ragoût avec huile végétale : ★★★
Cuisson en ragoût avec margarine végétale non salée : ★★★
Cuisson en ragoût avec margarine végétale salée : ★★★
Cuisson en ragoût avec saindoux ou graisse d'oie ou de canard : ★★★
Cuisson en sauté (idem poêlée).
Cuisson rôtie à la broche : ★★★
Cuisson rôtie au four avec beurre doux : ★★★
Cuisson rôtie au four avec beurre salé : ★★★
Cuisson rôtie au four avec huile végétale : ★★★
Cuisson rôtie au four avec margarine végétale non salée : ★★★
Cuisson rôtie au four avec margarine végétale salée : ★★★
Cuisson rôtie au four avec saindoux ou graisse d'oie ou de canard : ★★★

Cuisson rôtie au four sans matière grasse ajoutée : ★★★
Cuisson vapeur : ★★★
Grillée : ★★★
Pierrade : ★★★
Poêlée avec beurre doux : ★★★
Poêlée avec beurre salé : ★★★
Poêlée avec huile végétale : ★★★
Poêlée avec margarine végétale non salée : ★★★
Poêlée avec margarine végétale salée : ★★★
Poêlée avec saindoux ou graisse d'oie ou de canard : ★★★
Poêlée sans matière grasse : ★★★
Salée et fumée : ★
Séchée : ★★★
Surgelée : ★★★
Remarque : pas d'huile d'arachide ni de beurre noisette.

Potimarron : courge dont le goût rappelle celui de la châtaigne. Légume vert.
Conserve en saumure (eau salée) : ★★★
Conservé sous vide : ★★★
Consommation cru
Cuisson à l'étouffée avec beurre doux : ★★★
Cuisson à l'étouffée avec beurre salé : ★★★
Cuisson à l'étouffée avec huile végétale : ★★★
Cuisson à l'étouffée avec margarine végétale non salée : ★★★
Cuisson à l'étouffée avec margarine végétale salée : ★★★
Cuisson à l'étouffée avec saindoux ou graisse d'oie ou de canard : ★★★
Cuisson à l'étouffée sans matière grasse : ★★★
Cuisson au court bouillon : ★★★
Cuisson en braisé avec beurre doux : ★★★
Cuisson en braisé avec beurre salé : ★★★
Cuisson en braisé avec huile végétale : ★★★
Cuisson en braisé avec margarine végétale non salée : ★★★
Cuisson en braisé avec margarine végétale salée : ★★★
Cuisson en braisé avec saindoux ou graisse d'oie ou de canard : ★★★
Cuisson en braisé sans matière grasse : ★★★
Cuisson en friture : ★★★

Cuisson en papillote : ★★★
Cuisson en ragoût avec beurre doux : ★★★
Cuisson en ragoût avec beurre salé : ★★★
Cuisson en ragoût avec huile végétale : ★★★
Cuisson en ragoût avec margarine végétale non salée : ★★★
Cuisson en ragoût avec margarine végétale salée : ★★★
Cuisson en ragoût avec saindoux ou graisse d'oie ou de canard :
★★★
Cuisson en sauté (idem poêlé).
Cuisson vapeur : ★★★
En confiture : ★★★
En confiture allégée en sucre : ★★★
En confiture sans sucre : ★★★
Poêlé avec beurre doux : ★★★
Poêlé avec beurre salé : ★★★
Poêlé avec huile végétale : ★★★
Poêlé avec margarine végétale non salée : ★★★
Poêlé avec margarine végétale salée : ★★★
Poêlé avec saindoux ou graisse d'oie ou de canard : ★★★
Poêlé sans matière grasse : ★★★
Potage crème : ★★★
Potage nature sans matière grasse ajoutée : ★★★
Potage velouté : ★★★
Surgelé : ★★★
Remarque : pas d'huile d'arachide ni de beurre noisette.

Potiron : voir « Potimarron ».

Poule : femelle du coq. Volaille.
Conservée par le sel : ★★★
Conservée sous vide : ★★★
Consommation crue
Cuisson à l'étouffée avec beurre doux : ★★★
Cuisson à l'étouffée avec beurre salé : ★★★
Cuisson à l'étouffée avec huile végétale : ★★★
Cuisson à l'étouffée avec margarine végétale non salée : ★★★
Cuisson à l'étouffée avec margarine végétale salée : ★★★
Cuisson à l'étouffée avec saindoux ou graisse d'oie ou de canard : ★★★

Cuisson à l'étouffée sans matière grasse : ★★★
Cuisson au court bouillon : ★★★
Cuisson en braisé avec beurre doux : ★★★
Cuisson en braisé avec beurre salé : ★★★
Cuisson en braisé avec huile végétale : ★★★
Cuisson en braisé avec margarine végétale non salée : ★★★
Cuisson en braisé avec margarine végétale salée : ★★★
Cuisson en braisé avec saindoux ou graisse d'oie ou de canard :
★★★
Cuisson en braisé sans matière grasse : ★★★
Cuisson en friture : ★★★
Cuisson en papillote : ★★★
Cuisson en ragoût avec beurre doux : ★★★
Cuisson en ragoût avec beurre salé : ★★★
Cuisson en ragoût avec huile végétale : ★★★
Cuisson en ragoût avec margarine végétale non salée : ★★★
Cuisson en ragoût avec margarine végétale salée : ★★★
Cuisson en ragoût avec saindoux ou graisse d'oie ou de canard :
★★★
Cuisson en sauté (idem poêlée).
Cuisson vapeur : ★★★
Poêlée avec beurre doux : ★★★
Poêlée avec beurre salé : ★★★
Poêlée avec huile végétale : ★★★
Poêlée avec margarine végétale non salée : ★★★
Poêlée avec margarine végétale salée : ★★★
Poêlée avec saindoux ou graisse d'oie ou de canard : ★★★
Poêlée sans matière grasse : ★★★
Salée et fumée : ★
Séchée : ★★★
Surgelée : ★★★
Remarque : pas d'huile d'arachide ni de beurre noisette.

Poulet : petit de la poule, abattu avant son âge adulte. Volaille.
Conservé par le sel : ★★★
Conservé sous vide : ★★★
Consommation cru
Cuisson à la milanaise avec beurre doux : ★
Cuisson à la milanaise avec beurre salé : ★

Poulet

Cuisson à la milanaise avec huile végétale : ★

Cuisson à la milanaise avec margarine végétale non salée : ★

Cuisson à la milanaise avec margarine végétale salée : ★

Cuisson à la milanaise avec saindoux ou graisse d'oie ou de canard : ★

Cuisson à la milanaise sans matière grasse : ★

Cuisson à l'étouffée avec beurre doux : ★★★

Cuisson à l'étouffée avec beurre salé : ★★★

Cuisson à l'étouffée avec huile végétale : ★★★

Cuisson à l'étouffée avec margarine végétale non salée : ★★★

Cuisson à l'étouffée avec margarine végétale salée : ★★★

Cuisson à l'étouffée avec saindoux ou graisse d'oie ou de canard : ★★★

Cuisson à l'étouffée sans matière grasse : ★★★

Cuisson au court bouillon : ★★★

Cuisson en braisé avec beurre doux : ★★★

Cuisson en braisé avec beurre salé : ★★★

Cuisson en braisé avec huile végétale : ★★★

Cuisson en braisé avec margarine végétale non salée : ★★★

Cuisson en braisé avec margarine végétale salée : ★★★

Cuisson en braisé avec saindoux ou graisse d'oie ou de canard : ★★★

Cuisson en braisé sans matière grasse : ★★★

Cuisson en friture : ★★★

Cuisson en meunière avec beurre doux : ★★★

Cuisson en meunière avec beurre salé : ★★★

Cuisson en meunière avec huile végétale : ★★★

Cuisson en meunière avec margarine végétale non salée : ★★★

Cuisson en meunière avec margarine végétale salée : ★★★

Cuisson en meunière avec saindoux ou graisse d'oie ou de canard : ★★★

Cuisson en meunière sans matière grasse : ★★★

Cuisson en papillote : ★★★

Cuisson en ragoût avec beurre doux : ★★★

Cuisson en ragoût avec beurre salé : ★★★

Cuisson en ragoût avec huile végétale : ★★★

Cuisson en ragoût avec margarine végétale non salée : ★★★

Cuisson en ragoût avec margarine végétale salée : ★★★

Cuisson en ragoût avec saindoux ou graisse d'oie ou de canard : ★★★

Cuisson en sauté (idem poêlé).
Cuisson rôti à la broche : ★★★
Cuisson rôti au four avec beurre doux : ★★★
Cuisson rôti au four avec beurre salé : ★★★
Cuisson rôti au four avec huile végétale : ★★★
Cuisson rôti au four avec margarine végétale non salée : ★★★
Cuisson rôti au four avec margarine végétale salée : ★★★
Cuisson rôti au four avec saindoux ou graisse d'oie ou de canard : ★★★
Cuisson rôti au four sans matière grasse ajoutée : ★★★
Cuisson vapeur : ★★★
Grillé : ★★★
Pierrade : ★★★
Poêlé avec beurre doux : ★★★
Poêlé avec beurre salé : ★★★
Poêlé avec huile végétale : ★★★
Poêlé avec margarine végétale non salée : ★★★
Poêlé avec margarine végétale salée : ★★★
Poêlé avec saindoux ou graisse d'oie ou de canard : ★★★
Poêlé sans matière grasse : ★★★
Salé et fumé : ★
Séché : ★★★
Surgelé : ★★★
Remarque : pas d'huile d'arachide ni de beurre noisette.

Poulpe : pieuvre dont on consomme les tentacules.
Conservé par le sel : ★★★
Conservé sous vide : ★★★
Consommation cru
Cuisson à la milanaise avec beurre doux : ★
Cuisson à la milanaise avec beurre salé : ★
Cuisson à la milanaise avec huile végétale : ★
Cuisson à la milanaise avec margarine végétale non salée : ★
Cuisson à la milanaise avec margarine végétale salée : ★
Cuisson à la milanaise avec saindoux ou graisse d'oie ou de canard : ★
Cuisson à la milanaise sans matière grasse : ★
Cuisson à l'étouffée avec beurre doux : ★★★
Cuisson à l'étouffée avec beurre salé : ★★★

Poulpe

Cuisson à l'étouffée avec huile végétale : ★★★
Cuisson à l'étouffée avec margarine végétale non salée : ★★★
Cuisson à l'étouffée avec margarine végétale salée : ★★★
Cuisson à l'étouffée avec saindoux ou graisse d'oie ou de canard : ★★★
Cuisson à l'étouffée sans matière grasse : ★★★
Cuisson au court bouillon : ★★★
Cuisson en braisé avec beurre doux : ★★★
Cuisson en braisé avec beurre salé : ★★★
Cuisson en braisé avec huile végétale : ★★★
Cuisson en braisé avec margarine végétale non salée : ★★★
Cuisson en braisé avec margarine végétale salée : ★★★
Cuisson en braisé avec saindoux ou graisse d'oie ou de canard : ★★★
Cuisson en braisé sans matière grasse : ★★★
Cuisson en friture : ★★★
Cuisson en meunière avec beurre doux : ★★★
Cuisson en meunière avec beurre salé : ★★★
Cuisson en meunière avec huile végétale : ★★★
Cuisson en meunière avec margarine végétale non salée : ★★★
Cuisson en meunière avec margarine végétale salée : ★★★
Cuisson en meunière avec saindoux ou graisse d'oie ou de canard : ★★★
Cuisson en meunière sans matière grasse : ★★★
Cuisson en papillote : ★★★
Cuisson en ragoût avec beurre doux : ★★★
Cuisson en ragoût avec beurre salé : ★★★
Cuisson en ragoût avec huile végétale : ★★★
Cuisson en ragoût avec margarine végétale non salée : ★★★
Cuisson en ragoût avec margarine végétale salée : ★★★
Cuisson en ragoût avec saindoux ou graisse d'oie ou de canard : ★★★
Cuisson en sauté (idem poêlé).
Cuisson rôti au four avec beurre doux : ★★★
Cuisson rôti au four avec beurre salé : ★★★
Cuisson rôti au four avec huile végétale : ★★★
Cuisson rôti au four avec margarine végétale non salée : ★★★
Cuisson rôti au four avec margarine végétale salée : ★★★
Cuisson rôti au four avec saindoux ou graisse d'oie ou de canard : ★★★

Cuisson rôti au four sans matière grasse ajoutée : ★★★
Cuisson vapeur : ★★★
Grillé : ★★★
Pierrade : ★★★
Poêlé avec beurre doux : ★★★
Poêlé avec beurre salé : ★★★
Poêlé avec huile végétale : ★★★
Poêlé avec margarine végétale non salée : ★★★
Poêlé avec margarine végétale salée : ★★★
Poêlé avec saindoux ou graisse d'oie ou de canard : ★★★
Poêlé sans matière grasse : ★★★
Salé et fumé : ★
Séché : ★★★
Surgelé : ★★★
Remarque : pas d'huile d'arachide ni de beurre noisette.

Pousse de haricot mungo : jeunes pousses du haricot mungo.
Légume vert.
Conserve en saumure (eau salée) : ★★★★
Conservée sous vide : ★★★★
Consommation crue : ★★★★
Cuisson à l'étouffée avec beurre doux : ★★★★
Cuisson à l'étouffée avec beurre salé : ★★★★
Cuisson à l'étouffée avec huile végétale : ★★★★
Cuisson à l'étouffée avec margarine végétale non salée : ★★★★
Cuisson à l'étouffée avec margarine végétale salée : ★★★★
Cuisson à l'étouffée avec saindoux ou graisse d'oie ou de canard : ★★★★
Cuisson à l'étouffée sans matière grasse : ★★★★
Cuisson au court bouillon : ★★★★
Cuisson en braisé avec beurre doux : ★★★★
Cuisson en braisé avec beurre salé : ★★★★
Cuisson en braisé avec huile végétale : ★★★★
Cuisson en braisé avec margarine végétale non salée : ★★★★
Cuisson en braisé avec margarine végétale salée : ★★★★
Cuisson en braisé avec saindoux ou graisse d'oie ou de canard : ★★★★
Cuisson en braisé sans matière grasse : ★★★★

Pousse de haricot mungo - Prune

Cuisson en papillote : ★★★★
Cuisson en sauté (idem poêlée).
Cuisson vapeur : ★★★★
Fermentée (Natto) : ★★★★
Pierrade : ★★★★
Poêlée avec beurre doux : ★★★★
Poêlée avec beurre salé : ★★★★
Poêlée avec huile végétale : ★★★★
Poêlée avec margarine végétale non salée : ★★★★
Poêlée avec margarine végétale salée : ★★★★
Poêlée avec saindoux ou graisse d'oie ou de canard : ★★★★
Poêlée sans matière grasse : ★★★★
Surgelée : ★★★★
Remarque : pas d'huile d'arachide ni de beurre noisette.

Pousse de soja : voir « Germe de soja ».

Praire : voir « Palourde ».

Prune : fruit du prunier.
A l'anglaise : ★★★
Au sirop : ★★★
Au sirop léger : ★★★
Confite : ★★★
Conserve au naturel : ★★★
Conservée dans l'alcool
Conservée sous vide : ★★★
Consommation crue : ★★★
En beignet : ★★★
En compote (avec sucre ajouté) : ★★★
En compote sans sucre ajouté : ★★★
En confiture : ★★★
En confiture allégée en sucre : ★★★
En confiture sans sucre : ★★★
Flambée (pruneau) : ★★
Fraîchement récoltée : ★★★
Pochée sans sucre : ★★★
Séchée : ★★★★
Surgelée : ★★★

Pruneau : voir « Prune » section *Séchée.*

Prune de coton : voir « Icaque ».

Prunelle : fruit du prunelier.
A l'anglaise : ★★★
Au sirop : ★★★
Au sirop léger : ★★★
Confite : ★★★
Conserve au naturel : ★★★
Conservée dans l'alcool
Conservée sous vide : ★★★
Consommation crue : ★★★
En beignet : ★★★
En compote (avec sucre ajouté) : ★★★
En compote sans sucre ajouté : ★★★
En confiture : ★★★
En confiture allégée en sucre : ★★★
En confiture sans sucre : ★★★
Fraîchement récoltée : ★★★
Pochée sans sucre : ★★★
Séchée : ★★★★
Surgelée : ★★★

Psalliote : voir « Champignon ».

Q

Quasi de veau : voir « Veau (viande de) ».

R

Raie (aile de) : poisson cartilagineux marin. Poisson à chair blanche.

Conservée par le sel : ★★★
Conservée sous vide : ★★★
Consommation crue
Cuisson à la milanaise avec beurre doux : ★
Cuisson à la milanaise avec beurre salé : ★
Cuisson à la milanaise avec huile végétale : ★
Cuisson à la milanaise avec margarine végétale non salée : ★
Cuisson à la milanaise avec margarine végétale salée : ★
Cuisson à la milanaise avec saindoux ou graisse d'oie ou de canard : ★
Cuisson à la milanaise sans matière grasse : ★
Cuisson à l'étouffée avec beurre doux : ★★★
Cuisson à l'étouffée avec beurre salé : ★★★
Cuisson à l'étouffée avec huile végétale : ★★★
Cuisson à l'étouffée avec margarine végétale non salée : ★★★
Cuisson à l'étouffée avec margarine végétale salée : ★★★
Cuisson à l'étouffée avec saindoux ou graisse d'oie ou de canard : ★★★
Cuisson à l'étouffée sans matière grasse : ★★★
Cuisson au court bouillon : ★★★
Cuisson en braisé avec beurre doux : ★★★
Cuisson en braisé avec beurre salé : ★★★
Cuisson en braisé avec huile végétale : ★★★
Cuisson en braisé avec margarine végétale non salée : ★★★
Cuisson en braisé avec margarine végétale salée : ★★★
Cuisson en braisé avec saindoux ou graisse d'oie ou de canard : ★★★
Cuisson en braisé sans matière grasse : ★★★
Cuisson en friture : ★★★
Cuisson en meunière avec beurre doux : ★★★
Cuisson en meunière avec beurre salé : ★★★
Cuisson en meunière avec huile végétale : ★★★
Cuisson en meunière avec margarine végétale non salée : ★★★

Cuisson en meunière avec margarine végétale salée : ★★★
Cuisson en meunière avec saindoux ou graisse d'oie ou de canard : ★★★
Cuisson en meunière sans matière grasse : ★★★
Cuisson en papillote : ★★★
Cuisson en sauté (idem poêlée).
Cuisson rôtie au four avec beurre doux : ★★★
Cuisson rôtie au four avec beurre salé : ★★★
Cuisson rôtie au four avec huile végétale : ★★★
Cuisson rôtie au four avec margarine végétale non salée : ★★★
Cuisson rôtie au four avec margarine végétale salée : ★★★
Cuisson rôtie au four avec saindoux ou graisse d'oie ou de canard : ★★★
Cuisson rôtie au four sans matière grasse ajoutée : ★★★
Cuisson vapeur : ★★★
Grillée : ★★★
Pierrade : ★★★
Poêlée avec beurre doux : ★★★
Poêlée avec beurre salé : ★★★
Poêlée avec huile végétale : ★★★
Poêlée avec margarine végétale non salée : ★★★
Poêlée avec margarine végétale salée : ★★★
Poêlée avec saindoux ou graisse d'oie ou de canard : ★★★
Poêlée sans matière grasse : ★★★
Salée et fumée : ★
Séchée : ★★★
Surgelée : ★★★
Remarque : pas d'huile d'arachide ni de beurre noisette.

Raifort : plante potagère cultivée pour sa racine charnue à la saveur poivrée. Légume vert.

Raisin : fruit de la vigne.
A l'anglaise : ★★★
Au sirop : ★★★
Au sirop léger : ★★★
Confit : ★★★
Conserve au naturel : ★★★
Conservé dans l'alcool

Conservé sous vide : ★★★
Consommation cru : ★★★
En beignet : ★★★
En compote (avec sucre ajouté) : ★★★
En compote sans sucre ajouté : ★★★
En confiture : ★★★
En confiture allégée en sucre : ★★★
En confiture sans sucre : ★★★
Fraîchement récolté : ★★★
Poché sans sucre : ★★★
Sec : ★★★★
Surgelé : ★★★

Ramboutan : fruit du ramboutan. Fruit exotique.
A l'anglaise : ★★
Au sirop : ★★
Au sirop léger : ★★
Confit : ★★
Conserve au naturel : ★★
Conservé dans l'alcool
Conservé sous vide : ★★
Consommation cru : ★★
En beignet : ★★
En compote (avec sucre ajouté) : ★★
En compote sans sucre ajouté : ★★
En confiture : ★★
En confiture allégée en sucre : ★★
En confiture sans sucre : ★★
Fraîchement récolté : ★★
Poché sans sucre : ★★
Séché : ★★
Surgelé : ★★

Rascasse : poisson marin à chair blanche.
Conservée par le sel : ★★★
Conservée sous vide : ★★★
Consommation crue
Cuisson à la milanaise avec beurre doux : ★
Cuisson à la milanaise avec beurre salé : ★
Cuisson à la milanaise avec huile végétale : ★

Cuisson à la milanaise avec margarine végétale non salée : ★
Cuisson à la milanaise avec margarine végétale salée : ★
Cuisson à la milanaise avec saindoux ou graisse d'oie ou de canard : ★
Cuisson à la milanaise sans matière grasse : ★
Cuisson à l'étouffée avec beurre doux : ★★★
Cuisson à l'étouffée avec beurre salé : ★★★
Cuisson à l'étouffée avec huile végétale : ★★★
Cuisson à l'étouffée avec margarine végétale non salée : ★★★
Cuisson à l'étouffée avec margarine végétale salée : ★★★
Cuisson à l'étouffée avec saindoux ou graisse d'oie ou de canard : ★★★
Cuisson à l'étouffée sans matière grasse : ★★★
Cuisson au court bouillon : ★★★
Cuisson en braisé avec beurre doux : ★★★
Cuisson en braisé avec beurre salé : ★★★
Cuisson en braisé avec huile végétale : ★★★
Cuisson en braisé avec margarine végétale non salée : ★★★
Cuisson en braisé avec margarine végétale salée : ★★★
Cuisson en braisé avec saindoux ou graisse d'oie ou de canard : ★★★
Cuisson en braisé sans matière grasse : ★★★
Cuisson en friture : ★★★
Cuisson en meunière avec beurre doux : ★★★
Cuisson en meunière avec beurre salé : ★★★
Cuisson en meunière avec huile végétale : ★★★
Cuisson en meunière avec margarine végétale non salée : ★★★
Cuisson en meunière avec margarine végétale salée : ★★★
Cuisson en meunière avec saindoux ou graisse d'oie ou de canard : ★★★
Cuisson en meunière sans matière grasse : ★★★
Cuisson en papillote : ★★★
Cuisson en sauté (idem poêlée).
Cuisson rôtie au four avec beurre doux : ★★★
Cuisson rôtie au four avec beurre salé : ★★★
Cuisson rôtie au four avec huile végétale : ★★★
Cuisson rôtie au four avec margarine végétale non salée : ★★★
Cuisson rôtie au four avec margarine végétale salée : ★★★
Cuisson rôtie au four avec saindoux ou graisse d'oie ou de canard : ★★★

Cuisson rôtie au four sans matière grasse ajoutée : ★★★
Cuisson vapeur : ★★★
Grillée : ★★★
Pierrade : ★★★
Poêlée avec beurre doux : ★★★
Poêlée avec beurre salé : ★★★
Poêlée avec huile végétale : ★★★
Poêlée avec margarine végétale non salée : ★★★
Poêlée avec margarine végétale salée : ★★★
Poêlée avec saindoux ou graisse d'oie ou de canard : ★★★
Poêlée sans matière grasse : ★★★
Salée et fumée : ★
Séchée : ★★★
Surgelée : ★★★
Remarque : pas d'huile d'arachide ni de beurre noisette.

Rhubarbe : plante potagère dont on consomme les cardes après cuisson. Légume vert.

Rillons : voir « Porc (viande de) » section *Cuisson en friture*.

Ris d'agneau : voir « Agneau (viande de) ».

Ris de veau : voir « Veau (viande de) ».

Rognon d'agneau : voir « Agneau (viande de) ».

Rognon de bœuf : voir « Bœuf (viande de) ».

Rognon de porc : voir « Porc (viande de) ».

Rognon de veau : voir « Veau (viande de) ».

Rollmops : Voir « Hareng » section *Conservé dans du vinaigre*.

Romarin : plante aromatique.
Conservé sous vide : ★★★★
Consommation cru : ★★★★
Consommation cuit : ★★★★

Déshydraté : ★★★★
Fraîchement récolté : ★★★★
Surgelé : ★★★★

Rond de tranche : voir « Bœuf (viande de) ».

Rosbif : voir « Bœuf (viande de) ».

Rosé des prés : voir « Champignon ».

Rotengle : voir « Gardon ».

Rouelle de porc : voir « Porc (viande de) ».

Rouelle de veau : voir « Veau (viande de) ».

Rouget : poisson marin à chair blanche.
Conservé par le sel : ★★★
Conservé sous vide : ★★★
Consommation cru
Cuisson à la milanaise avec beurre doux : ★
Cuisson à la milanaise avec beurre salé : ★
Cuisson à la milanaise avec huile végétale : ★
Cuisson à la milanaise avec margarine végétale non salée : ★
Cuisson à la milanaise avec margarine végétale salée : ★
Cuisson à la milanaise avec saindoux ou graisse d'oie ou de canard : ★
Cuisson à la milanaise sans matière grasse : ★
Cuisson à l'étouffée avec beurre doux : ★★★
Cuisson à l'étouffée avec beurre salé : ★★★
Cuisson à l'étouffée avec huile végétale : ★★★
Cuisson à l'étouffée avec margarine végétale non salée : ★★★
Cuisson à l'étouffée avec margarine végétale salée : ★★★
Cuisson à l'étouffée avec saindoux ou graisse d'oie ou de canard : ★★★
Cuisson à l'étouffée sans matière grasse : ★★★
Cuisson au court bouillon : ★★★
Cuisson en braisé avec beurre doux : ★★★
Cuisson en braisé avec beurre salé : ★★★
Cuisson en braisé avec huile végétale : ★★★

Rouget

Cuisson en braisé avec margarine végétale non salée : ★★★
Cuisson en braisé avec margarine végétale salée : ★★★
Cuisson en braisé avec saindoux ou graisse d'oie ou de canard : ★★★
Cuisson en braisé sans matière grasse : ★★★
Cuisson en friture : ★★★
Cuisson en meunière avec beurre doux : ★★★
Cuisson en meunière avec beurre salé : ★★★
Cuisson en meunière avec huile végétale : ★★★
Cuisson en meunière avec margarine végétale non salée : ★★★
Cuisson en meunière avec margarine végétale salée : ★★★
Cuisson en meunière avec saindoux ou graisse d'oie ou de canard : ★★★
Cuisson en meunière sans matière grasse : ★★★
Cuisson en papillote : ★★★
Cuisson en sauté (idem poêlé).
Cuisson rôti à la broche : ★★★
Cuisson rôti au four avec beurre doux : ★★★
Cuisson rôti au four avec beurre salé : ★★★
Cuisson rôti au four avec huile végétale : ★★★
Cuisson rôti au four avec margarine végétale non salée : ★★★
Cuisson rôti au four avec margarine végétale salée : ★★★
Cuisson rôti au four avec saindoux ou graisse d'oie ou de canard : ★★★
Cuisson rôti au four sans matière grasse ajoutée : ★★★
Cuisson vapeur : ★★★
Grillé : ★★★
Pierrade : ★★★
Poêlé avec beurre doux : ★★★
Poêlé avec beurre salé : ★★★
Poêlé avec huile végétale : ★★★
Poêlé avec margarine végétale non salée : ★★★
Poêlé avec margarine végétale salée : ★★★
Poêlé avec saindoux ou graisse d'oie ou de canard : ★★★
Poêlé sans matière grasse : ★★★
Salé et fumé : ★
Séché : ★★★
Surgelé : ★★★

Remarque : pas d'huile d'arachide ni de beurre noisette.

Rousseau : poisson marin à chair blanche.
Conservé par le sel : ★★★
Conservé sous vide : ★★★
Consommation cru
Cuisson à la milanaise avec beurre doux : ★
Cuisson à la milanaise avec beurre salé : ★
Cuisson à la milanaise avec huile végétale : ★
Cuisson à la milanaise avec margarine végétale non salée : ★
Cuisson à la milanaise avec margarine végétale salée : ★
Cuisson à la milanaise avec saindoux ou graisse d'oie ou de canard : ★
Cuisson à la milanaise sans matière grasse : ★
Cuisson à l'étouffée avec beurre doux : ★★★
Cuisson à l'étouffée avec beurre salé : ★★★
Cuisson à l'étouffée avec huile végétale : ★★★
Cuisson à l'étouffée avec margarine végétale non salée : ★★★
Cuisson à l'étouffée avec margarine végétale salée : ★★★
Cuisson à l'étouffée avec saindoux ou graisse d'oie ou de canard : ★★★
Cuisson à l'étouffée sans matière grasse : ★★★
Cuisson au court bouillon : ★★★
Cuisson en braisé avec beurre doux : ★★★
Cuisson en braisé avec beurre salé : ★★★
Cuisson en braisé avec huile végétale : ★★★
Cuisson en braisé avec margarine végétale non salée : ★★★
Cuisson en braisé avec margarine végétale salée : ★★★
Cuisson en braisé avec saindoux ou graisse d'oie ou de canard : ★★★
Cuisson en braisé sans matière grasse : ★★★
Cuisson en friture : ★★★
Cuisson en meunière avec beurre doux : ★★★
Cuisson en meunière avec beurre salé : ★★★
Cuisson en meunière avec huile végétale : ★★★
Cuisson en meunière avec margarine végétale non salée : ★★★
Cuisson en meunière avec margarine végétale salée : ★★★
Cuisson en meunière avec saindoux ou graisse d'oie ou de canard : ★★★
Cuisson en meunière sans matière grasse : ★★★
Cuisson en papillote : ★★★
Cuisson en sauté (idem poêlé).

Cuisson rôti à la broche : ★★★
Cuisson rôti au four avec beurre doux : ★★★
Cuisson rôti au four avec beurre salé : ★★★
Cuisson rôti au four avec huile végétale : ★★★
Cuisson rôti au four avec margarine végétale non salée : ★★★
Cuisson rôti au four avec margarine végétale salée : ★★★
Cuisson rôti au four avec saindoux ou graisse d'oie ou de canard : ★★★
Cuisson rôti au four sans matière grasse ajoutée : ★★★
Cuisson vapeur : ★★★
Grillé : ★★★
Pierrade : ★★★
Poêlé avec beurre doux : ★★★
Poêlé avec beurre salé : ★★★
Poêlé avec huile végétale : ★★★
Poêlé avec margarine végétale non salée : ★★★
Poêlé avec margarine végétale salée : ★★★
Poêlé avec saindoux ou graisse d'oie ou de canard : ★★★
Poêlé sans matière grasse : ★★★
Salé et fumé : ★
Séché : ★★★
Surgelé : ★★★
Remarque : pas d'huile d'arachide ni de beurre noisette.

Roussette : poisson marin cartilagineux (petit requin) à chair blanche.
Conservée par le sel : ★★★
Conservée sous vide : ★★★
Consommation crue
Cuisson à la milanaise avec beurre doux : ★
Cuisson à la milanaise avec beurre salé : ★
Cuisson à la milanaise avec huile végétale : ★
Cuisson à la milanaise avec margarine végétale non salée : ★
Cuisson à la milanaise avec margarine végétale salée : ★
Cuisson à la milanaise avec saindoux ou graisse d'oie ou de canard : ★
Cuisson à la milanaise sans matière grasse : ★
Cuisson à l'étouffée avec beurre doux : ★★★
Cuisson à l'étouffée avec beurre salé : ★★★

Cuisson à l'étouffée avec huile végétale : ★★★
Cuisson à l'étouffée avec margarine végétale non salée : ★★★
Cuisson à l'étouffée avec margarine végétale salée : ★★★
Cuisson à l'étouffée avec saindoux ou graisse d'oie ou de canard : ★★★
Cuisson à l'étouffée sans matière grasse : ★★★
Cuisson au court bouillon : ★★★
Cuisson en braisé avec beurre doux : ★★★
Cuisson en braisé avec beurre salé : ★★★
Cuisson en braisé avec huile végétale : ★★★
Cuisson en braisé avec margarine végétale non salée : ★★★
Cuisson en braisé avec margarine végétale salée : ★★★
Cuisson en braisé avec saindoux ou graisse d'oie ou de canard : ★★★
Cuisson en braisé sans matière grasse : ★★★
Cuisson en friture : ★★★
Cuisson en meunière avec beurre doux : ★★★
Cuisson en meunière avec beurre salé : ★★★
Cuisson en meunière avec huile végétale : ★★★
Cuisson en meunière avec margarine végétale non salée : ★★★
Cuisson en meunière avec margarine végétale salée : ★★★
Cuisson en meunière avec saindoux ou graisse d'oie ou de canard : ★★★
Cuisson en meunière sans matière grasse : ★★★
Cuisson en papillote : ★★★
Cuisson en ragoût avec beurre doux : ★★★
Cuisson en ragoût avec beurre salé : ★★★
Cuisson en ragoût avec huile végétale : ★★★
Cuisson en ragoût avec margarine végétale non salée : ★★★
Cuisson en ragoût avec margarine végétale salée : ★★★
Cuisson en ragoût avec saindoux ou graisse d'oie ou de canard : ★★★
Cuisson en sauté (idem poêlée).
Cuisson rôtie au four avec beurre doux : ★★★
Cuisson rôtie au four avec beurre salé : ★★★
Cuisson rôtie au four avec huile végétale : ★★★
Cuisson rôtie au four avec margarine végétale non salée : ★★★
Cuisson rôtie au four avec margarine végétale salée : ★★★
Cuisson rôtie au four avec saindoux ou graisse d'oie ou de canard : ★★★

Cuisson rôtie au four sans matière grasse ajoutée : ★★★
Cuisson vapeur : ★★★
Grillée : ★★★
Pierrade : ★★★
Poêlée avec beurre doux : ★★★
Poêlée avec beurre salé : ★★★
Poêlée avec huile végétale : ★★★
Poêlée avec margarine végétale non salée : ★★★
Poêlée avec margarine végétale salée : ★★★
Poêlée avec saindoux ou graisse d'oie ou de canard : ★★★
Poêlée sans matière grasse : ★★★
Salée et fumée : ★
Séchée : ★★★
Surgelée : ★★★
Remarque : pas d'huile d'arachide ni de beurre noisette.

Rumsteck : voir « Bœuf (viande de) ».

Russule charbonnière : voir « Champignon ».

Rutabaga : plante potagère dont on consomme la racine boursoufflée. Légume vert.
Conserve en saumure (eau salée) : ★★★
Conservé sous vide : ★★★
Consommation cru : ★★★
Cuisson à l'étouffée avec beurre doux : ★★★
Cuisson à l'étouffée avec beurre salé : ★★★
Cuisson à l'étouffée avec huile végétale : ★★★
Cuisson à l'étouffée avec margarine végétale non salée : ★★★
Cuisson à l'étouffée avec margarine végétale salée : ★★★
Cuisson à l'étouffée avec saindoux ou graisse d'oie ou de canard : ★★★
Cuisson à l'étouffée sans matière grasse : ★★★
Cuisson au court bouillon : ★★★
Cuisson en braisé avec beurre doux : ★★★
Cuisson en braisé avec beurre salé : ★★★
Cuisson en braisé avec huile végétale : ★★★
Cuisson en braisé avec margarine végétale non salée : ★★★
Cuisson en braisé avec margarine végétale salée : ★★★

Cuisson en braisé avec saindoux ou graisse d'oie ou de canard :
★★★
Cuisson en braisé sans matière grasse : ★★★
Cuisson en friture : ★★★
Cuisson en papillote : ★★★
Cuisson en ragoût avec beurre doux : ★★★
Cuisson en ragoût avec beurre salé : ★★★
Cuisson en ragoût avec huile végétale : ★★★
Cuisson en ragoût avec margarine végétale non salée : ★★★
Cuisson en ragoût avec margarine végétale salée : ★★★
Cuisson en ragoût avec saindoux ou graisse d'oie ou de canard :
★★★
Cuisson en sauté (idem poêlé).
Cuisson vapeur : ★★★
Poêlé avec beurre doux : ★★★
Poêlé avec beurre salé : ★★★
Poêlé avec huile végétale : ★★★
Poêlé avec margarine végétale non salée : ★★★
Poêlé avec margarine végétale salée : ★★★
Poêlé avec saindoux ou graisse d'oie ou de canard : ★★★
Poêlé sans matière grasse : ★★★
Potage crème : ★★★
Potage nature sans matière grasse ajoutée : ★★★
Potage velouté : ★★★
Surgelé : ★★★
Remarque : pas d'huile d'arachide ni de beurre noisette.

S

Sabre : poisson marin à chair blanche.
Conservé par le sel : ★★★
Conservé sous vide : ★★★
Consommation cru
Cuisson à la milanaise avec beurre doux : ★
Cuisson à la milanaise avec beurre salé : ★

Sabre

Cuisson à la milanaise avec huile végétale : ★
Cuisson à la milanaise avec margarine végétale non salée : ★
Cuisson à la milanaise avec margarine végétale salée : ★
Cuisson à la milanaise avec saindoux ou graisse d'oie ou de canard : ★
Cuisson à la milanaise sans matière grasse : ★
Cuisson à l'étouffée avec beurre doux : ★★★
Cuisson à l'étouffée avec beurre salé : ★★★
Cuisson à l'étouffée avec huile végétale : ★★★
Cuisson à l'étouffée avec margarine végétale non salée : ★★★
Cuisson à l'étouffée avec margarine végétale salée : ★★★
Cuisson à l'étouffée avec saindoux ou graisse d'oie ou de canard : ★★★
Cuisson à l'étouffée sans matière grasse : ★★★
Cuisson au court bouillon : ★★★
Cuisson en braisé avec beurre doux : ★★★
Cuisson en braisé avec beurre salé : ★★★
Cuisson en braisé avec huile végétale : ★★★
Cuisson en braisé avec margarine végétale non salée : ★★★
Cuisson en braisé avec margarine végétale salée : ★★★
Cuisson en braisé avec saindoux ou graisse d'oie ou de canard : ★★★
Cuisson en braisé sans matière grasse : ★★★
Cuisson en friture : ★★★
Cuisson en meunière avec beurre doux : ★★★
Cuisson en meunière avec beurre salé : ★★★
Cuisson en meunière avec huile végétale : ★★★
Cuisson en meunière avec margarine végétale non salée : ★★★
Cuisson en meunière avec margarine végétale salée : ★★★
Cuisson en meunière avec saindoux ou graisse d'oie ou de canard : ★★★
Cuisson en meunière sans matière grasse : ★★★
Cuisson en papillote : ★★★
Cuisson en sauté (idem poêlé).
Cuisson rôti à la broche : ★★★
Cuisson rôti au four avec beurre doux : ★★★
Cuisson rôti au four avec beurre salé : ★★★
Cuisson rôti au four avec huile végétale : ★★★
Cuisson rôti au four avec margarine végétale non salée : ★★★
Cuisson rôti au four avec margarine végétale salée : ★★★

Cuisson rôti au four avec saindoux ou graisse d'oie ou de canard : ★★★
Cuisson rôti au four sans matière grasse ajoutée : ★★★
Cuisson vapeur : ★★★
Grillé : ★★★
Pierrade : ★★★
Poêlé avec beurre doux : ★★★
Poêlé avec beurre salé : ★★★
Poêlé avec huile végétale : ★★★
Poêlé avec margarine végétale non salée : ★★★
Poêlé avec margarine végétale salée : ★★★
Poêlé avec saindoux ou graisse d'oie ou de canard : ★★★
Poêlé sans matière grasse : ★★★
Salé et fumé : ★
Séché : ★★★
Surgelé : ★★★
Remarque : pas d'huile d'arachide ni de beurre noisette.

Saint-pierre : poisson marin à chair blanche.
Conservé par le sel : ★★★
Conservé sous vide : ★★★
Consommation cru
Cuisson à la milanaise avec beurre doux : ★
Cuisson à la milanaise avec beurre salé : ★
Cuisson à la milanaise avec huile végétale : ★
Cuisson à la milanaise avec margarine végétale non salée : ★
Cuisson à la milanaise avec margarine végétale salée : ★
Cuisson à la milanaise avec saindoux ou graisse d'oie ou de canard : ★
Cuisson à la milanaise sans matière grasse : ★
Cuisson à l'étouffée avec beurre doux : ★★★
Cuisson à l'étouffée avec beurre salé : ★★★
Cuisson à l'étouffée avec huile végétale : ★★★
Cuisson à l'étouffée avec margarine végétale non salée : ★★★
Cuisson à l'étouffée avec margarine végétale salée : ★★★
Cuisson à l'étouffée avec saindoux ou graisse d'oie ou de canard : ★★★
Cuisson à l'étouffée sans matière grasse : ★★★
Cuisson au court bouillon : ★★★

Saint-pierre

Cuisson en braisé avec beurre doux : ★★★
Cuisson en braisé avec beurre salé : ★★★
Cuisson en braisé avec huile végétale : ★★★
Cuisson en braisé avec margarine végétale non salée : ★★★
Cuisson en braisé avec margarine végétale salée : ★★★
Cuisson en braisé avec saindoux ou graisse d'oie ou de canard : ★★★
Cuisson en braisé sans matière grasse : ★★★
Cuisson en friture : ★★★
Cuisson en meunière avec beurre doux : ★★★
Cuisson en meunière avec beurre salé : ★★★
Cuisson en meunière avec huile végétale : ★★★
Cuisson en meunière avec margarine végétale non salée : ★★★
Cuisson en meunière avec margarine végétale salée : ★★★
Cuisson en meunière avec saindoux ou graisse d'oie ou de canard : ★★★
Cuisson en meunière sans matière grasse : ★★★
Cuisson en papillote : ★★★
Cuisson en sauté (idem poêlé).
Cuisson rôti à la broche : ★★★
Cuisson rôti au four avec beurre doux : ★★★
Cuisson rôti au four avec beurre salé : ★★★
Cuisson rôti au four avec huile végétale : ★★★
Cuisson rôti au four avec margarine végétale non salée : ★★★
Cuisson rôti au four avec margarine végétale salée : ★★★
Cuisson rôti au four avec saindoux ou graisse d'oie ou de canard : ★★★
Cuisson rôti au four sans matière grasse ajoutée : ★★★
Cuisson vapeur : ★★★
Grillé : ★★★
Pierrade : ★★★
Poêlé avec beurre doux : ★★★
Poêlé avec beurre salé : ★★★
Poêlé avec huile végétale : ★★★
Poêlé avec margarine végétale non salée : ★★★
Poêlé avec margarine végétale salée : ★★★
Poêlé avec saindoux ou graisse d'oie ou de canard : ★★★
Poêlé sans matière grasse : ★★★
Salé et fumé : ★
Séché : ★★★

Surgelé : ★★★
Remarque : pas d'huile d'arachide ni de beurre noisette.

Salacca : fruit provenant d'une famille de palmiers, fruit exotique.
A l'anglaise : ★★
Au sirop : ★★
Au sirop léger : ★★
Confit : ★★
Conserve au naturel : ★★
Conservé dans l'alcool
Conservé sous vide : ★★
Consommation cru : ★★
En beignet : ★★
En compote (avec sucre ajouté) : ★★
En compote sans sucre ajouté : ★★
En confiture : ★★
En confiture allégée en sucre : ★★
En confiture sans sucre : ★★
Fraîchement récolté : ★★
Poché sans sucre : ★★
Surgelé : ★★

Salicorne : plante des rivages marins dont on consomme les tiges comme condiment. Légume vert.
Conservée dans le vinaigre : ★★★
Conserve en saumure (eau salée) : ★★★
Conservée sous vide : ★★★
Consommation crue
Cuisson à l'étouffée avec beurre doux : ★★★
Cuisson à l'étouffée avec beurre salé : ★★★
Cuisson à l'étouffée avec huile végétale : ★★★
Cuisson à l'étouffée avec margarine végétale non salée : ★★★
Cuisson à l'étouffée avec margarine végétale salée : ★★★
Cuisson à l'étouffée avec saindoux ou graisse d'oie ou de canard : ★★★
Cuisson à l'étouffée sans matière grasse : ★★★
Cuisson au court bouillon : ★★★
Cuisson en beignet : ★★★

Salicorne - Salsifis

Cuisson en braisé avec beurre doux : ★★★
Cuisson en braisé avec beurre salé : ★★★
Cuisson en braisé avec huile végétale : ★★★
Cuisson en braisé avec margarine végétale non salée : ★★★
Cuisson en braisé avec margarine végétale salée : ★★★
Cuisson en braisé avec saindoux ou graisse d'oie ou de canard :
★★★
Cuisson en braisé sans matière grasse : ★★★
Cuisson en friture : ★★★
Cuisson en papillote : ★★★
Cuisson en ragoût avec beurre doux : ★★★
Cuisson en ragoût avec beurre salé : ★★★
Cuisson en ragoût avec huile végétale : ★★★
Cuisson en ragoût avec margarine végétale non salée : ★★★
Cuisson en ragoût avec margarine végétale salée : ★★★
Cuisson en ragoût avec saindoux ou graisse d'oie ou de canard :
★★★
Cuisson en sauté (idem poêlée).
Cuisson vapeur : ★★★
Poêlée avec beurre doux : ★★★
Poêlée avec beurre salé : ★★★
Poêlée avec huile végétale : ★★★
Poêlée avec margarine végétale non salée : ★★★
Poêlée avec margarine végétale salée : ★★★
Poêlée avec saindoux ou graisse d'oie ou de canard : ★★★
Poêlée sans matière grasse : ★★★
Potage crème : ★★★
Potage nature sans matière grasse ajoutée : ★★★
Potage velouté : ★★★
Surgelée : ★★★
**Remarque : pas d'huile d'arachide ni de beurre
noisette.**

Salsifis : plante potagère dont on consomme la racine. Légume
vert.
Conserve en saumure (eau salée) : ★★★
Conservé sous vide : ★★★
Consommation cru
Cuisson à l'étouffée avec beurre doux : ★★★
Cuisson à l'étouffée avec beurre salé : ★★★

Cuisson à l'étouffée avec huile végétale : ★★★
Cuisson à l'étouffée avec margarine végétale non salée : ★★★
Cuisson à l'étouffée avec margarine végétale salée : ★★★
Cuisson à l'étouffée avec saindoux ou graisse d'oie ou de canard : ★★★
Cuisson à l'étouffée sans matière grasse : ★★★
Cuisson au court bouillon : ★★★
Cuisson en braisé avec beurre doux : ★★★
Cuisson en braisé avec beurre salé : ★★★
Cuisson en braisé avec huile végétale : ★★★
Cuisson en braisé avec margarine végétale non salée : ★★★
Cuisson en braisé avec margarine végétale salée : ★★★
Cuisson en braisé avec saindoux ou graisse d'oie ou de canard : ★★★
Cuisson en braisé sans matière grasse : ★★★
Cuisson en papillote : ★★★
Cuisson en friture : ★★★
Cuisson en ragoût avec beurre doux : ★★★
Cuisson en ragoût avec beurre salé : ★★★
Cuisson en ragoût avec huile végétale : ★★★
Cuisson en ragoût avec margarine végétale non salée : ★★★
Cuisson en ragoût avec margarine végétale salée : ★★★
Cuisson en ragoût avec saindoux ou graisse d'oie ou de canard : ★★★
Cuisson en sauté (idem poêlé).
Cuisson vapeur : ★★★
Poêlé avec beurre doux : ★★★
Poêlé avec beurre salé : ★★★
Poêlé avec huile végétale : ★★★
Poêlé avec margarine végétale non salée : ★★★
Poêlé avec margarine végétale salée : ★★★
Poêlé avec saindoux ou graisse d'oie ou de canard : ★★★
Poêlé sans matière grasse : ★★★
Potage crème : ★★★
Potage nature sans matière grasse ajoutée : ★★★
Potage velouté : ★★★
Surgelé : ★★★
Remarque : pas d'huile d'arachide ni de beurre noisette.

Sandre

Sandre : poisson d'eau douce à chair blanche.
Conservé par le sel : ✦✦✦
Conservé sous vide : ✦✦✦
Consommation cru
Cuisson à la milanaise avec beurre doux : ✦
Cuisson à la milanaise avec beurre salé : ✦
Cuisson à la milanaise avec huile végétale : ✦
Cuisson à la milanaise avec margarine végétale non salée : ✦
Cuisson à la milanaise avec margarine végétale salée : ✦
Cuisson à la milanaise avec saindoux ou graisse d'oie ou de canard : ✦
Cuisson à la milanaise sans matière grasse : ✦
Cuisson à l'étouffée avec beurre doux : ✦✦✦
Cuisson à l'étouffée avec beurre salé : ✦✦✦
Cuisson à l'étouffée avec huile végétale : ✦✦✦
Cuisson à l'étouffée avec margarine végétale non salée : ✦✦✦
Cuisson à l'étouffée avec margarine végétale salée : ✦✦✦
Cuisson à l'étouffée avec saindoux ou graisse d'oie ou de canard : ✦✦✦
Cuisson à l'étouffée sans matière grasse : ✦✦✦
Cuisson au court bouillon : ✦✦✦
Cuisson en braisé avec beurre doux : ✦✦✦
Cuisson en braisé avec beurre salé : ✦✦✦
Cuisson en braisé avec huile végétale : ✦✦✦
Cuisson en braisé avec margarine végétale non salée : ✦✦✦
Cuisson en braisé avec margarine végétale salée : ✦✦✦
Cuisson en braisé avec saindoux ou graisse d'oie ou de canard : ✦✦✦
Cuisson en braisé sans matière grasse : ✦✦✦
Cuisson en friture : ✦✦✦
Cuisson en meunière avec beurre doux : ✦✦✦
Cuisson en meunière avec beurre salé : ✦✦✦
Cuisson en meunière avec huile végétale : ✦✦✦
Cuisson en meunière avec margarine végétale non salée : ✦✦✦
Cuisson en meunière avec margarine végétale salée : ✦✦✦
Cuisson en meunière avec saindoux ou graisse d'oie ou de canard : ✦✦✦
Cuisson en meunière sans matière grasse : ✦✦✦
Cuisson en papillote : ✦✦✦
Cuisson en sauté (idem poêlé).

Cuisson rôti à la broche : ★★★
Cuisson rôti au four avec beurre doux : ★★★
Cuisson rôti au four avec beurre salé : ★★★
Cuisson rôti au four avec huile végétale : ★★★
Cuisson rôti au four avec margarine végétale non salée : ★★★
Cuisson rôti au four avec margarine végétale salée : ★★★
Cuisson rôti au four avec saindoux ou graisse d'oie ou de canard : ★★★
Cuisson rôti au four sans matière grasse ajoutée : ★★★
Cuisson vapeur : ★★★
Grillé : ★★★
Pierrade : ★★★
Poêlé avec beurre doux : ★★★
Poêlé avec beurre salé : ★★★
Poêlé avec huile végétale : ★★★
Poêlé avec margarine végétale non salée : ★★★
Poêlé avec margarine végétale salée : ★★★
Poêlé avec saindoux ou graisse d'oie ou de canard : ★★★
Poêlé sans matière grasse : ★★★
Salé et fumé : ★
Séché : ★★★
Surgelé : ★★★
Remarque : pas d'huile d'arachide ni de beurre noisette.

Sanglier (viande de...) : représente les viandes non préparées ni transformées, nature, prêtes à être cuisinées provenant du sanglier. Gibier.
Conservée par le sel : ★★★
Conservée sous vide : ★★★
Consommation crue
Cuisson à la milanaise avec beurre doux : ★
Cuisson à la milanaise avec beurre salé : ★
Cuisson à la milanaise avec huile végétale : ★
Cuisson à la milanaise avec margarine végétale non salée : ★
Cuisson à la milanaise avec margarine végétale salée : ★
Cuisson à la milanaise avec saindoux ou graisse d'oie ou de canard : ★
Cuisson à la milanaise sans matière grasse : ★
Cuisson à l'étouffée avec beurre doux : ★★★

Sanglier (viande de)

Cuisson à l'étouffée avec beurre salé : ★★★
Cuisson à l'étouffée avec huile végétale : ★★★
Cuisson à l'étouffée avec margarine végétale non salée : ★★★
Cuisson à l'étouffée avec margarine végétale salée : ★★★
Cuisson à l'étouffée avec saindoux ou graisse d'oie ou de canard : ★★★
Cuisson à l'étouffée sans matière grasse : ★★★
Cuisson au court bouillon : ★★★
Cuisson en braisé avec beurre doux : ★★★
Cuisson en braisé avec beurre salé : ★★★
Cuisson en braisé avec huile végétale : ★★★
Cuisson en braisé avec margarine végétale non salée : ★★★
Cuisson en braisé avec margarine végétale salée : ★★★
Cuisson en braisé avec saindoux ou graisse d'oie ou de canard : ★★★
Cuisson en braisé sans matière grasse : ★★★
Cuisson en friture : ★★★
Cuisson en meunière avec beurre doux : ★★★
Cuisson en meunière avec beurre salé : ★★★
Cuisson en meunière avec huile végétale : ★★★
Cuisson en meunière avec margarine végétale non salée : ★★★
Cuisson en meunière avec margarine végétale salée : ★★★
Cuisson en meunière avec saindoux ou graisse d'oie ou de canard : ★★★
Cuisson en meunière sans matière grasse : ★★★
Cuisson en papillote : ★★★
Cuisson en ragoût avec beurre doux : ★★★
Cuisson en ragoût avec beurre salé : ★★★
Cuisson en ragoût avec huile végétale : ★★★
Cuisson en ragoût avec margarine végétale non salée : ★★★
Cuisson en ragoût avec margarine végétale salée : ★★★
Cuisson en ragoût avec saindoux ou graisse d'oie ou de canard : ★★★
Cuisson en sauté (idem poêlée).
Cuisson rôtie à la broche : ★★★
Cuisson rôtie au four avec beurre doux : ★★★
Cuisson rôtie au four avec beurre salé : ★★★
Cuisson rôtie au four avec huile végétale : ★★★
Cuisson rôtie au four avec margarine végétale non salée : ★★★
Cuisson rôtie au four avec margarine végétale salée : ★★★

Cuisson rôtie au four avec saindoux ou graisse d'oie ou de canard : ★★★
Cuisson rôtie au four sans matière grasse ajoutée : ★★★
Cuisson vapeur : ★★★
Faisandée
Grillée : ★★★
Pierrade : ★★★
Poêlée avec beurre doux : ★★★
Poêlée avec beurre salé : ★★★
Poêlée avec huile végétale : ★★★
Poêlée avec margarine végétale non salée : ★★★
Poêlée avec margarine végétale salée : ★★★
Poêlée avec saindoux ou graisse d'oie ou de canard : ★★★
Poêlée sans matière grasse : ★★★
Salée et fumée : ★
Séchée : ★★★
Surgelée : ★★★
Remarque : pas d'huile d'arachide ni de beurre noisette.

Sapotille : fruit du sapotier. Fruit exotique.
A l'anglaise : ★★
Au sirop : ★★
Au sirop léger : ★★
Confite : ★★
Conserve au naturel : ★★
Conservée dans l'alcool
Conservée sous vide : ★★
Consommation crue : ★★
En beignet : ★★
En compote (avec sucre ajouté) : ★★
En compote sans sucre ajouté : ★★
En confiture : ★★
En confiture allégée en sucre : ★★
En confiture sans sucre : ★★
Fraîchement récoltée : ★★
Pochée sans sucre : ★★
Séchée : ★★
Surgelée : ★★

Sar : poisson marin à chair blanche.
Conservé par le sel : ★★★
Conservé sous vide : ★★★
Consommation cru
Cuisson à la milanaise avec beurre doux : ★
Cuisson à la milanaise avec beurre salé : ★
Cuisson à la milanaise avec huile végétale : ★
Cuisson à la milanaise avec margarine végétale non salée : ★
Cuisson à la milanaise avec margarine végétale salée : ★
Cuisson à la milanaise avec saindoux ou graisse d'oie ou de canard : ★
Cuisson à la milanaise sans matière grasse : ★
Cuisson à l'étouffée avec beurre doux : ★★★
Cuisson à l'étouffée avec beurre salé : ★★★
Cuisson à l'étouffée avec huile végétale : ★★★
Cuisson à l'étouffée avec margarine végétale non salée : ★★★
Cuisson à l'étouffée avec margarine végétale salée : ★★★
Cuisson à l'étouffée avec saindoux ou graisse d'oie ou de canard : ★★★
Cuisson à l'étouffée sans matière grasse : ★★★
Cuisson au court bouillon : ★★★
Cuisson en braisé avec beurre doux : ★★★
Cuisson en braisé avec beurre salé : ★★★
Cuisson en braisé avec huile végétale : ★★★
Cuisson en braisé avec margarine végétale non salée : ★★★
Cuisson en braisé avec margarine végétale salée : ★★★
Cuisson en braisé avec saindoux ou graisse d'oie ou de canard : ★★★
Cuisson en braisé sans matière grasse : ★★★
Cuisson en friture : ★★★
Cuisson en meunière avec beurre doux : ★★★
Cuisson en meunière avec beurre salé : ★★★
Cuisson en meunière avec huile végétale : ★★★
Cuisson en meunière avec margarine végétale non salée : ★★★
Cuisson en meunière avec margarine végétale salée : ★★★
Cuisson en meunière avec saindoux ou graisse d'oie ou de canard : ★★★
Cuisson en meunière sans matière grasse : ★★★
Cuisson en papillote : ★★★
Cuisson en sauté (idem poêlé).

Cuisson rôti à la broche : ★★★
Cuisson rôti au four avec beurre doux : ★★★
Cuisson rôti au four avec beurre salé : ★★★
Cuisson rôti au four avec huile végétale : ★★★
Cuisson rôti au four avec margarine végétale non salée : ★★★
Cuisson rôti au four avec margarine végétale salée : ★★★
Cuisson rôti au four avec saindoux ou graisse d'oie ou de canard : ★★★
Cuisson rôti au four sans matière grasse ajoutée : ★★★
Cuisson vapeur : ★★★
Grillé : ★★★
Pierrade : ★★★
Poêlé avec beurre doux : ★★★
Poêlé avec beurre salé : ★★★
Poêlé avec huile végétale : ★★★
Poêlé avec margarine végétale non salée : ★★★
Poêlé avec margarine végétale salée : ★★★
Poêlé avec saindoux ou graisse d'oie ou de canard : ★★★
Poêlé sans matière grasse : ★★★
Salé et fumé : ★
Séché : ★★★
Surgelé : ★★★
Remarque : pas d'huile d'arachide ni de beurre noisette.

Sarcelle : voir « Canard sauvage ».

Sardine : poisson gras marin fraîchement péché.
Conservée à l'huile : ★★★
Conservée au naturel : ★★★
Conservée par le sel : ★★★
Conservée sous vide : ★★★
Consommation crue
Cuisson à la milanaise avec beurre doux : ★
Cuisson à la milanaise avec beurre salé : ★
Cuisson à la milanaise avec huile végétale : ★
Cuisson à la milanaise avec margarine végétale non salée : ★
Cuisson à la milanaise avec margarine végétale salée : ★
Cuisson à la milanaise avec saindoux ou graisse d'oie ou de canard : ★

Sardine - Sardinelle

Cuisson à la milanaise sans matière grasse : ✶

Cuisson en beignet : ★★★

Cuisson en friture : ★★★

Cuisson en meunière avec beurre doux : ★★★

Cuisson en meunière avec beurre salé : ★★★

Cuisson en meunière avec huile végétale : ★★★

Cuisson en meunière avec margarine végétale non salée : ★★★

Cuisson en meunière avec margarine végétale salée : ★★★

Cuisson en meunière avec saindoux ou graisse d'oie ou de canard : ★★★

Cuisson en meunière sans matière grasse : ★★★

Cuisson en sauté (idem poêlée).

Grillée : ★★★

Pierrade : ★★★

Poêlée avec beurre doux : ★★★

Poêlée avec beurre salé : ★★★

Poêlée avec huile végétale : ★★★

Poêlée avec margarine végétale non salée : ★★★

Poêlée avec margarine végétale salée : ★★★

Poêlée avec saindoux ou graisse d'oie ou de canard : ★★★

Poêlée sans matière grasse : ★★★

Salée et fumée : ✶

Séchée : ★★★

Surgelée : ★★★

Remarque : pas d'huile d'arachide ni de beurre noisette.

Sardinelle : poisson gras marin.

Conservée par le sel : ★★★

Conservée sous vide : ★★★

Consommation crue

Cuisson à la milanaise avec beurre doux : ✶

Cuisson à la milanaise avec beurre salé : ✶

Cuisson à la milanaise avec huile végétale : ✶

Cuisson à la milanaise avec margarine végétale non salée : ✶

Cuisson à la milanaise avec margarine végétale salée : ✶

Cuisson à la milanaise avec saindoux ou graisse d'oie ou de canard : ✶

Cuisson à la milanaise sans matière grasse : ✶

Cuisson en beignet : ★★★

Cuisson en friture : ★★★
Cuisson en meunière avec beurre doux : ★★★
Cuisson en meunière avec beurre salé : ★★★
Cuisson en meunière avec huile végétale : ★★★
Cuisson en meunière avec margarine végétale non salée : ★★★
Cuisson en meunière avec margarine végétale salée : ★★★
Cuisson en meunière avec saindoux ou graisse d'oie ou de canard : ★★★
Cuisson en meunière sans matière grasse : ★★★
Cuisson en sauté (idem poêlée).
Grillée : ★★★
Pierrade : ★★★
Poêlée avec beurre doux : ★★★
Poêlée avec beurre salé : ★★★
Poêlée avec huile végétale : ★★★
Poêlée avec margarine végétale non salée : ★★★
Poêlée avec margarine végétale salée : ★★★
Poêlée avec saindoux ou graisse d'oie ou de canard : ★★★
Poêlée sans matière grasse : ★★★
Salée et fumée : ★
Séchée : ★★★
Surgelée : ★★★
Remarque : pas d'huile d'arachide ni de beurre noisette.

Sarriette : plante condimentaire.
Conservée sous vide : ★★★
Consommation crue : ★★★
Consommation cuite : ★★★
Déshydratée : ★★★
Fraîchement récoltée : ★★★
Surgelée : ★★★

Saucisse à l'oignon : voir « Porc (viande de) ».

Saucisse de Francfort : voir « Porc (viande de) » section *Salée et fumée.*

Saucisse de Montbéliard : voir « Porc (viande de) » section *Salée et fumée.*

Saucisse de Morteau - Saumon

Saucisse de Morteau : voir « Porc (viande de) » section *Salée et fumée*.

Saucisse de Strasbourg : voir « Porc (viande de) ».

Saucisse de Toulouse : voir « Porc (viande de) ».

Saucisse de volaille : voir « Poulet (viande de) ».

Saucisse fumée : voir « Porc (viande de) » section *Salée et fumée*.

Sauge : plante condimentaire.
Conservée sous vide : ★★★★
Consommation crue : ★★★★
Consommation cuite : ★★★★
Déshydratée : ★★★★
Fraîchement récoltée : ★★★★
Surgelée : ★★★★

Saumon : poisson gras d'eau douce.
Conservé par le sel : ★★★★
Conservé sous vide : ★★★★
Consommation cru
Cuisson à la milanaise avec beurre doux : ★
Cuisson à la milanaise avec beurre salé : ★
Cuisson à la milanaise avec huile végétale : ★
Cuisson à la milanaise avec margarine végétale non salée : ★
Cuisson à la milanaise avec margarine végétale salée : ★
Cuisson à la milanaise avec saindoux ou graisse d'oie ou de canard : ★
Cuisson à la milanaise sans matière grasse : ★
Cuisson à l'étouffée avec beurre doux : ★★★★
Cuisson à l'étouffée avec beurre salé : ★★★★
Cuisson à l'étouffée avec huile végétale : ★★★★
Cuisson à l'étouffée avec margarine végétale non salée : ★★★★
Cuisson à l'étouffée avec margarine végétale salée : ★★★★
Cuisson à l'étouffée avec saindoux ou graisse d'oie ou de canard : ★★★★

Cuisson à l'étouffée sans matière grasse : ★★★★
Cuisson au court bouillon : ★★★★
Cuisson en braisé avec beurre doux : ★★★★
Cuisson en braisé avec beurre salé : ★★★★
Cuisson en braisé avec huile végétale : ★★★★
Cuisson en braisé avec margarine végétale non salée : ★★★★
Cuisson en braisé avec margarine végétale salée : ★★★★
Cuisson en braisé avec saindoux ou graisse d'oie ou de canard :
★★★★
Cuisson en braisé sans matière grasse : ★★★★
Cuisson en friture : ★★★★
Cuisson en meunière avec beurre doux : ★★★★
Cuisson en meunière avec beurre salé : ★★★★
Cuisson en meunière avec huile végétale : ★★★★
Cuisson en meunière avec margarine végétale non salée :
★★★★
Cuisson en meunière avec margarine végétale salée : ★★★★
*Cuisson en meunière avec saindoux ou graisse d'oie ou de
canard :* ★★★★
Cuisson en meunière sans matière grasse : ★★★★
Cuisson en papillote : ★★★★
Cuisson en sauté (idem poêlé).
Cuisson rôti à la broche : ★★★ ★
Cuisson rôti au four avec beurre doux : ★★★★
Cuisson rôti au four avec beurre salé : ★★★★
Cuisson rôti au four avec huile végétale : ★★★★
Cuisson rôti au four avec margarine végétale non salée :
★★★★
Cuisson rôti au four avec margarine végétale salée : ★★★★
*Cuisson rôti au four avec saindoux ou graisse d'oie ou de
canard :* ★★★★
Cuisson rôti au four sans matière grasse ajoutée : ★★★★
Cuisson vapeur : ★★★★
Grillé : ★★★ ★
Pierrade : ★★★★
Poêlé avec beurre doux : ★★★★
Poêlé avec beurre salé : ★★★★
Poêlé avec huile végétale : ★★★★
Poêlé avec margarine végétale non salée : ★★★★
Poêlé avec margarine végétale salée : ★★★★

Saumon - Sébaste

Poêlé avec saindoux ou graisse d'oie ou de canard : ★★★★
Poêlé sans matière grasse : ★★★★
Salé et fumé : ★
Séché : ★★★★
Surgelé : ★★★★
Remarque : pas d'huile d'arachide ni de beurre noisette.

Saumon blanc : voir « Merlu ».

Saumonette : voir « Roussette ».

Sciène : voir « Maigre».

Scorpène : voir « Rascasse ».

Scorsonère : voir « Salsifis ».

Sébaste : poisson marin à chair blanche.
Conservé par le sel : ★★★
Conservé sous vide : ★★★
Consommation cru
Cuisson à la milanaise avec beurre doux : ★
Cuisson à la milanaise avec beurre salé : ★
Cuisson à la milanaise avec huile végétale : ★
Cuisson à la milanaise avec margarine végétale non salée : ★
Cuisson à la milanaise avec margarine végétale salée : ★
Cuisson à la milanaise avec saindoux ou graisse d'oie ou de canard : ★
Cuisson à la milanaise sans matière grasse : ★
Cuisson à l'étouffée avec beurre doux : ★★★
Cuisson à l'étouffée avec beurre salé : ★★★
Cuisson à l'étouffée avec huile végétale : ★★★
Cuisson à l'étouffée avec margarine végétale non salée : ★★★
Cuisson à l'étouffée avec margarine végétale salée : ★★★
Cuisson à l'étouffée avec saindoux ou graisse d'oie ou de canard : ★★★
Cuisson à l'étouffée sans matière grasse : ★★★
Cuisson au court bouillon : ★★★
Cuisson en braisé avec beurre doux : ★★★

Cuisson en braisé avec beurre salé : ★★★
Cuisson en braisé avec huile végétale : ★★★
Cuisson en braisé avec margarine végétale non salée : ★★★
Cuisson en braisé avec margarine végétale salée : ★★★
Cuisson en braisé avec saindoux ou graisse d'oie ou de canard : ★★★
Cuisson en braisé sans matière grasse : ★★★
Cuisson en friture : ★★★
Cuisson en meunière avec beurre doux : ★★★
Cuisson en meunière avec beurre salé : ★★★
Cuisson en meunière avec huile végétale : ★★★
Cuisson en meunière avec margarine végétale non salée : ★★★
Cuisson en meunière avec margarine végétale salée : ★★★
Cuisson en meunière avec saindoux ou graisse d'oie ou de canard : ★★★
Cuisson en meunière sans matière grasse : ★★★
Cuisson en papillote : ★★★
Cuisson en sauté (idem poêlé).
Cuisson rôti au four avec beurre doux : ★★★
Cuisson rôti au four avec beurre salé : ★★★
Cuisson rôti au four avec huile végétale : ★★★
Cuisson rôti au four avec margarine végétale non salée : ★★★
Cuisson rôti au four avec margarine végétale salée : ★★★
Cuisson rôti au four avec saindoux ou graisse d'oie ou de canard : ★★★
Cuisson rôti au four sans matière grasse ajoutée : ★★★
Cuisson vapeur : ★★★
Grillé : ★★★
Pierrade : ★★★
Poêlé avec beurre doux : ★★★
Poêlé avec beurre salé : ★★★
Poêlé avec huile végétale : ★★★
Poêlé avec margarine végétale non salée : ★★★
Poêlé avec margarine végétale salée : ★★★
Poêlé avec saindoux ou graisse d'oie ou de canard : ★★★
Poêlé sans matière grasse : ★★★
Salé et fumé : ★
Séché : ★★★
Surgelé : ★★★

Remarque : pas d'huile d'arachide ni de beurre noisette.

Seiche : voir « Calamar ».

Sel d'ail : voir « Ail » section *Déshydraté*.

Sel de céleri : voir « Céleri» section *Déshydraté*.

Sel d'oignon : voir « Oignon » section *Déshydraté*.

Serpolet : plante condimentaire.
Conservé sous vide : ★★★
Consommation cru : ★★★
Consommation cuit : ★★★
Déshydraté : ★★★
Fraîchement récolté : ★★★
Surgelé : ★★★

Serran : poisson marin à chair blanche.
Conservé par le sel : ★★★
Conservé sous vide : ★★★
Consommation cru
Cuisson à la milanaise avec beurre doux : ★
Cuisson à la milanaise avec beurre salé : ★
Cuisson à la milanaise avec huile végétale : ★
Cuisson à la milanaise avec margarine végétale non salée : ★
Cuisson à la milanaise avec margarine végétale salée : ★
Cuisson à la milanaise avec saindoux ou graisse d'oie ou de canard : ★
Cuisson à la milanaise sans matière grasse : ★
Cuisson à l'étouffée avec beurre doux : ★★★
Cuisson à l'étouffée avec beurre salé : ★★★
Cuisson à l'étouffée avec huile végétale : ★★★
Cuisson à l'étouffée avec margarine végétale non salée : ★★★
Cuisson à l'étouffée avec margarine végétale salée : ★★★
Cuisson à l'étouffée avec saindoux ou graisse d'oie ou de canard : ★★★
Cuisson à l'étouffée sans matière grasse : ★★★
Cuisson au court bouillon : ★★★

Cuisson en braisé avec beurre doux : ★★★
Cuisson en braisé avec beurre salé : ★★★
Cuisson en braisé avec huile végétale : ★★★
Cuisson en braisé avec margarine végétale non salée : ★★★
Cuisson en braisé avec margarine végétale salée : ★★★
Cuisson en braisé avec saindoux ou graisse d'oie ou de canard :
★★★
Cuisson en braisé sans matière grasse : ★★★
Cuisson en friture : ★★★
Cuisson en meunière avec beurre doux : ★★★
Cuisson en meunière avec beurre salé : ★★★
Cuisson en meunière avec huile végétale : ★★★
Cuisson en meunière avec margarine végétale non salée : ★★★
Cuisson en meunière avec margarine végétale salée : ★★★
*Cuisson en meunière avec saindoux ou graisse d'oie ou de
canard :* ★★★
Cuisson en meunière sans matière grasse : ★★★
Cuisson en papillote : ★★★
Cuisson en sauté (idem poêlé).
Cuisson rôti au four avec beurre doux : ★★★
Cuisson rôti au four avec beurre salé : ★★★
Cuisson rôti au four avec huile végétale : ★★★
Cuisson rôti au four avec margarine végétale non salée : ★★★
Cuisson rôti au four avec margarine végétale salée : ★★★
*Cuisson rôti au four avec saindoux ou graisse d'oie ou de
canard :* ★★★
Cuisson rôti au four sans matière grasse ajoutée : ★★★
Cuisson vapeur : ★★★
Grillé : ★★★
Pierrade : ★★★
Poêlé avec beurre doux : ★★★
Poêlé avec beurre salé : ★★★
Poêlé avec huile végétale : ★★★
Poêlé avec margarine végétale non salée : ★★★
Poêlé avec margarine végétale salée : ★★★
Poêlé avec saindoux ou graisse d'oie ou de canard : ★★★
Poêlé sans matière grasse : ★★★
Salé et fumé : ★
Séché : ★★★
Surgelé : ★★★

321

Silure - Sole

Remarque : pas d'huile d'arachide ni de beurre noisette.

Silure : voir « Poisson-chat ».

Sole : poisson plat marin à chair blanche.
Conservée par le sel : ★★★
Conservée sous vide : ★★★
Consommation crue
Cuisson à la milanaise avec beurre doux : ★
Cuisson à la milanaise avec beurre salé : ★
Cuisson à la milanaise avec huile végétale : ★
Cuisson à la milanaise avec margarine végétale non salée : ★
Cuisson à la milanaise avec margarine végétale salée : ★
Cuisson à la milanaise avec saindoux ou graisse d'oie ou de canard : ★
Cuisson à la milanaise sans matière grasse : ★
Cuisson à l'étouffée avec beurre doux : ★★★
Cuisson à l'étouffée avec beurre salé : ★★★
Cuisson à l'étouffée avec huile végétale : ★★★
Cuisson à l'étouffée avec margarine végétale non salée : ★★★
Cuisson à l'étouffée avec margarine végétale salée : ★★★
Cuisson à l'étouffée avec saindoux ou graisse d'oie ou de canard : ★★★
Cuisson à l'étouffée sans matière grasse : ★★★
Cuisson au court bouillon : ★★★
Cuisson en braisé avec beurre doux : ★★★
Cuisson en braisé avec beurre salé : ★★★
Cuisson en braisé avec huile végétale : ★★★
Cuisson en braisé avec margarine végétale non salée : ★★★
Cuisson en braisé avec margarine végétale salée : ★★★
Cuisson en braisé avec saindoux ou graisse d'oie ou de canard : ★★★
Cuisson en braisé sans matière grasse : ★★★
Cuisson en friture : ★★★
Cuisson en meunière avec beurre doux : ★★★
Cuisson en meunière avec beurre salé : ★★★
Cuisson en meunière avec huile végétale : ★★★
Cuisson en meunière avec margarine végétale non salée : ★★★
Cuisson en meunière avec margarine végétale salée : ★★★

Cuisson en meunière avec saindoux ou graisse d'oie ou de canard : ★★★
Cuisson en meunière sans matière grasse : ★★★
Cuisson en papillote : ★★★
Cuisson en sauté (idem poêlée).
Cuisson rôtie au four avec beurre doux : ★★★
Cuisson rôtie au four avec beurre salé : ★★★
Cuisson rôtie au four avec huile végétale : ★★★
Cuisson rôtie au four avec margarine végétale non salée : ★★★
Cuisson rôtie au four avec margarine végétale salée : ★★★
Cuisson rôtie au four avec saindoux ou graisse d'oie ou de canard : ★★★
Cuisson rôtie au four sans matière grasse ajoutée : ★★★
Cuisson vapeur : ★★★
Grillée : ★★★
Pierrade : ★★★
Poêlée avec beurre doux : ★★★
Poêlée avec beurre salé : ★★★
Poêlée avec huile végétale : ★★★
Poêlée avec margarine végétale non salée : ★★★
Poêlée avec margarine végétale salée : ★★★
Poêlée avec saindoux ou graisse d'oie ou de canard : ★★★
Poêlée sans matière grasse : ★★★
Salée et fumée : ★
Séchée : ★★★
Surgelée : ★★★
Remarque : pas d'huile d'arachide ni de beurre noisette.

Souris d'agneau : voir « Agneau (viande d') ».

Spet : poisson marin à chair blanche.
Conservé par le sel : ★★★
Conservé sous vide : ★★★
Consommation cru
Cuisson à la milanaise avec beurre doux : ★
Cuisson à la milanaise avec beurre salé : ★
Cuisson à la milanaise avec huile végétale : ★
Cuisson à la milanaise avec margarine végétale non salée : ★
Cuisson à la milanaise avec margarine végétale salée : ★

Spet

Cuisson à la milanaise avec saindoux ou graisse d'oie ou de canard : ★

Cuisson à la milanaise sans matière grasse : ★

Cuisson à l'étouffée avec beurre doux : ★★★

Cuisson à l'étouffée avec beurre salé : ★★★

Cuisson à l'étouffée avec huile végétale : ★★★

Cuisson à l'étouffée avec margarine végétale non salée : ★★★

Cuisson à l'étouffée avec margarine végétale salée : ★★★

Cuisson à l'étouffée avec saindoux ou graisse d'oie ou de canard : ★★★

Cuisson à l'étouffée sans matière grasse : ★★★

Cuisson au court bouillon : ★★★

Cuisson en braisé avec beurre doux : ★★★

Cuisson en braisé avec beurre salé : ★★★

Cuisson en braisé avec huile végétale : ★★★

Cuisson en braisé avec margarine végétale non salée : ★★★

Cuisson en braisé avec margarine végétale salée : ★★★

Cuisson en braisé avec saindoux ou graisse d'oie ou de canard : ★★★

Cuisson en braisé sans matière grasse : ★★★

Cuisson en friture : ★★★

Cuisson en meunière avec beurre doux : ★★★

Cuisson en meunière avec beurre salé : ★★★

Cuisson en meunière avec huile végétale : ★★★

Cuisson en meunière avec margarine végétale non salée : ★★★

Cuisson en meunière avec margarine végétale salée : ★★★

Cuisson en meunière avec saindoux ou graisse d'oie ou de canard : ★★★

Cuisson en meunière sans matière grasse : ★★★

Cuisson en papillote : ★★★

Cuisson en sauté (idem poêlé).

Cuisson rôti au four avec beurre doux : ★★★

Cuisson rôti au four avec beurre salé : ★★★

Cuisson rôti au four avec huile végétale : ★★★

Cuisson rôti au four avec margarine végétale non salée : ★★★

Cuisson rôti au four avec margarine végétale salée : ★★★

Cuisson rôti au four avec saindoux ou graisse d'oie ou de canard : ★★★

Cuisson rôti au four sans matière grasse ajoutée : ★★★

Cuisson vapeur : ★★★

Grillé : ★★★
Pierrade : ★★★
Poêlé avec beurre doux : ★★★
Poêlé avec beurre salé : ★★★
Poêlé avec huile végétale : ★★★
Poêlé avec margarine végétale non salée : ★★★
Poêlé avec margarine végétale salée : ★★★
Poêlé avec saindoux ou graisse d'oie ou de canard : ★★★
Poêlé sans matière grasse : ★★★
Salé et fumé : ★
Séché : ★★★
Surgelé : ★★★
Remarque : pas d'huile d'arachide ni de beurre noisette.

Sprat : poisson gras marin.
Conservé par le sel : ★★★
Conservé sous vide : ★★★
Consommation cru
Cuisson à la milanaise avec beurre doux : ★
Cuisson à la milanaise avec beurre salé : ★
Cuisson à la milanaise avec huile végétale : ★
Cuisson à la milanaise avec margarine végétale non salée : ★
Cuisson à la milanaise avec margarine végétale salée : ★
Cuisson à la milanaise avec saindoux ou graisse d'oie ou de canard : ★
Cuisson à la milanaise sans matière grasse : ★
Cuisson en beignet : ★★★
Cuisson en friture : ★★★
Cuisson en meunière avec beurre doux : ★★★
Cuisson en meunière avec beurre salé : ★★★
Cuisson en meunière avec huile végétale : ★★★
Cuisson en meunière avec margarine végétale non salée : ★★★
Cuisson en meunière avec margarine végétale salée : ★★★
Cuisson en meunière avec saindoux ou graisse d'oie ou de canard : ★★★
Cuisson en meunière sans matière grasse : ★★★
Cuisson en sauté (idem poêlé).
Pierrade : ★★★
Poêlé avec beurre doux : ★★★

Poêlé avec beurre salé : ★★★
Poêlé avec huile végétale : ★★★
Poêlé avec margarine végétale non salée : ★★★
Poêlé avec margarine végétale salée : ★★★
Poêlé avec saindoux ou graisse d'oie ou de canard : ★★★
Poêlé sans matière grasse : ★★★
Salé et fumé : ★
Séché : ★★★
Surgelé : ★★★
Remarque : pas d'huile d'arachide ni de beurre noisette.

Steak : voir « Bœuf (viande de) ».

Steak haché de bœuf : voir « Bœuf (viande de) ».

Steak haché de jambon : voir « Porc (viande de) ».

Steak haché de veau : voir « Veau (viande de) ».

Steak tartare : voir « Bœuf (viande de) » section *Consommation crue.*

Surlonge de bœuf : voir « Bœuf (viande de) ».

T

Tacaud : poisson marin à chair blanche.
Conservé par le sel : ★★★
Conservé sous vide : ★★★
Consommation cru
Cuisson à la milanaise avec beurre doux : ★
Cuisson à la milanaise avec beurre salé : ★
Cuisson à la milanaise avec huile végétale : ★
Cuisson à la milanaise avec margarine végétale non salée : ★
Cuisson à la milanaise avec margarine végétale salée : ★

Cuisson à la milanaise avec saindoux ou graisse d'oie ou de canard : ★

Cuisson à la milanaise sans matière grasse : ★

Cuisson à l'étouffée avec beurre doux : ★★★

Cuisson à l'étouffée avec beurre salé : ★★★

Cuisson à l'étouffée avec huile végétale : ★★★

Cuisson à l'étouffée avec margarine végétale non salée : ★★★

Cuisson à l'étouffée avec margarine végétale salée : ★★★

Cuisson à l'étouffée avec saindoux ou graisse d'oie ou de canard : ★★★

Cuisson à l'étouffée sans matière grasse : ★★★

Cuisson au court bouillon : ★★★

Cuisson en braisé avec beurre doux : ★★★

Cuisson en braisé avec beurre salé : ★★★

Cuisson en braisé avec huile végétale : ★★★

Cuisson en braisé avec margarine végétale non salée : ★★★

Cuisson en braisé avec margarine végétale salée : ★★★

Cuisson en braisé avec saindoux ou graisse d'oie ou de canard : ★★★

Cuisson en braisé sans matière grasse : ★★★

Cuisson en friture : ★★★

Cuisson en meunière avec beurre doux : ★★★

Cuisson en meunière avec beurre salé : ★★★

Cuisson en meunière avec huile végétale : ★★★

Cuisson en meunière avec margarine végétale non salée : ★★★

Cuisson en meunière avec margarine végétale salée : ★★★

Cuisson en meunière avec saindoux ou graisse d'oie ou de canard : ★★★

Cuisson en meunière sans matière grasse : ★★★

Cuisson en papillote : ★★★

Cuisson en sauté (idem poêlé).

Cuisson rôti au four avec beurre doux : ★★★

Cuisson rôti au four avec beurre salé : ★★★

Cuisson rôti au four avec huile végétale : ★★★

Cuisson rôti au four avec margarine végétale non salée : ★★★

Cuisson rôti au four avec margarine végétale salée : ★★★

Cuisson rôti au four avec saindoux ou graisse d'oie ou de canard : ★★★

Cuisson rôti au four sans matière grasse ajoutée : ★★★

Cuisson vapeur : ★★★

Grillé : ★★★
Pierrade : ★★★
Poêlé avec beurre doux : ★★★
Poêlé avec beurre salé : ★★★
Poêlé avec huile végétale : ★★★
Poêlé avec margarine végétale non salée : ★★★
Poêlé avec margarine végétale salée : ★★★
Poêlé avec saindoux ou graisse d'oie ou de canard : ★★★
Poêlé sans matière grasse : ★★★
Salé et fumé : ★
Séché : ★★★
Surgelé : ★★★
Remarque : pas d'huile d'arachide ni de beurre noisette.

Tanche : poisson d'eau douce à chair blanche.
Conservée par le sel : ★★★
Conservée sous vide : ★★★
Consommation crue
Cuisson à la milanaise avec beurre doux : ★
Cuisson à la milanaise avec beurre salé : ★
Cuisson à la milanaise avec huile végétale : ★
Cuisson à la milanaise avec margarine végétale non salée : ★
Cuisson à la milanaise avec margarine végétale salée : ★
Cuisson à la milanaise avec saindoux ou graisse d'oie ou de canard : ★
Cuisson à la milanaise sans matière grasse : ★
Cuisson à l'étouffée avec beurre doux : ★★★
Cuisson à l'étouffée avec beurre salé : ★★★
Cuisson à l'étouffée avec huile végétale : ★★★
Cuisson à l'étouffée avec margarine végétale non salée : ★★★
Cuisson à l'étouffée avec margarine végétale salée : ★★★
Cuisson à l'étouffée avec saindoux ou graisse d'oie ou de canard : ★★★
Cuisson à l'étouffée sans matière grasse : ★★★
Cuisson au court bouillon : ★★★
Cuisson en braisé avec beurre doux : ★★★
Cuisson en braisé avec beurre salé : ★★★
Cuisson en braisé avec huile végétale : ★★★
Cuisson en braisé avec margarine végétale non salée : ★★★

Cuisson en braisé avec margarine végétale salée : ★★★
Cuisson en braisé avec saindoux ou graisse d'oie ou de canard :
★★★
Cuisson en braisé sans matière grasse : ★★★
Cuisson en friture : ★★★
Cuisson en meunière avec beurre doux : ★★★
Cuisson en meunière avec beurre salé : ★★★
Cuisson en meunière avec huile végétale : ★★★
Cuisson en meunière avec margarine végétale non salée : ★★★
Cuisson en meunière avec margarine végétale salée : ★★★
Cuisson en meunière avec saindoux ou graisse d'oie ou de
canard : ★★★
Cuisson en meunière sans matière grasse : ★★★
Cuisson en papillote : ★★★
Cuisson en sauté (idem poêlée).
Cuisson rôtie au four avec beurre doux : ★★★
Cuisson rôtie au four avec beurre salé : ★★★
Cuisson rôtie au four avec huile végétale : ★★★
Cuisson rôtie au four avec margarine végétale non salée : ★★★
Cuisson rôtie au four avec margarine végétale salée : ★★★
Cuisson rôtie au four avec saindoux ou graisse d'oie ou de
canard : ★★★
Cuisson rôtie au four sans matière grasse ajoutée : ★★★
Cuisson vapeur : ★★★
Grillée : ★★★
Pierrade : ★★★
Poêlée avec beurre doux : ★★★
Poêlée avec beurre salé : ★★★
Poêlée avec huile végétale : ★★★
Poêlée avec margarine végétale non salée : ★★★
Poêlée avec margarine végétale salée : ★★★
Poêlée avec saindoux ou graisse d'oie ou de canard : ★★★
Poêlée sans matière grasse : ★★★
Salée et fumée : ★
Séchée : ★★★
Surgelée : ★★★
Remarque : pas d'huile d'arachide ni de beurre noisette.

Taro : plante tropicale cultivée pour son tubercule comestible. Légume vert.

Conserve en saumure (eau salée) : ★★★
Conservé sous vide : ★★★
Consommation cru
Cuisson à l'étouffée avec beurre doux : ★★★
Cuisson à l'étouffée avec beurre salé : ★★★
Cuisson à l'étouffée avec huile végétale : ★★★
Cuisson à l'étouffée avec margarine végétale non salée : ★★★
Cuisson à l'étouffée avec margarine végétale salée : ★★★
Cuisson à l'étouffée avec saindoux ou graisse d'oie ou de canard : ★★★
Cuisson à l'étouffée sans matière grasse : ★★★
Cuisson au court bouillon : ★★★
Cuisson en braisé avec beurre doux : ★★★
Cuisson en braisé avec beurre salé : ★★★
Cuisson en braisé avec huile végétale : ★★★
Cuisson en braisé avec margarine végétale non salée : ★★★
Cuisson en braisé avec margarine végétale salée : ★★★
Cuisson en braisé avec saindoux ou graisse d'oie ou de canard : ★★★
Cuisson en braisé sans matière grasse : ★★★
Cuisson en friture : ★★★
Cuisson en papillote : ★★★
Cuisson en ragoût avec beurre doux : ★★★
Cuisson en ragoût avec beurre salé : ★★★
Cuisson en ragoût avec huile végétale : ★★★
Cuisson en ragoût avec margarine végétale non salée : ★★★
Cuisson en ragoût avec margarine végétale salée : ★★★
Cuisson en ragoût avec saindoux ou graisse d'oie ou de canard : ★★★
Cuisson en sauté (idem poêlé).
Cuisson vapeur : ★★★
Poêlé avec beurre doux : ★★★
Poêlé avec beurre salé : ★★★
Poêlé avec huile végétale : ★★★
Poêlé avec margarine végétale non salée : ★★★
Poêlé avec margarine végétale salée : ★★★
Poêlé avec saindoux ou graisse d'oie ou de canard : ★★★
Poêlé sans matière grasse : ★★★

Potage crème : ★★★
Potage nature sans matière grasse ajoutée : ★★★
Potage velouté : ★★★
Surgelé : ★★★
Remarque : pas d'huile d'arachide ni de beurre noisette.

Tende de tranche : voir « Bœuf (viande de) ».

Tendron de bœuf : voir « Bœuf (viande de) ».

Tendron de veau : voir « Veau (viande de) ».

Thon : poisson gras marin fraîchement pêché.
Conservé à l'huile : ★★★
Conservé au naturel : ★★★★
Conservé par le sel : ★★★★
Conservé sous vide : ★★★★
Consommation cru
Cuisson à la milanaise avec beurre doux : ★
Cuisson à la milanaise avec beurre salé : ★
Cuisson à la milanaise avec huile végétale : ★
Cuisson à la milanaise avec margarine végétale non salée : ★
Cuisson à la milanaise avec margarine végétale salée : ★
Cuisson à la milanaise avec saindoux ou graisse d'oie ou de canard : ★
Cuisson à la milanaise sans matière grasse : ★
Cuisson à l'étouffée avec beurre doux : ★★★★
Cuisson à l'étouffée avec beurre salé : ★★★★
Cuisson à l'étouffée avec huile végétale : ★★★★
Cuisson à l'étouffée avec margarine végétale non salée : ★★★★
Cuisson à l'étouffée avec margarine végétale salée : ★★★★
Cuisson à l'étouffée avec saindoux ou graisse d'oie ou de canard : ★★★★
Cuisson à l'étouffée sans matière grasse : ★★★★
Cuisson au court bouillon : ★★★★
Cuisson en braisé avec beurre doux : ★★★★
Cuisson en braisé avec beurre salé : ★★★★
Cuisson en braisé avec huile végétale : ★★★★

Thon

Cuisson en braisé avec margarine végétale non salée : ★★★★
Cuisson en braisé avec margarine végétale salée : ★★★★
Cuisson en braisé avec saindoux ou graisse d'oie ou de canard :
★★★★
Cuisson en braisé sans matière grasse : ★★★★
Cuisson en friture : ★★★★
Cuisson en meunière avec beurre doux : ★★★★
Cuisson en meunière avec beurre salé : ★★★★
Cuisson en meunière avec huile végétale : ★★★★
Cuisson en meunière avec margarine végétale non salée :
★★★★
Cuisson en meunière avec margarine végétale salée : ★★★★
Cuisson en meunière avec saindoux ou graisse d'oie ou de
canard : ★★★★
Cuisson en meunière sans matière grasse : ★★★★
Cuisson en papillote : ★★★★
Cuisson en ragoût avec beurre doux : ★★★★
Cuisson en ragoût avec beurre salé : ★★★★
Cuisson en ragoût avec huile végétale : ★★★★
Cuisson en ragoût avec margarine végétale non salée : ★★★★
Cuisson en ragoût avec margarine végétale salée : ★★★★
Cuisson en ragoût avec saindoux ou graisse d'oie ou de canard :
★★★★
Cuisson en sauté (idem poêlé).
Cuisson rôti à la broche : ★★★ ★
Cuisson rôti au four avec beurre doux : ★★★★
Cuisson rôti au four avec beurre salé : ★★★★
Cuisson rôti au four avec huile végétale : ★★★★
Cuisson rôti au four avec margarine végétale non salée :
★★★★
Cuisson rôti au four avec margarine végétale salée : ★★★★
Cuisson rôti au four avec saindoux ou graisse d'oie ou de
canard : ★★★★
Cuisson rôti au four sans matière grasse ajoutée : ★★★★
Cuisson vapeur : ★★★★
Grillé : ★★★ ★
Pierrade : ★★★★
Poêlé avec beurre doux : ★★★★
Poêlé avec beurre salé : ★★★★
Poêlé avec huile végétale : ★★★★

Poêlé avec margarine végétale non salée : ★★★★
Poêlé avec margarine végétale salée : ★★★★
Poêlé avec saindoux ou graisse d'oie ou de canard : ★★★★
Poêlé sans matière grasse : ★★★★
Salé et fumé : ★
Séché : ★★★★
Surgelé : ★★★★
Remarque : pas d'huile d'arachide ni de beurre noisette.

Thonine : poisson gras marin.
Conservée par le sel : ★★★★
Conservée sous vide : ★★★★
Consommation crue
Cuisson à la milanaise avec beurre doux : ★
Cuisson à la milanaise avec beurre salé : ★
Cuisson à la milanaise avec huile végétale : ★
Cuisson à la milanaise avec margarine végétale non salée : ★
Cuisson à la milanaise avec margarine végétale salée : ★
Cuisson à la milanaise avec saindoux ou graisse d'oie ou de canard : ★
Cuisson à la milanaise sans matière grasse : ★
Cuisson à l'étouffée avec beurre doux : ★★★★
Cuisson à l'étouffée avec beurre salé : ★★★★
Cuisson à l'étouffée avec huile végétale : ★★★★
Cuisson à l'étouffée avec margarine végétale non salée : ★★★★
Cuisson à l'étouffée avec margarine végétale salée : ★★★★
Cuisson à l'étouffée avec saindoux ou graisse d'oie ou de canard : ★★★★
Cuisson à l'étouffée sans matière grasse : ★★★★
Cuisson au court bouillon : ★★★★
Cuisson en braisé avec beurre doux : ★★★★
Cuisson en braisé avec beurre salé : ★★★★
Cuisson en braisé avec huile végétale : ★★★★
Cuisson en braisé avec margarine végétale non salée : ★★★★
Cuisson en braisé avec margarine végétale salée : ★★★★
Cuisson en braisé avec saindoux ou graisse d'oie ou de canard : ★★★★
Cuisson en braisé sans matière grasse : ★★★★

Cuisson en friture : ★★★★
Cuisson en meunière avec beurre doux : ★★★★
Cuisson en meunière avec beurre salé : ★★★★
Cuisson en meunière avec huile végétale : ★★★★
Cuisson en meunière avec margarine végétale non salée : ★★★★
Cuisson en meunière avec margarine végétale salée : ★★★★
Cuisson en meunière avec saindoux ou graisse d'oie ou de canard : ★★★★
Cuisson en meunière sans matière grasse : ★★★★
Cuisson en papillote : ★★★★
Cuisson en sauté (idem poêlée).
Cuisson rôtie à la broche : ★★★ ★
Cuisson rôtie au four avec beurre doux : ★★★★
Cuisson rôtie au four avec beurre salé : ★★★★
Cuisson rôtie au four avec huile végétale : ★★★★
Cuisson rôtie au four avec margarine végétale non salée : ★★★★
Cuisson rôtie au four avec margarine végétale salée : ★★★★
Cuisson rôtie au four avec saindoux ou graisse d'oie ou de canard : ★★★★
Cuisson rôtie au four sans matière grasse ajoutée : ★★★★
Cuisson vapeur : ★★★★
Grillée : ★★★ ★
Pierrade : ★★★★
Poêlée avec beurre doux : ★★★★
Poêlée avec beurre salé : ★★★★
Poêlée avec huile végétale : ★★★★
Poêlée avec margarine végétale non salée : ★★★★
Poêlée avec margarine végétale salée : ★★★★
Poêlée avec saindoux ou graisse d'oie ou de canard : ★★★★
Poêlée sans matière grasse : ★★★★
Salée et fumée : ★
Séchée : ★★★★
Surgelée : ★★★★
Remarque : pas d'huile d'arachide ni de beurre noisette.

Thym : plante utilisée comme aromate.
Conservé sous vide : ★★★★

Consommation cru : ★★★★
Consommation cuit : ★★★★
Déshydraté : ★★★★
Fraîchement récolté : ★★★★
Surgelé : ★★★★

Thymus de l'agneau : voir « Agneau (viande de) ».

Thymus de veau : voir « Veau (viande de) ».

Tomate : plante potagère qui produit ce fruit, considéré comme un légume vert : la tomate. Légume vert.
Confite : ★★★
Conserve en saumure (eau salée) : ★★★
Conservée sous vide : ★★★
Consommation crue : ★★★
Cuisson à l'étouffée avec beurre doux : ★★★
Cuisson à l'étouffée avec beurre salé : ★★★
Cuisson à l'étouffée avec huile végétale : ★★★
Cuisson à l'étouffée avec margarine végétale non salée : ★★★
Cuisson à l'étouffée avec margarine végétale salée : ★★★
Cuisson à l'étouffée avec saindoux ou graisse d'oie ou de canard : ★★★
Cuisson à l'étouffée sans matière grasse : ★★★
Cuisson au court bouillon : ★★★
Cuisson en braisé avec beurre doux : ★★★
Cuisson en braisé avec beurre salé : ★★★
Cuisson en braisé avec huile végétale : ★★★
Cuisson en braisé avec margarine végétale non salée : ★★★
Cuisson en braisé avec margarine végétale salée : ★★★
Cuisson en braisé avec saindoux ou graisse d'oie ou de canard : ★★★
Cuisson en braisé sans matière grasse : ★★★
Cuisson en friture : ★★★
Cuisson en papillote : ★★★
Cuisson en ragoût avec beurre doux : ★★★
Cuisson en ragoût avec beurre salé : ★★★
Cuisson en ragoût avec huile végétale : ★★★
Cuisson en ragoût avec margarine végétale non salée : ★★★
Cuisson en ragoût avec margarine végétale salée : ★★★

Cuisson en ragoût avec saindoux ou graisse d'oie ou de canard :
★★★
Cuisson en sauté (idem poêlée).
Cuisson vapeur : ★★★
En confiture : ★★★
En confiture allégée en sucre : ★★★
En confiture sans sucre : ★★★
Pierrade : ★★★
Poêlée avec beurre doux : ★★★
Poêlée avec beurre salé : ★★★
Poêlée avec huile végétale : ★★★
Poêlée avec margarine végétale non salée : ★★★
Poêlée avec margarine végétale salée : ★★★
Poêlée avec saindoux ou graisse d'oie ou de canard : ★★★
Poêlée sans matière grasse : ★★★
Potage crème : ★★★
Potage nature sans matière grasse ajoutée : ★★★
Potage velouté : ★★★
Séchée : ★★★
Surgelée : ★★★
Remarque : pas d'huile d'arachide ni de beurre noisette.

Tombe : poisson marin à chair blanche.
Conservée par le sel : ★★★
Conservée sous vide : ★★★
Consommation crue
Cuisson à la milanaise avec beurre doux : ★
Cuisson à la milanaise avec beurre salé : ★
Cuisson à la milanaise avec huile végétale : ★
Cuisson à la milanaise avec margarine végétale non salée : ★
Cuisson à la milanaise avec margarine végétale salée : ★
Cuisson à la milanaise avec saindoux ou graisse d'oie ou de canard : ★
Cuisson à la milanaise sans matière grasse : ★
Cuisson à l'étouffée avec beurre doux : ★★★
Cuisson à l'étouffée avec beurre salé : ★★★
Cuisson à l'étouffée avec huile végétale : ★★★
Cuisson à l'étouffée avec margarine végétale non salée : ★★★
Cuisson à l'étouffée avec margarine végétale salée : ★★★

Cuisson à l'étouffée avec saindoux ou graisse d'oie ou de canard : ★★★
Cuisson à l'étouffée sans matière grasse : ★★★
Cuisson au court bouillon : ★★★
Cuisson en braisé avec beurre doux : ★★★
Cuisson en braisé avec beurre salé : ★★★
Cuisson en braisé avec huile végétale : ★★★
Cuisson en braisé avec margarine végétale non salée : ★★★
Cuisson en braisé avec margarine végétale salée : ★★★
Cuisson en braisé avec saindoux ou graisse d'oie ou de canard : ★★★
Cuisson en braisé sans matière grasse : ★★★
Cuisson en friture : ★★★
Cuisson en meunière avec beurre doux : ★★★
Cuisson en meunière avec beurre salé : ★★★
Cuisson en meunière avec huile végétale : ★★★
Cuisson en meunière avec margarine végétale non salée : ★★★
Cuisson en meunière avec margarine végétale salée : ★★★
Cuisson en meunière avec saindoux ou graisse d'oie ou de canard : ★★★
Cuisson en meunière sans matière grasse : ★★★
Cuisson en papillote : ★★★
Cuisson en sauté (idem poêlée).
Cuisson rôtie à la broche : ★★★
Cuisson rôtie au four avec beurre doux : ★★★
Cuisson rôtie au four avec beurre salé : ★★★
Cuisson rôtie au four avec huile végétale : ★★★
Cuisson rôtie au four avec margarine végétale non salée : ★★★
Cuisson rôtie au four avec margarine végétale salée : ★★★
Cuisson rôtie au four avec saindoux ou graisse d'oie ou de canard : ★★★
Cuisson rôtie au four sans matière grasse ajoutée : ★★★
Cuisson vapeur : ★★★
Grillée : ★★★
Pierrade : ★★★
Poêlée avec beurre doux : ★★★
Poêlée avec beurre salé : ★★★
Poêlée avec huile végétale : ★★★
Poêlée avec margarine végétale non salée : ★★★
Poêlée avec margarine végétale salée : ★★★

Poêlée avec saindoux ou graisse d'oie ou de canard : ★★★
Poêlée sans matière grasse : ★★★
Salée et fumée : ★
Séchée : ★★★
Surgelée : ★★★
Remarque : pas d'huile d'arachide ni de beurre noisette.

Topinambour : plante potagère dont on consomme les tubercules. Légume vert.
Conserve en saumure (eau salée) : ★★★
Conservé sous vide : ★★★
Consommation cru
Cuisson à l'étouffée avec beurre doux : ★★★
Cuisson à l'étouffée avec beurre salé : ★★★
Cuisson à l'étouffée avec huile végétale : ★★★
Cuisson à l'étouffée avec margarine végétale non salée : ★★★
Cuisson à l'étouffée avec margarine végétale salée : ★★★
Cuisson à l'étouffée avec saindoux ou graisse d'oie ou de canard : ★★★
Cuisson à l'étouffée sans matière grasse : ★★★
Cuisson au court bouillon : ★★★
Cuisson en braisé avec beurre doux : ★★★
Cuisson en braisé avec beurre salé : ★★★
Cuisson en braisé avec huile végétale : ★★★
Cuisson en braisé avec margarine végétale non salée : ★★★
Cuisson en braisé avec margarine végétale salée : ★★★
Cuisson en braisé avec saindoux ou graisse d'oie ou de canard : ★★★
Cuisson en braisé sans matière grasse : ★★★
Cuisson en friture : ★★★
Cuisson en papillote : ★★★
Cuisson en ragoût avec beurre doux : ★★★
Cuisson en ragoût avec beurre salé : ★★★
Cuisson en ragoût avec huile végétale : ★★★
Cuisson en ragoût avec margarine végétale non salée : ★★★
Cuisson en ragoût avec margarine végétale salée : ★★★
Cuisson en ragoût avec saindoux ou graisse d'oie ou de canard : ★★★
Cuisson en sauté (idem poêlé).

Cuisson vapeur : ★★★
Poêlé avec beurre doux : ★★★
Poêlé avec beurre salé : ★★★
Poêlé avec huile végétale : ★★★
Poêlé avec margarine végétale non salée : ★★★
Poêlé avec margarine végétale salée : ★★★
Poêlé avec saindoux ou graisse d'oie ou de canard : ★★★
Poêlé sans matière grasse : ★★★
Potage crème : ★★★
Potage nature sans matière grasse ajoutée : ★★★
Potage velouté : ★★★
Surgelé : ★★★
Remarque : pas d'huile d'arachide ni de beurre noisette.

Tournedos de bœuf : voir « Bœuf (viande de) ».

Tournedos de dinde : voir « Dinde (viande de) ».

Tranche de filet : voir « Porc (viande de) ».

Tranche grasse : voir « Bœuf (viande de) ».

Travers de porc : voir « Porc (viande de) ».

Tricholome de la Saint-Georges : voir « Champignon ».

Trigle : voir « Grondin ».

Trompette-des-morts : voir « Champignon ».

Truite : poisson gras d'eau douce.
Conservée par le sel : ★★★★
Conservée sous vide : ★★★★
Consommation crue
Cuisson à la milanaise avec beurre doux : ★
Cuisson à la milanaise avec beurre salé : ★
Cuisson à la milanaise avec huile végétale : ★
Cuisson à la milanaise avec margarine végétale non salée : ★
Cuisson à la milanaise avec margarine végétale salée : ★

Truite

Cuisson à la milanaise avec saindoux ou graisse d'oie ou de canard : ★

Cuisson à la milanaise sans matière grasse : ★

Cuisson à l'étouffée avec beurre doux : ★ ★ ★ ★

Cuisson à l'étouffée avec beurre salé : ★ ★ ★ ★

Cuisson à l'étouffée avec huile végétale : ★ ★ ★ ★

Cuisson à l'étouffée avec margarine végétale non salée : ★ ★ ★ ★

Cuisson à l'étouffée avec margarine végétale salée : ★ ★ ★ ★

Cuisson à l'étouffée avec saindoux ou graisse d'oie ou de canard : ★ ★ ★ ★

Cuisson à l'étouffée sans matière grasse : ★ ★ ★ ★

Cuisson au court bouillon : ★ ★ ★ ★

Cuisson en braisé avec beurre doux : ★ ★ ★ ★

Cuisson en braisé avec beurre salé : ★ ★ ★ ★

Cuisson en braisé avec huile végétale : ★ ★ ★ ★

Cuisson en braisé avec margarine végétale non salée : ★ ★ ★ ★

Cuisson en braisé avec margarine végétale salée : ★ ★ ★ ★

Cuisson en braisé avec saindoux ou graisse d'oie ou de canard : ★ ★ ★ ★

Cuisson en braisé sans matière grasse : ★ ★ ★ ★

Cuisson en friture : ★ ★ ★ ★

Cuisson en meunière avec beurre doux : ★ ★ ★ ★

Cuisson en meunière avec beurre salé : ★ ★ ★ ★

Cuisson en meunière avec huile végétale : ★ ★ ★ ★

Cuisson en meunière avec margarine végétale non salée : ★ ★ ★ ★

Cuisson en meunière avec margarine végétale salée : ★ ★ ★ ★

Cuisson en meunière avec saindoux ou graisse d'oie ou de canard : ★ ★ ★ ★

Cuisson en meunière sans matière grasse : ★ ★ ★ ★

Cuisson en papillote : ★ ★ ★ ★

Cuisson en sauté (idem poêlée).

Cuisson rôtie à la broche : ★ ★ ★ ★

Cuisson rôtie au four avec beurre doux : ★ ★ ★ ★

Cuisson rôtie au four avec beurre salé : ★ ★ ★ ★

Cuisson rôtie au four avec huile végétale : ★ ★ ★ ★

Cuisson rôtie au four avec margarine végétale non salée : ★ ★ ★ ★

Cuisson rôtie au four avec margarine végétale salée : ★ ★ ★ ★

Cuisson rôtie au four avec saindoux ou graisse d'oie ou de canard : ★★★★
Cuisson rôtie au four sans matière grasse ajoutée : ★★★★
Cuisson vapeur : ★★★★
Grillée : ★★★ ★
Pierrade : ★★★★
Poêlée avec beurre doux : ★★★★
Poêlée avec beurre salé : ★★★★
Poêlée avec huile végétale : ★★★★
Poêlée avec margarine végétale non salée : ★★★★
Poêlée avec margarine végétale salée : ★★★★
Poêlée avec saindoux ou graisse d'oie ou de canard : ★★★★
Poêlée sans matière grasse : ★★★★
Salée et fumée : ★
Séchée : ★★★★
Surgelée : ★★★★
Remarque : pas d'huile d'arachide ni de beurre noisette.

Truite de mer : voir « Truite ».

Turbot : poisson marin plat à chair blanche.
Conservé par le sel : ★★★
Conservé sous vide : ★★★
Consommation cru
Cuisson à la milanaise avec beurre doux : ★
Cuisson à la milanaise avec beurre salé : ★
Cuisson à la milanaise avec huile végétale : ★
Cuisson à la milanaise avec margarine végétale non salée : ★
Cuisson à la milanaise avec margarine végétale salée : ★
Cuisson à la milanaise avec saindoux ou graisse d'oie ou de canard : ★
Cuisson à la milanaise sans matière grasse : ★
Cuisson à l'étouffée avec beurre doux : ★★★
Cuisson à l'étouffée avec beurre salé : ★★★
Cuisson à l'étouffée avec huile végétale : ★★★
Cuisson à l'étouffée avec margarine végétale non salée : ★★★
Cuisson à l'étouffée avec margarine végétale salée : ★★★
Cuisson à l'étouffée avec saindoux ou graisse d'oie ou de canard : ★★★

Turbot

Cuisson à l'étouffée sans matière grasse : ★★★
Cuisson au court bouillon : ★★★
Cuisson en braisé avec beurre doux : ★★★
Cuisson en braisé avec beurre salé : ★★★
Cuisson en braisé avec huile végétale : ★★★
Cuisson en braisé avec margarine végétale non salée : ★★★
Cuisson en braisé avec margarine végétale salée : ★★★
Cuisson en braisé avec saindoux ou graisse d'oie ou de canard : ★★★
Cuisson en braisé sans matière grasse : ★★★
Cuisson en friture : ★★★
Cuisson en meunière avec beurre doux : ★★★
Cuisson en meunière avec beurre salé : ★★★
Cuisson en meunière avec huile végétale : ★★★
Cuisson en meunière avec margarine végétale non salée : ★★★
Cuisson en meunière avec margarine végétale salée : ★★★
Cuisson en meunière avec saindoux ou graisse d'oie ou de canard : ★★★
Cuisson en meunière sans matière grasse : ★★★
Cuisson en papillote : ★★★
Cuisson en sauté (idem poêlé).
Cuisson rôti au four avec beurre doux : ★★★
Cuisson rôti au four avec beurre salé : ★★★
Cuisson rôti au four avec huile végétale : ★★★
Cuisson rôti au four avec margarine végétale non salée : ★★★
Cuisson rôti au four avec margarine végétale salée : ★★★
Cuisson rôti au four avec saindoux ou graisse d'oie ou de canard : ★★★
Cuisson rôti au four sans matière grasse ajoutée : ★★★
Cuisson vapeur : ★★★
Grillé : ★★★
Pierrade : ★★★
Poêlé avec beurre doux : ★★★
Poêlé avec beurre salé : ★★★
Poêlé avec huile végétale : ★★★
Poêlé avec margarine végétale non salée : ★★★
Poêlé avec margarine végétale salée : ★★★
Poêlé avec saindoux ou graisse d'oie ou de canard : ★★★
Poêlé sans matière grasse : ★★★
Salé et fumé : ★

Séché : ★★★
Surgelé : ★★★
Remarque : pas d'huile d'arachide ni de beurre noisette.

𝒱

Vairon : petit poisson d'eau douce à chair blanche.
Conservé par le sel : ★★★
Conservé sous vide : ★★★
Consommation cru
Cuisson à la milanaise avec beurre doux : ★
Cuisson à la milanaise avec beurre salé : ★
Cuisson à la milanaise avec huile végétale : ★
Cuisson à la milanaise avec margarine végétale non salée : ★
Cuisson à la milanaise avec margarine végétale salée : ★
Cuisson à la milanaise avec saindoux ou graisse d'oie ou de canard : ★
Cuisson à la milanaise sans matière grasse : ★
Cuisson en beignet : ★★★
Cuisson en friture : ★★★
Cuisson en meunière avec beurre doux : ★★★
Cuisson en meunière avec beurre salé : ★★★
Cuisson en meunière avec huile végétale : ★★★
Cuisson en meunière avec margarine végétale non salée : ★★★
Cuisson en meunière avec margarine végétale salée : ★★★
Cuisson en meunière avec saindoux ou graisse d'oie ou de canard : ★★★
Cuisson en meunière sans matière grasse : ★★★
Cuisson en sauté (idem poêlé).
Pierrade : ★★★
Poêlé avec beurre doux : ★★★
Poêlé avec beurre salé : ★★★
Poêlé avec huile végétale : ★★★
Poêlé avec margarine végétale non salée : ★★★
Poêlé avec margarine végétale salée : ★★★

Vairon - Vandoise

Poêlé avec saindoux ou graisse d'oie ou de canard : ★★★
Poêlé sans matière grasse : ★★★
Salé et fumé : ★
Séché : ★★★
Surgelé : ★★★
Remarque : pas d'huile d'arachide ni de beurre noisette.

Vandoise : poisson d'eau douce à chair blanche.
Conservée par le sel : ★★★
Conservée sous vide : ★★★
Consommation crue
Cuisson à la milanaise avec beurre doux : ★
Cuisson à la milanaise avec beurre salé : ★
Cuisson à la milanaise avec huile végétale : ★
Cuisson à la milanaise avec margarine végétale non salée : ★
Cuisson à la milanaise avec margarine végétale salée : ★
Cuisson à la milanaise avec saindoux ou graisse d'oie ou de canard : ★
Cuisson à la milanaise sans matière grasse : ★
Cuisson en beignet : ★★★
Cuisson en friture : ★★★
Cuisson en meunière avec beurre doux : ★★★
Cuisson en meunière avec beurre salé : ★★★
Cuisson en meunière avec huile végétale : ★★★
Cuisson en meunière avec margarine végétale non salée : ★★★
Cuisson en meunière avec margarine végétale salée : ★★★
Cuisson en meunière avec saindoux ou graisse d'oie ou de canard : ★★★
Cuisson en meunière sans matière grasse : ★★★
Cuisson en sauté (idem poêlée).
Grillée : ★★★
Pierrade : ★★★
Poêlée avec beurre doux : ★★★
Poêlée avec beurre salé : ★★★
Poêlée avec huile végétale : ★★★
Poêlée avec margarine végétale non salée : ★★★
Poêlée avec margarine végétale salée : ★★★
Poêlée avec saindoux ou graisse d'oie ou de canard : ★★★
Poêlée sans matière grasse : ★★★

Salée et fumée : ✶
Séchée : ✶✶✶
Surgelée : ✶✶✶
Remarque : pas d'huile d'arachide ni de beurre noisette.

Veau (viande de...) : représente les viandes non préparées ni transformées, nature, prêtes à être cuisinées provenant du veau.
Conservée par le sel : ✶✶✶
Conservée sous vide : ✶✶✶
Consommation crue
Cuisson à la milanaise avec beurre doux : ✶
Cuisson à la milanaise avec beurre salé : ✶
Cuisson à la milanaise avec huile végétale : ✶
Cuisson à la milanaise avec margarine végétale non salée : ✶
Cuisson à la milanaise avec margarine végétale salée : ✶
Cuisson à la milanaise avec saindoux ou graisse d'oie ou de canard : ✶
Cuisson à la milanaise sans matière grasse : ✶
Cuisson à l'étouffée avec beurre doux : ✶✶✶
Cuisson à l'étouffée avec beurre salé : ✶✶✶
Cuisson à l'étouffée avec huile végétale : ✶✶✶
Cuisson à l'étouffée avec margarine végétale non salée : ✶✶✶
Cuisson à l'étouffée avec margarine végétale salée : ✶✶✶
Cuisson à l'étouffée avec saindoux ou graisse d'oie ou de canard : ✶✶✶
Cuisson à l'étouffée sans matière grasse : ✶✶✶
Cuisson au court bouillon : ✶✶✶
Cuisson en braisé avec beurre doux : ✶✶✶
Cuisson en braisé avec beurre salé : ✶✶✶
Cuisson en braisé avec huile végétale : ✶✶✶
Cuisson en braisé avec margarine végétale non salée : ✶✶✶
Cuisson en braisé avec margarine végétale salée : ✶✶✶
Cuisson en braisé avec saindoux ou graisse d'oie ou de canard : ✶✶✶
Cuisson en braisé sans matière grasse : ✶✶✶
Cuisson en friture : ✶✶✶
Cuisson en meunière avec beurre doux : ✶✶✶
Cuisson en meunière avec beurre salé : ✶✶✶
Cuisson en meunière avec huile végétale : ✶✶✶

Cuisson en meunière avec margarine végétale non salée : ★★★
Cuisson en meunière avec margarine végétale salée : ★★★
Cuisson en meunière avec saindoux ou graisse d'oie ou de canard : ★★★
Cuisson en meunière sans matière grasse : ★★★
Cuisson en papillote : ★★★
Cuisson en ragoût avec beurre doux : ★★★
Cuisson en ragoût avec beurre salé : ★★★
Cuisson en ragoût avec huile végétale : ★★★
Cuisson en ragoût avec margarine végétale non salée : ★★★
Cuisson en ragoût avec margarine végétale salée : ★★★
Cuisson en ragoût avec saindoux ou graisse d'oie ou de canard : ★★★
Cuisson en sauté (idem poêlée).
Cuisson rôtie à la broche : ★★★
Cuisson rôtie au four avec beurre doux : ★★★
Cuisson rôtie au four avec beurre salé : ★★★
Cuisson rôtie au four avec huile végétale : ★★★
Cuisson rôtie au four avec margarine végétale non salée : ★★★
Cuisson rôtie au four avec margarine végétale salée : ★★★
Cuisson rôtie au four avec saindoux ou graisse d'oie ou de canard : ★★★
Cuisson rôtie au four sans matière grasse ajoutée : ★★★
Cuisson vapeur : ★★★
Grillée : ★★★
Pierrade : ★★★
Poêlée avec beurre doux : ★★★
Poêlée avec beurre salé : ★★★
Poêlée avec huile végétale : ★★★
Poêlée avec margarine végétale non salée : ★★★
Poêlée avec margarine végétale salée : ★★★
Poêlée avec saindoux ou graisse d'oie ou de canard : ★★★
Poêlée sans matière grasse : ★★★
Salée et fumée : ★
Séchée : ★★★
Surgelée : ★★★
Remarque : pas d'huile d'arachide ni de beurre noisette.

Vengeron : voir « Gardon ».

Ventrèche : voir « Porc (viande de) ».

Vesse-de-loup : voir « Champignon ».

Vieille : poisson marin à chair blanche.
Conservée par le sel : ★★★
Conservée sous vide : ★★★
Consommation crue
Cuisson à la milanaise avec beurre doux : ★
Cuisson à la milanaise avec beurre salé : ★
Cuisson à la milanaise avec huile végétale : ★
Cuisson à la milanaise avec margarine végétale non salée : ★
Cuisson à la milanaise avec margarine végétale salée : ★
Cuisson à la milanaise avec saindoux ou graisse d'oie ou de canard : ★
Cuisson à la milanaise sans matière grasse : ★
Cuisson à l'étouffée avec beurre doux : ★★★
Cuisson à l'étouffée avec beurre salé : ★★★
Cuisson à l'étouffée avec huile végétale : ★★★
Cuisson à l'étouffée avec margarine végétale non salée : ★★★
Cuisson à l'étouffée avec margarine végétale salée : ★★★
Cuisson à l'étouffée avec saindoux ou graisse d'oie ou de canard : ★★★
Cuisson à l'étouffée sans matière grasse : ★★★
Cuisson au court bouillon : ★★★
Cuisson en braisé avec beurre doux : ★★★
Cuisson en braisé avec beurre salé : ★★★
Cuisson en braisé avec huile végétale : ★★★
Cuisson en braisé avec margarine végétale non salée : ★★★
Cuisson en braisé avec margarine végétale salée : ★★★
Cuisson en braisé avec saindoux ou graisse d'oie ou de canard : ★★★
Cuisson en braisé sans matière grasse : ★★★
Cuisson en friture : ★★★
Cuisson en meunière avec beurre doux : ★★★
Cuisson en meunière avec beurre salé : ★★★
Cuisson en meunière avec huile végétale : ★★★
Cuisson en meunière avec margarine végétale non salée : ★★★
Cuisson en meunière avec margarine végétale salée : ★★★

Cuisson en meunière avec saindoux ou graisse d'oie ou de canard : ★★★
Cuisson en meunière sans matière grasse : ★★★
Cuisson en papillote : ★★★
Cuisson en sauté (idem poêlée).
Cuisson rôtie à la broche : ★★★
Cuisson rôtie au four avec beurre doux : ★★★
Cuisson rôtie au four avec beurre salé : ★★★
Cuisson rôtie au four avec huile végétale : ★★★
Cuisson rôtie au four avec margarine végétale non salée : ★★★
Cuisson rôtie au four avec margarine végétale salée : ★★★
Cuisson rôtie au four avec saindoux ou graisse d'oie ou de canard : ★★★
Cuisson rôtie au four sans matière grasse ajoutée : ★★★
Cuisson vapeur : ★★★
Grillée : ★★★
Pierrade : ★★★
Poêlée avec beurre doux : ★★★
Poêlée avec beurre salé : ★★★
Poêlée avec huile végétale : ★★★
Poêlée avec margarine végétale non salée : ★★★
Poêlée avec margarine végétale salée : ★★★
Poêlée avec saindoux ou graisse d'oie ou de canard : ★★★
Poêlée sans matière grasse : ★★★
Salée et fumée : ★
Séchée : ★★★
Surgelée : ★★★
Remarque : pas d'huile d'arachide ni de beurre noisette.

Vive : poisson marin à chair blanche.
Conservée par le sel : ★★★
Conservée sous vide : ★★★
Consommation crue
Cuisson à la milanaise avec beurre doux : ★
Cuisson à la milanaise avec beurre salé : ★
Cuisson à la milanaise avec huile végétale : ★
Cuisson à la milanaise avec margarine végétale non salée : ★
Cuisson à la milanaise avec margarine végétale salée : ★

Cuisson à la milanaise avec saindoux ou graisse d'oie ou de canard : ★

Cuisson à la milanaise sans matière grasse : ★

Cuisson à l'étouffée avec beurre doux : ★★★

Cuisson à l'étouffée avec beurre salé : ★★★

Cuisson à l'étouffée avec huile végétale : ★★★

Cuisson à l'étouffée avec margarine végétale non salée : ★★★

Cuisson à l'étouffée avec margarine végétale salée : ★★★

Cuisson à l'étouffée avec saindoux ou graisse d'oie ou de canard : ★★★

Cuisson à l'étouffée sans matière grasse : ★★★

Cuisson au court bouillon : ★★★

Cuisson en braisé avec beurre doux : ★★★

Cuisson en braisé avec beurre salé : ★★★

Cuisson en braisé avec huile végétale : ★★★

Cuisson en braisé avec margarine végétale non salée : ★★★

Cuisson en braisé avec margarine végétale salée : ★★★

Cuisson en braisé avec saindoux ou graisse d'oie ou de canard : ★★★

Cuisson en braisé sans matière grasse : ★★★

Cuisson en friture : ★★★

Cuisson en meunière avec beurre doux : ★★★

Cuisson en meunière avec beurre salé : ★★★

Cuisson en meunière avec huile végétale : ★★★

Cuisson en meunière avec margarine végétale non salée : ★★★

Cuisson en meunière avec margarine végétale salée : ★★★

Cuisson en meunière avec saindoux ou graisse d'oie ou de canard : ★★★

Cuisson en meunière sans matière grasse : ★★★

Cuisson en papillote : ★★★

Cuisson en sauté (idem poêlée).

Cuisson rôtie au four avec beurre doux : ★★★

Cuisson rôtie au four avec beurre salé : ★★★

Cuisson rôtie au four avec huile végétale : ★★★

Cuisson rôtie au four avec margarine végétale non salée : ★★★

Cuisson rôtie au four avec margarine végétale salée : ★★★

Cuisson rôtie au four avec saindoux ou graisse d'oie ou de canard : ★★★

Cuisson rôtie au four sans matière grasse ajoutée : ★★★

Cuisson vapeur : ★★★

Vive - Volvaire

Grillée : ★★★
Pierrade : ★★★
Poêlée avec beurre doux : ★★★
Poêlée avec beurre salé : ★★★
Poêlée avec huile végétale : ★★★
Poêlée avec margarine végétale non salée : ★★★
Poêlée avec margarine végétale salée : ★★★
Poêlée avec saindoux ou graisse d'oie ou de canard : ★★★
Poêlée sans matière grasse : ★★★
Salée et fumée : ★
Séchée : ★★★
Surgelée : ★★★

Remarque : **pas d'huile d'arachide ni de beurre noisette.**

Volvaire : voir « Champignon ».